CW01083361

# Alain Mabanckou

# Demain
j'aurai vingt ans

Préface inédite de J. M. G. Le Clézio

**Gallimard**

Alain Mabanckou, Prix Renaudot 2006 pour *Mémoires de porc-épic*, est l'auteur de plusieurs romans dont *Verre Cassé, Mémoires de porc-épic* et *Black Bazar*. Ses livres sont traduits dans une quinzaine de langues. Il enseigne la littérature francophone à l'université de Californie, Los Angeles (UCLA).

# PRÉFACE

En 2005 paraissait *Verre Cassé*, un roman qui fut un événement dans le paysage littéraire de la francophonie et fit connaître à un vaste public le nom d'Alain Mabanckou. Toute mesure gardée, le livre eut pour la francophonie un retentissement comparable à celui de *Sozaboy*, du Nigérian Saro-Wiwa, pour la littérature anglaise — toute mesure gardée parce que le roman de Mabanckou était écrit dans un français classique et que le pidgin English qu'utilisait Saro-Wiwa entretient une relation constante et mieux équilibrée avec la langue anglaise que le créole et les parlers mixtes africains avec la langue française. Comme nombre de romans inspirés par la réalité de l'Afrique nouvelle — *En attendant le vote des bêtes sauvages,* de l'Ivoirien Ahmadou Kourouma, ou encore le célèbre *Palm-Wine Drinkard* (traduit en français par Raymond Queneau sous le titre *L'ivrogne dans la brousse*), du Nigérian Amos Tutuola —, le roman d'Alain Mabanckou puise son humour dans le fonds du conte satirique pour lequel la jeune génération née pendant ou immédiatement après les indépendances excelle. La critique et le public dans son ensemble accueillirent avec enthousiasme les vaticinations de Verre Cassé dans son bar au nom presque célinien de *Crédit a voyagé*. Bernard Pivot salua une œuvre, dit-il, «truculente, exubérante, bavarde, tonitruante, d'un comique sans retenue». Cette œuvre révélait au public un véritable écrivain, avec une histoire, un passé, un environnement littéraire, depuis ses premiers recueils de poésie et ses premiers textes romanesques, *Bleu blanc rouge* en 1998, ou *Les petits-fils nègres de Vercingétorix* en 2002, et donc elle promettait un avenir.

*Demain j'aurai vingt ans* est la matérialisation de cette promesse. C'est un roman, ou un récit à la première personne, qui nous fait pénétrer à l'intérieur de l'âme d'un jeune enfant, Michel, né, bercé et éduqué par cette Afrique qui a à peu près son âge (et celui de l'auteur), où tout est en train d'être inventé, réinventé, recomposé, dans le chaos apparent d'une société prise entre la nostalgie du passé colonial et l'espoir de la liberté, ou plutôt sans doute entre l'illusion d'une sagesse ancestrale et le cynisme de la réalité quotidienne. Le lecteur qui s'intéresse à cette Afrique réelle (rien à voir avec les récits exotiques des explorateurs du XX$^e$ siècle, ni avec les supposées profondeurs philosophiques des gourous du panafricanisme) pensera à d'autres chefs-d'œuvre de l'anglophonie, à *Things Fall Apart* (*Le monde s'effondre*), du Nigérian Chinua Achebe, ou au fameux *Aké*, du Nigérian Wole Soyinka, qui met en scène un petit garçon du même âge que Michel.

Alain Mabanckou nous fait voir son monde par les yeux naïfs et attentifs d'un enfant, et ce qui nous capture et nous émeut est le regard qu'il porte sur les délires et les contradictions de la société postcoloniale tout entière à travers le cercle familial : le capitalisme débridé qui s'est revêtu des oripeaux de la lutte marxiste, la cupidité des riches sentencieux, ou l'absurde nostalgie du mythe des «condamnés de la terre». Ce Congo-Brazzaville qui devient tantôt le Vietongo, capitale Mapapouville, tantôt le quartier Trois-Cents de *Verre Cassé*, ou Pointe-Noire du bavard Moki, ou même, comme dans *Mémoires de porc-épic*, ce pays d'eau où poussent les grands baobabs chers à Saint-Ex.

Le pays des tyrans domestiques est aussi celui des tyrans politiques, ministres, présidents, immortels, qui sont pour le petit Michel des reflets à peine exagérés de sa propre famille. La vie quotidienne est le théâtre des trahisons et des règlements de comptes, c'est aussi le terrain de jeu préféré de l'humoriste. Mabanckou excelle à nous faire partager le bruit de cette vie, les moqueries, les ridicules, la force des femmes au physique comme au moral, mais aussi la douleur d'un enfant qui découvre la trahison de sa mère, sa nostalgie pour ses sœurs jamais nées, Sœur-Étoile et Sœur-Sans-Nom, sa tendresse pour Caroline, une compagne de jeux qui devient son premier amour. Dans le brouhaha de la vie populaire, chaque instant, chaque parole est lourd de conséquences, et au même moment rien n'est sérieux — comme l'indignation de tonton René qui décroche du mur de son salon le portrait de Victor Hugo lorsqu'il découvre que l'illustre écrivain a prononcé ces paroles définitives (reprises comme on le sait par un contemporain) : «Quelle terre que cette Afrique ! L'Asie a son histoire, l'Amérique a son histoire, l'Australie elle-même a son histoire ; l'Afrique n'a pas d'histoire. »

Michel, le jeune héros du roman de Mabanckou, vit une aventure somme toute banale, celle de la découverte de la vie, les chagrins, les émotions et les ruses qui préparent au métier d'homme. Ce qu'il découvre n'est pas spécifiquement congolais, ni même africain (même si cette société hybride dessille plus vite les yeux). C'est la réalité des adultes, souvent égoïstes et immatures, toujours dérisoires. Comme tous les enfants du monde — on se souviendra du regard noir d'une fillette en train d'observer ses parents qui s'entredéchirent, dans un roman de Colette —, le jeune Michel doit trouver sa place, entre malice, rire et désespoir. Seule la jeunesse lave les affronts du passé et guérit des menaces futures.

Gageons que le petit Michel rejoindra durablement, dans notre mémoire romanesque, le Holden Caulfield de *L'attrape-cœurs*, de J. D. Salinger, ou l'inoubliable Mille Milles du *Nez qui voque*, de Réjean Ducharme.

J. M. G. Le Clézio

*Pour ma mère Pauline Kengué — morte en 1995*

*Pour mon père Roger Kimangou — mort en 2004*

*À Dany Laferrière*

Ce qu'il y a de plus doux
Pour un chaud cœur d'enfant :
Draps sales et lilas blancs

Demain j'aurai vingt ans

TCHICAYA U TAM' SI,
*Le Mauvais Sang*,
éd. P. J. Oswald, 1955.

Dans notre pays un chef doit être chauve et avoir un gros ventre. Comme mon oncle n'est pas chauve et n'a pas de gros ventre, quand tu le vois c'est pas tout de suite que tu peux savoir que lui c'est un vrai chef avec un grand bureau au centre-ville. Il est «directeur administratif et financier». D'après maman Pauline, un directeur administratif et financier c'est quelqu'un qui garde tout l'argent de la compagnie et c'est lui aussi qui dit : Toi je t'embauche, toi je t'embauche pas, toi je vais te renvoyer dans ton village natal.

Tonton René travaille à la CFAO, la seule compagnie qui vend les voitures à Pointe-Noire. Il a un téléphone et une télévision chez lui. Maman Pauline pense que c'est trop cher pour rien ces choses-là, que ça ne sert pas de les avoir puisque avant les gens vivaient mieux sans ça. Pourquoi mettre le téléphone à la maison alors qu'on peut aller téléphoner à la poste du Grand Marché? Pourquoi la télévision alors qu'on peut écouter les informations à la radio? En plus les Libanais du Grand Marché vendent les radios à un prix qu'on peut discuter. On peut aussi payer en plusieurs fois si on est fonctionnaire ou si on est directeur administratif et financier comme mon oncle.

Souvent je me dis que tonton René est plus fort que Dieu qu'on adore dans les prières le dimanche à l'église Saint-Jean-Bosco. Dieu on ne L'a jamais vu, mais on a peur de Sa puissance comme s'Il pouvait nous gronder ou nous frapper alors qu'Il habite très loin, là où aucun Boeing n'arrivera jamais. Si on veut Lui parler il faut aller à l'église et c'est le prêtre qui va Lui transmettre nos messages qu'Il lira s'Il a un peu de temps car là-haut Il est débordé matin, midi et soir.

Or tonton René est contre l'Église et il dit chaque fois à ma mère :

— La religion c'est l'opium du peuple !

Maman Pauline m'a expliqué que si quelqu'un te traite «opium du peuple» il faut que tu fasses la bagarre tout de suite parce que c'est une insulte grave et que tonton René ne peut pas utiliser un mot très difficile comme «opium» juste pour rire. C'est depuis ce temps que lorsque je fais des bêtises maman Pauline me traite «opium du peuple». Moi-même, dans la cour de récréation, quand certains camarades m'embêtent trop je les traite «opium du peuple» et on se bagarre à cause de ça.

Mon oncle prétend qu'il est communiste. Normalement les communistes sont des gens simples, ils n'ont pas la télévision, le téléphone, l'électricité, l'eau chaude, la clim et ils ne changent pas de voiture tous les six mois comme tonton René. Donc je sais maintenant qu'on peut aussi être communiste et riche.

Je crois que si mon oncle est dur avec nous c'est parce que les communistes ne rigolent pas avec l'ordre à cause des capitalistes qui volent les biens des pauvres condamnés de la Terre, y compris leurs moyens de production. Comment alors ces pauvres condamnés de la Terre vont vivre de leur travail si les capitalistes sont les propriétaires des moyens de production et mangent tout seuls dans leur coin les bénéfices au lieu de les partager moitié-moitié avec les travailleurs ?

Quand mon oncle est très en colère, c'est contre les capitalistes, pas contre les communistes qui doivent s'unir parce qu'il paraît que bientôt il y aura la lutte finale. C'est en tout cas ce qu'on nous apprend aussi à l'École populaire pendant les cours de Morale. On nous dit par exemple que nous sommes l'avenir du Congo, que c'est grâce à nous que le capitalisme ne gagnera jamais cette lutte finale qui va arriver. Nous sommes le Mouvement national des pionniers. Nous les enfants, nous sommes d'abord des membres du Mouvement national des pionniers et plus tard nous serons des membres du Parti congolais du travail, le PCT, peut-être même qu'il y aura parmi nous le futur président de la République qui va commander aussi le PCT.

Voilà maintenant que moi Michel je parle avec les mots de mon oncle on dirait que je suis un vrai communiste alors que non. Puisqu'il répète des mots bizarres et compliqués comme «capital», «profit», «moyens de production», «marxisme», «léninisme», «matérialisme», «infrastructure», «superstructure», «bourgeoisie», «lutte des classes», «prolétariat», etc., j'ai fini par les retenir même si de temps à autre, sans m'en rendre compte, je les mélange et ne les comprends pas toujours. Lorsqu'il parle par exemple des condamnés de la Terre, il s'agit en fait des forcés de la faim. Ce sont les capitalistes qui les forcent à la faim pour qu'ils reviennent au travail le lendemain alors qu'on les exploite et qu'ils n'ont rien mangé hier. Donc, si les forcés de la faim veulent gagner leur combat contre les capitalistes, ils doivent faire table basse de leur passé et se sauver eux-mêmes au lieu d'attendre que quelqu'un vienne les libérer. Sans ça ils sont foutus pour de bon, ils auront toujours faim et ils seront éternellement exploités.

À table, chez tonton René, on me fait asseoir à la mauvaise place, juste en face de la photo d'un vieux Blanc qui s'appelle Lénine et qui n'arrête pas de me regarder alors que moi je ne le connais pas et que lui il ne me connaît pas. Moi aussi, comme je ne suis pas d'accord qu'un vieux Blanc qui ne me connaît pas me regarde méchamment, eh bien je le regarde droit dans les yeux. Je sais que c'est impoli de regarder les grandes personnes droit dans les yeux, c'est pour ça que je regarde en cachette sinon mon oncle va s'énerver et me dire que je manque de respect à son Lénine que le monde entier admire.

Il y a aussi la photo de Karl Marx et d'Engels. Il paraît qu'il ne faut pas séparer ces deux vieux qui sont comme des jumeaux. Tous les deux ils ont d'ailleurs une grosse barbe, ils pensent les mêmes choses au même moment et parfois ils écrivent ensemble dans un livre ce qu'ils ont pensé. C'est grâce à eux que les gens savent maintenant c'est quoi le communisme. D'après mon oncle, c'est Karl Marx et Engels qui ont expliqué comment l'histoire du monde n'est que l'histoire des gens qui sont dans des classes, par exemple les esclaves et les maîtres, les chefs de terres et les paysans qui n'ont pas de terres, etc. Donc dans ce monde certains sont en haut, d'autres sont en bas et souffrent parce que ceux qui sont en haut exploitent ceux qui sont en bas. Mais comme les choses ont beaucoup changé et que ceux qui sont en haut cherchent à bien cacher leurs façons d'exploiter ceux qui sont en bas, Karl Marx et Engels pensent qu'il ne faut surtout pas se tromper, les différences existent encore, et de nos jours il y a maintenant deux grandes classes qui se chamaillent, qui se font la lutte sans pitié : les bourgeois et les prolétaires. C'est facile de les reconnaître dans la rue : les bourgeois ont de gros ventres parce qu'ils mangent ce que les prolétaires produisent et les prolétaires (ou les forcés de la faim) sont tout maigres parce que les bourgeois ne leur laissent que des miettes pour qu'ils se nourrissent un tout petit peu et reviennent travailler le lendemain. Et tonton René dit que c'est ça qu'on appelle l'exploitation de l'homme par l'homme.

Mon oncle a également accroché au mur la photo de notre Immortel, le camarade président Marien Ngouabi, et celle de Victor Hugo qui a écrit beaucoup de poèmes que nous récitons à l'école.

En principe un immortel c'est quelqu'un qui est comme Spiderman, Blek le Roc, Tintin ou Superman qui ne meurent pas. Je ne comprends pas pourquoi nous on doit dire que le camarade président Marien Ngouabi est immortel alors qu'on est au courant qu'il est bien mort, qu'il est enterré au cimetière Etatolo, au nord du pays, un cimetière qui est gardé sept jours sur sept, vingt-quatre heures sur vingt-quatre, tout ça à cause des gens qui veulent aller faire leurs gris-gris sur sa tombe pour devenir eux aussi des immortels.

Mais voilà, il faut appeler notre ancien président «L'Immortel» même s'il n'est plus vivant. Celui qui n'est pas d'accord, le gouvernement s'occupera de lui, il sera jeté en prison et sera jugé quand notre Révolution aura fini de chasser les capitalistes et que les moyens de production vont appartenir enfin aux condamnés de la Terre, aux forcés de la faim qui luttent nuit et jour à cause de cette histoire des classes de Karl Marx et d'Engels.


Maman Pauline sait que j'ai très peur de tonton René, et elle en profite. Lorsque je ne veux pas aller au lit le soir sans qu'elle me donne un baiser, elle me rappelle que si je ne me couche pas son frère va croire que je ne suis qu'un petit capitaliste qui ne veut pas dormir parce qu'il veut d'abord un baiser de sa maman on dirait les enfants des capitalistes qui vivent au centre-ville ou en Europe, surtout en France. Il va oublier que je suis son neveu et il va bien me fouetter. Je me calme dès que j'entends ça et maman Pauline se penche vers moi, me touche juste la tête, mais ne me donne pas un baiser comme dans ces livres qu'on nous lit en classe et qui se passent en Europe, surtout en France. C'est là que je me dis que dans les livres on ne raconte pas toujours les vraies choses et qu'il ne faut donc pas croire ce qu'il y a dedans.

Si parfois je n'arrive pas à dormir ce n'est pas toujours à cause du baiser que j'attends de ma mère, c'est aussi à cause de la moustiquaire qui me gêne. Quand je me mets dedans j'ai l'impression que l'air qui entre dans mes poumons c'est le même que j'ai déjà respiré hier soir et je ne fais plus que transpirer jusqu'à mouiller le lit comme si j'avais fait pipi alors que non.

Les moustiques de notre quartier sont bizarres, ils aiment trop la transpiration, comme ça ils se collent à ta peau et ont tout le temps de bien sucer ton sang jusqu'à cinq heures du matin. En plus, lorsque je suis dans la moustiquaire, je ressemble à un cadavre, les moustiques qui tournent autour de moi sont comme des gens qui me pleurent parce que je viens de mourir.

J'ai dit tout ça à papa Roger. Oui, j'ai dit que je ressemble à un petit cadavre lorsque je suis dans ma moustiquaire, qu'un jour, si on ne fait pas attention, je vais mourir pour de vrai là-dedans et qu'on ne me reverra plus sur cette Terre car je serai déjà parti là-haut pour rejoindre mes deux grandes sœurs que je n'ai pas connues parce qu'elles étaient trop pressées d'aller directement au Ciel. J'ai versé des larmes en racontant ça car j'imaginais comment je serais un tout petit cadavre dans un tout petit cercueil blanc entouré de gens qui sont en train de pleurer pour rien puisque si on est mort on ne revient plus, sauf Jésus qui est capable de faire des miracles, de ressusciter on dirait que la mort n'est pour lui qu'une sieste de l'après-midi.

Papa Roger s'est inquiété qu'à mon âge-là je commence à parler de la mort de cette façon. Il m'a dit que les enfants ne meurent jamais, Dieu les surveille la nuit quand ils dorment et Il leur donne beaucoup d'air à respirer pour qu'ils ne s'étouffent pas dans leur sommeil. Moi je lui ai demandé pourquoi Dieu n'a pas mis beaucoup d'air dans les poumons de mes deux grandes sœurs. Il m'a regardé avec pitié :

— Je vais m'en occuper, j'enlèverai cette moustiquaire.

Il a attendu des semaines et des semaines avant de s'occuper de cette histoire. C'est seulement hier qu'il a enlevé ma moustiquaire au moment où il est revenu de son travail. Il est allé acheter le Flytox chez un commerçant libanais de l'avenue de l'Indépendance. Normalement un moustique qui se respecte, dès qu'il entend qu'on prononce le nom Flytox dans une maison, il s'enfuit au lieu de chercher à mourir bêtement.

Papa Roger a vidé ce produit dans ma chambre pour que l'odeur dure plus longtemps. Or les moustiques de notre quartier ne sont pas des idiots qu'on peut tromper facilement, surtout qu'ils reconnaissent sur le Flytox le dessin d'un pauvre moustique en train de mourir. Est-ce qu'ils vont accepter de se suicider comme ça sans se battre jusqu'à ta dernière goutte de sang? Ils attendent que l'odeur du produit disparaisse et ils reviennent plus tard te piquer partout parce qu'ils sont énervés à cause de la guerre que tu leur lances alors qu'ils sont comme toi, ils veulent vivre le plus longtemps possible.

Donc, même si tu pompes le Flytox partout dans ta maison, il ne faut pas chanter la victoire trop vite. À la fin c'est les moustiques qui vont remporter cette victoire et ils vont raconter ça aux autres moustiques de la ville qui ignoraient qu'ils pouvaient aussi échapper à ce produit. Les moustiques ne gardent jamais un secret comme nous les êtres humains, ils ne font que bavarder toute la nuit on dirait qu'ils n'ont rien d'autre à faire. Comme ce sont les mêmes qui tournent dans le quartier Trois-Cents et qu'ils t'ont aperçu pomper le Flytox chez toi, ils vont d'abord se promener chez les voisins qui n'ont pas ce produit et dès qu'ils ont fini avec eux ils reviennent dans ta chambre sentir si l'odeur du Flytox est toujours là. Il y a même des moustiques qui sont habitués à ce produit et qui expliquent à leurs camarades comment se protéger contre ça. Ils leur disent : «Faites très attention les gars, ça pue le Flytox dans cette maison, sauf si vous voulez mourir, pour l'instant cachez-vous dans les armoires, dans les marmites, dans les chaussures ou dans les habits.» Et ils vont attendre que tu baisses la lumière de ta lampe-tempête. Ils sont contents parce qu'ils ont compris que tu as trop peur. Si tu as trop peur, c'est que tu as beaucoup de sang bien chaud pour les nourrir pendant des semaines et que tu as voulu le leur cacher. Lorsqu'un d'entre eux vient te provoquer, si tu cherches à l'écraser avec tes mains ou avec un contreplaqué, les autres arrivent en famille nombreuse pour t'attaquer de partout à la fois. Un petit groupe fait du bruit, un autre attaque. Et ils font comme ça à tour de rôle. Ceux qui font du bruit ne sont pas toujours ceux qui attaquent, et ceux qui attaquent sont derrière en cercle. Or toi tu es tout seul, tu n'as que deux mains, tu ne peux pas voir ce qui se passe dans ton dos, tu ne peux pas te défendre quand eux ils sont une armée bien entraînée qui veut se venger parce que tu as pensé qu'avec ton Flytox tu allais les tuer. Ça te gratte de partout, certains moustiques entrent dans tes narines, d'autres foncent dans tes oreilles et te piquent en ricanant.

Voilà pourquoi aujourd'hui je me suis réveillé avec des boutons rouges sur le corps. Quand je hume mes bras, ils sentent encore l'odeur du Flytox. Un moustique très en colère — peut-être le chef de la bande — m'a piqué au-dessus de l'œil qui est maintenant gonflé on dirait que c'est un diable qui m'a donné un coup de poing invisible. Maman Pauline m'a mis un peu de graisse de boa dessus et m'a consolé :

— Michel, ne t'en fais pas, ton œil va guérir avant le coucher du soleil. La graisse de boa, c'est avec ça qu'on me soignait quand j'étais petite. Ce soir on remet la moustiquaire que ton père a enlevée. Le Flytox des Libanais c'est n'importe quoi, il le sait pourtant.

Lorsque Caroline me regarde, je me sens le plus beau du monde. On a le même âge, mais elle, elle sait beaucoup de choses sur nous autres les garçons. Maman Pauline dit qu'elle est une fille *évoluée*. J'ignore ce que ça signifie. C'est peut-être parce que Caroline se comporte comme une vraie madame. À son âge elle met du rouge à lèvres et c'est elle qui tresse les cheveux de presque toutes les mamans du quartier, y compris ma mère. Caroline écoute aussi ce que ces grandes dames disent sur les hommes et elle est pressée d'être comme ces femmes-là qu'elle accompagne faire les courses au Grand Marché. Maman Pauline dit que Caroline peut préparer un plat de feuilles de manioc aux haricots, ce que beaucoup de grandes personnes ne réussissent pas toujours. Elle est vraiment bien évoluée.

Les parents de Caroline et mes parents sont des amis. Ils habitent au bout de l'avenue de l'Indépendance, juste avant la rue qui va vers le quartier Savon où vit tonton René. Pour venir chez nous ils n'ont qu'à marcher un peu, et nous notre maison c'est celle qui est peinte en vert et blanc au milieu de la même avenue, en face de Yeza le menuisier qui fabrique des cercueils en pagaille qu'il aligne devant sa parcelle pour que les gens viennent choisir.

Caroline et moi on allait à l'école des Trois-Martyrs ensemble, mais maintenant elle est dans un autre établissement qui se trouve au quartier Chic. Si elle n'est plus dans la même école que moi, c'est parce que son père, monsieur Mutombo, s'est chamaillé avec notre directeur.

Je regrette beaucoup ce temps où elle descendait l'avenue de l'Indépendance, me rejoignait devant notre parcelle. On ne prenait pas les rues goudronnées parce que nos parents disaient que c'était trop dangereux à cause des voitures qui n'ont pas de frein et des chauffeurs qui boivent l'alcool de maïs avant de conduire. On évitait surtout le carrefour du Bloc 55 où ces automobiles écrasaient les gens presque tous les mois. Dans le quartier on racontait que c'était à cause du commerçant sénégalais Ousmane qui avait sa boutique juste en face du carrefour. Il paraît qu'il avait un miroir magique qui trompait les passants. Les pauvres, ils croyaient que les voitures étaient très loin, à un kilomètre, or elles n'étaient qu'à quelques mètres d'eux. Et paf, elles les écrasaient au moment où ils décidaient de traverser. On a conclu que si Ousmane avait beaucoup de clients, s'il avait plus de clients que les autres commerçants, c'était parce que les gens mouraient devant son magasin. Nous, on passait derrière cette boutique et on ne la regardait même pas parce qu'on avait peur d'apercevoir le miroir magique d'Ousmane. Parfois, lorsque j'étais derrière Caroline, elle se retournait, attrapait ma main, me secouait, me pressait de vite marcher parce que les diables de ce miroir magique attrapaient chaque fois les enfants qui marchaient derrière.

— Michel, ne regarde pas vers le magasin d'Ousmane ! Ferme les yeux !

Je marchais vite, je ne voulais pas disparaître derrière elle. Quand on entrait enfin dans la cour du vieux bâtiment peint en vert, jaune et rouge — notre école —, il fallait se séparer. Caroline allait dans la classe de madame Diamoneka, moi dans celle de monsieur Malonga. Ma main était mouillée parce que Caroline ne l'avait pas lâchée pendant toute notre marche.

Vers cinq heures du soir on revenait aussi ensemble. Elle me laissait devant notre parcelle, puis elle continuait sa route. Moi je restais encore dehors à la regarder marcher. Elle devenait une petite tache loin là-bas au milieu de la foule. Et moi je rentrais dans notre parcelle, très heureux.

Mon meilleur ami, Lounès — qui est le frère de Caroline —, préférait aller à l'école tout seul. Est-ce que c'est parce qu'il ne voulait pas marcher à côté de sa sœur ? Je crois que c'était pour nous montrer qu'il était le plus grand, qu'il était dans la même classe que les grands. Maintenant il va au collège où on apprend des choses encore plus difficiles que celles qu'on enseigne à l'école primaire. Comme il est au collège des Trois-Glorieuses, moi je ne veux pas aller ailleurs que dans ce collège quand j'aurai mon certificat d'études primaires. Ailleurs, il faudra se faire d'autres amis. Moi j'aime Lounès, et je crois qu'il m'aime aussi.

Le père de Caroline et de Lounès boite de la jambe gauche, et les gens rigolent quand il passe dans la rue. C'est pas gentil de se moquer de monsieur Mutombo car c'est pas lui qui a dit à Dieu : Moi je veux boiter toute ma vie. Il est né comme ça, et quand tout petit il a essayé de marcher, sa jambe gauche était plus courte que sa jambe droite ou alors c'est sa jambe droite qui était plus longue que sa jambe gauche.

À bien voir, monsieur Mutombo peut arrêter de boiter s'il le veut, il n'a qu'à porter des chaussures Salamander qui ont des talons tellement hauts que si un Pygmée les porte il va ressembler à un gratte-ciel de l'Amérique. Je pense que c'est pas une solution puisque la jambe droite montera encore plus haut et la jambe gauche qui est malade ne pourra pas être à la même hauteur. Sauf s'il coupe un peu la semelle droite de sa chaussure, mais là encore on va se moquer de lui puisque ses chaussures ne seront plus à égalité. La seule solution c'est que le jour où il va mourir il demande à Dieu de le ressusciter avec des jambes normales parce que quand Dieu a déjà fabriqué un être humain et qu'Il l'a envoyé dans notre monde à nous, c'est fini, Il ne revient plus sur Sa décision sinon les gens ne vont plus Le respecter. En plus, ça voudrait dire que Dieu est capable de Se tromper comme nous autres. Or on n'a jamais vu ça dans ce monde.

Monsieur Mutombo est un homme très honnête, et c'est papa Roger qui parle comme ça de son ami. Il s'occupe bien de Lounès et de Caroline. Il les emmène au cinéma Rex où ils ont déjà vu des films comme *Les Démolisseurs*, *Le Bon, la Brute et le Truand*, *Les Dix Commandements*, *Samson et Dalila*,

*Les Dents de la mer, La Guerre des étoiles* et beaucoup de films indiens.

Lorsque monsieur Mutombo vient voir mon père le dimanche, ils vont dans un bar de l'avenue de l'Indépendance. Ils boivent du vin de palme, ils parlent dans la langue de notre ethnie, le bembé. S'ils restent trop longtemps dans le bar, maman Pauline me dit :

— Michel, toi tu es assis comme un idiot alors que ton père et monsieur Mutombo sont dans un bar ! Lève-toi, va donc voir s'ils sont en train de payer à boire aux jeunes filles du quartier et de les embrasser sur la bouche !

Et je cours comme une fusée, j'arrive tout essoufflé dans le bar. Je trouve monsieur Mutombo et mon père en train de boire et de jouer au damier.

Papa Roger est étonné que je sois là :

— Mais qu'est-ce que tu fais ici, Michel ? Les enfants ne doivent pas entrer dans les bars !

— C'est maman qui m'a dit de venir voir si vous payez à boire aux filles du quartier et si vous collez votre bouche sur leur bouche...

Et les deux hommes se séparent en rigolant. Moi je rentre à la maison avec mon père qui est un peu ivre. Je le tiens par la main, il raconte des choses que je ne comprends pas. Peut-être que lorsqu'on a bu on discute avec des gens invisibles que ceux qui fabriquent l'alcool ont cachés dans la bouteille et que ceux qui ne boivent pas sont incapables de voir.

Un autre dimanche, c'est mon père qui va voir monsieur Mutombo, ils vont encore boire dans un des bars du quartier, ils vont parler en bembé, ils vont discuter avec des gens invisibles qui sont dans les bouteilles, et c'est Lounès qui ira leur dire que madame Mutombo lui a demandé de venir vérifier s'ils paient à boire aux jeunes filles du quartier et les embrassent sur la bouche.

Monsieur Mutombo est le meilleur tailleur de la ville. C'est lui qui coud les tenues scolaires de la plupart des élèves de notre quartier. Il y a des parents d'élèves qui viennent aussi d'autres quartiers lui donner des tissus pour qu'il fabrique les tenues de leurs enfants. C'est pas les clients qui manquent dans son atelier et, à la rentrée, il est toujours en retard car les gens attendent le dernier moment — souvent trois jours avant la rentrée des classes — pour déposer les tissus et obliger monsieur Mutombo à faire vite.

J'aime bien aller dans son atelier avec un tissu de mon père sur l'épaule et le voir s'en occuper parce qu'il sait que mon père n'est pas n'importe qui, c'est quelqu'un avec qui il partage le vin de palme et le vin rouge dans les bars de l'avenue de l'Indépendance.

Et puis quand tu vois l'habit que monsieur Mutombo a fabriqué, tu vas être étonné et tu vas croire que c'est un vrai prêt-à-porter qui vient tout droit d'Europe, sauf que ce n'est pas dans une nappe et que tu ne sentiras pas l'odeur agréable qu'on sent sur les habits d'Europe car cette odeur-là ne vient que d'Europe et les Blancs sont tellement malins qu'ils nous cachent bien leur secret pour qu'on continue aussi à aimer et à porter leurs habits dans notre pays même si ça coûte plus cher.

Le jour où j'ai dit à ma mère que madame Mutombo était une grosse femme comme une femelle d'hippopotame qui est enceinte, elle m'a tiré les oreilles et m'a expliqué que si une femme est grosse c'est parce qu'elle a aussi un gros cœur, et le cœur de ceux qui aiment les autres est toujours gros. J'ai pensé alors à la mère de Jérémie, un camarade de classe que je n'aime pas parce qu'il est trop intelligent et finit toujours deuxième de la classe, juste après l'Angolais Adriano. La mère de Jérémie est très grosse et très méchante, et elle insulte les autres mamans du quartier.

Ma mère avait compris ce que moi je pensais. Elle m'a dit :

— C'est vrai, toutes les grosses femmes n'ont pas le cœur gros comme madame Mutombo. Je sais que tu penses à la mère de Jérémie, mais ce n'est pas la même chose.

Lorsque madame Mutombo vient voir maman Pauline, elle nous rapporte des beignets et du jus de gingembre. Moi je n'ai pas envie de manger ces beignets parce qu'il y a trop d'huile dedans. Je ne veux pas boire son jus de gingembre parce qu'il pique au milieu de la gorge et tu finis par aller dans les toilettes où même si tu pousses très fort pendant une heure rien ne va sortir.

Mais maman Pauline me gronde aussitôt :

— Michel, mange-moi ces beignets et bois ce jus de gingembre ! Quand on te donne une chèvre, est-ce qu'il faut se plaindre si elle a la carie dentaire ?

Madame Mutombo et ma mère font le commerce ensemble. Elles achètent des arachides en gros qu'elles vont vendre au détail au Grand Marché. Je les vois chez nous ou chez les Mutombo en train de compter l'argent qu'elles ont gagné et de se partager les bénéfices moitié-moitié. Ce que les capitalistes ne sont même pas capables de faire.

Je pense souvent à ce jour où Caroline avait décidé qu'elle et moi on était maintenant mariés. C'était un dimanche après-midi, mes parents n'étaient pas à la maison. Alors que je ne l'attendais pas, Caroline est arrivée avec un petit sac en plastique dans lequel il y avait beaucoup de choses :

— Michel, j'en ai marre d'attendre quand on sera grands, aujourd'hui on va se marier.

On est allés derrière notre maison, on a monté une petite tente avec des branches de manguier et les pagnes de ma mère qu'elle avait lavés et mis dehors pour sécher au soleil. C'était notre maison à nous deux.

Comme monsieur Mutombo fabrique toujours de belles poupées pour sa fille, Caroline en avait deux avec elle ce jour-là. D'après elle, ces poupées étaient nos enfants à nous et on les a installées sur une planche pour qu'elles jouent entre elles. Caroline s'est mise à préparer de la nourriture avec de fausses assiettes et de fausses cuillères : des pots de margarine vides et des bâtonnets.

Après quelques minutes, elle m'a annoncé que la nourriture était prête :

— On va bientôt passer à table, mon mari.

Elle a dit ensuite qu'il fallait d'abord faire manger nos deux bébés parce qu'ils avaient très faim et n'arrêtaient pas de pleurer. Mais on devait avant tout leur donner un bain. Moi j'ai lavé le garçon, Caroline a lavé la fille parce que le garçon quand il est nu il est comme moi, et la fille quand elle est nue elle est comme Caroline, donc c'est normal que ce soit elle qui lave la fille et moi qui lave le garçon. Après leur bain, on leur a mis des bavoirs pour que la nourriture ne tache pas leurs vêtements et on leur a donné à manger.

Quelques minutes plus tard, Caroline s'est retournée vers moi :

— Voilà, ils ont bien mangé, en plus ils ont roté !

On les a bercés, puis on les a couchés, et nous-mêmes on a fait comme si on était en train de manger. On discutait en copiant les gestes des grandes personnes. Je touchais les cheveux de Caroline, elle me touchait le menton. C'est surtout elle qui parlait beaucoup. Moi j'écoutais, je faisais oui de la tête. On riait beaucoup, et quand moi je ne riais pas elle n'était pas contente. Donc je riais même lorsqu'il ne fallait pas rire.

J'ai constaté qu'elle était devenue triste tout à coup.

— Qu'est-ce qui ne va pas ? je lui ai demandé.

— Michel, j'ai peur.

— De quoi ?

— J'ai peur pour nos enfants. Il faut qu'on garde un peu d'argent à la banque pour eux quand ils seront grands, sinon ils seront malheureux.

— C'est vrai, tu as raison...

— Est-ce que tu sais que s'ils sont malheureux l'État va les prendre pour les mettre là où on met les orphelins qui vont finir comme les bandits du Grand Marché?

— Ah non, il ne faut pas qu'ils soient des bandits du Grand Marché sinon on les mettra en prison et nous on sera malheureux toute notre vie.

— Il faut aussi qu'on achète une belle voiture rouge avec cinq places et qu'on devienne plus riches que le président de la République.

— Compte sur moi, on achètera notre voiture rouge à cinq places dans la compagnie de mon oncle, il nous fera un prix de famille. Je suis son neveu direct!

— Et combien ça coûte une voiture rouge comme ça, avec cinq places?

— Je demanderai à mon oncle.

Elle m'a tendu un bâtonnet et un petit verre vide :

— Tiens, fume ta pipe sinon ça va s'éteindre. Bois aussi ton alcool de maïs.

J'ai fait semblant de fumer la pipe et de boire mon verre d'alcool de maïs.

Elle a pris ma main :

— Michel, est-ce que tu sais que je t'aime?

Je n'ai pas répondu, c'est la première fois que j'entendais quelqu'un me dire «je t'aime». En plus sa voix n'était plus comme avant et elle me regardait, elle attendait de moi que je dise quelque chose à ce moment-là. Qu'est-ce que j'allais dire, moi? Si je restais silencieux, c'est parce que je me sentais très léger comme si j'allais m'envoler vers le ciel.

Mes oreilles chauffaient, mon cœur battait si fort que je croyais que Caroline l'entendait.

Très déçue, elle a relâché ma main :

— Vraiment, toi tu ne comprends rien ! Quand une femme te dit «je t'aime», il faut que toi tu répondes «moi aussi je t'aime», c'est comme ça que les grandes personnes répondent.

Alors j'ai répondu comme les grandes personnes :

— Moi aussi je t'aime.

— C'est vrai ça ?

— Oui, c'est vrai.

— Jure !

— Je jure.

— Et tu m'aimes comment, alors ?

— Il faut que je dise comment ?

— Oui, Michel, il faut que je sache comment tu m'aimes sinon qu'est-ce que moi je vais penser ? Je vais penser que tu ne m'aimes pas, et je vais avoir mal au cœur tout le temps. Or je veux pas avoir mal au cœur tout le temps parce que ma mère dit que ça fait vieillir les femmes, et si ma mère a vieilli c'est parce que mon père ne lui a jamais dit COMMENT il l'aimait. Moi j'ai peur de vieillir. Je veux pas vieillir sinon un jour tu vas me dire que je ne suis plus belle et tu vas changer de femme...

On a entendu soudain un avion qui passait. Et c'est là que j'ai enfin dit :

— Je t'aime comme l'avion qui passe en ce moment...

— Non, c'est pas ça qu'il faut dire ! Moi je veux que tu m'aimes plus que l'avion parce que l'avion c'est pour tout le monde, c'est pour les gens qui vont en France et qui ne reviennent plus ici.

Et elle a pleuré pour de vrai alors que jusque-là moi je croyais qu'on jouait. Ça m'a aussi donné envie de pleurer, mais Lounès m'a déjà raconté que les hommes ne doivent pas pleurer devant les femmes sinon elles risquent de dire qu'on est des faibles. J'ai donc pleuré au fond de moi.

— Tu n'as toujours rien compris, Michel! Moi je veux que tu m'aimes comme la voiture rouge qui a cinq places et qui sera notre voiture à nous deux, à nos deux enfants et à notre petit chien qui sera tout blanc.

— Oui, je t'aime comme une voiture rouge à cinq places.

Là, elle était maintenant heureuse, elle m'a encore touché le menton, moi j'ai encore touché ses cheveux avant d'essuyer ses larmes. Lorsqu'elle a essayé de m'embrasser sur la bouche j'ai vite reculé on dirait que c'est un serpent qui allait me mordre.

— Tu as donc peur de moi, hein?

— Non.

— Si!

— Non...

— Alors pourquoi tu recules quand je veux t'embrasser sur la bouche comme dans les films des Blancs?

— La bouche c'est pour quand on sera vraiment mariés, avec les témoins qu'on va choisir et nos parents.

— Et qui sera ton témoin à toi?

— Ton frère.

— Moi, ça sera Léontine, qui est aussi ma meilleure amie.

Elle était si contente qu'elle m'a servi un autre

verre d'alcool de maïs. Et comme elle voyait que je devenais silencieux, elle a ajouté :

— C'est normal que tu ne parles plus, tu es fatigué comme tous les hommes quand ils reviennent du travail. Je vais laver les assiettes, et après on va dormir.

Elle m'a tourné le dos, a fait semblant de laver les assiettes en frottant les pots de margarine vides. Elle m'a dit de continuer, pendant ce temps, de boire mon verre d'alcool de maïs et de fumer ma pipe.

Elle a compté jusqu'à vingt :

— Voilà, c'est fini, j'ai tout lavé ! Je vais fermer la porte de la maison et je vais éteindre la lumière, viens avec moi au lit, n'aie pas peur.

Pour éteindre la lumière, elle a appuyé sur un bouton que moi je devais imaginer.

— Ça y est, la lumière est éteinte !

Elle s'est mise au milieu de la tente, s'est couchée sur le dos et a fermé les yeux. Je me suis dit : Elle va dormir pour de vrai, moi j'ai pas envie de dormir en plein jour. En plus, si mes parents nous trouvent en train de dormir, je ne sais pas ce qu'ils vont penser de tout ça. Je dois filer, oui, il faut que je m'échappe d'ici.

Au moment où j'allais me lever pour quitter la tente, elle m'a attrapé par la main :

— Viens sur moi et ferme bien les yeux, c'est comme ça que les grandes personnes elles font.

Maman Pauline va dans la chambre, je la suis. Elle revient au salon, je reviens avec elle. Elle est devant le miroir, je suis derrière elle. Elle met du rouge à lèvres, de la poudre sur son visage, je fais les mêmes gestes mais sans rien mettre parce que ces choses-là c'est pour les femmes seulement et il paraît que si les garçons les mettent ça veut dire que c'est foutu pour eux, que quelque chose ne va pas bien dans leur cerveau.

Elle a attaché un foulard en pagne sur la tête, moi je porte un chapeau aux couleurs de notre équipe de football, vert, jaune et rouge. Elle prend son sac à main, cherche partout les clés de la maison. Moi je les vois d'ici, mais elle, elle cherche, elle cherche encore et finit par les retrouver sur l'armoire.

Je ne suis plus du tout tranquille. Je ne veux pas que maman Pauline sorte alors que papa Roger n'est pas là. C'est vrai que mon père n'a pas dormi hier à la maison. Il dort un jour chez nous, un autre jour chez maman Martine. Le lundi il est chez nous, le mardi il est chez maman Martine qui habite au quartier Savon, pas loin de mon oncle.

Et toute la semaine papa Roger fait des allers-retours entre ses deux femmes on dirait que c'est lui le facteur qu'on voit dans les rues du quartier Trois-Cents. Or dans une semaine il n'y a que sept jours et non huit, donc papa Roger ne peut pas diviser la semaine en deux même s'il est fort en arithmétique. Il a trouvé la solution à son problème : il dort un dimanche chez nous et le dimanche d'après chez maman Martine. C'est pour ça qu'il n'est pas à la maison aujourd'hui.

Je ne suis jamais de bonne humeur quand maman Pauline se fait belle. Je la regarde une fois de plus avec ses cheveux que Caroline a tressés. Elle a mis ses talons-dames orange, une camisole en pagne de la même couleur que son foulard et un pantalon orange. Je n'aime pas quand elle met des pantalons orange qui brillent et qui lui serrent trop les jambes et le derrière. Dès qu'elle les porte, les hommes ne font plus que la regarder marcher et siffler après elle. Moi je me demande ce qu'ils ont comme idée dans leur tête et pourquoi ils ne font que regarder maman Pauline alors qu'il y a d'autres femmes qui marchent dehors avec des pantalons orange qui brillent, qui serrent leurs jambes et leur derrière. Il m'arrive même de prendre une pierre, de viser un type qui siffle ma mère. Elle s'arrête de marcher, se retourne vers moi et hurle :

— Tu es fou ou quoi, hein ? Si c'est comme ça, tu ne marcheras plus avec moi dehors ! Je n'aime pas les sauvages ! Opium du peuple !

Pourquoi elle ne m'a pas dit qu'elle allait sortir en fin de matinée, hein ? Je ne sais pas où elle va.

Je ne sais pas si les gens du dehors vont l'attraper au bout de l'avenue de l'Indépendance ou dans un bar. D'après Lounès, il y a dans notre quartier des hommes très méchants qui sont debout au coin de l'avenue de l'Indépendance et qui attendent que les femmes passent pour leur lancer des choses pas du tout gentilles ou les forcer à boire une bière dans un bar où c'est sombre à l'intérieur, puis de danser la rumba de Tabu Ley ou de Franco Luambo-Makiadi et de finir dans une chambre où ils vont faire beaucoup de choses. Moi je ne vois pas maman Pauline danser avec un autre homme que papa Roger. Moi je ne vois pas maman Pauline aller dans une chambre et faire beaucoup de choses avec un autre homme que papa Roger. Je ne peux pas supporter ça. Non. D'ailleurs je me souviens qu'une fois j'ai puni comme il faut un monsieur qui discutait trop avec ma mère. Lounès m'avait donné le secret qui l'aidait à protéger madame Mutombo contre les méchants qui regardent trop les femmes et qui sifflent derrière comme s'ils appelaient un taxi-brousse dans la rue.

Il m'avait alors dit :

— Michel, je te jure que si tu mets du sucre dans le réservoir d'une mobylette, eh bien elle va tomber en panne et elle ne va plus démarrer. J'ai déjà fait ça, et c'était très marrant. Depuis ce jour-là, le monsieur n'embête plus ma mère !

Au début j'ai pensé : Il me raconte n'importe quoi. Comment le sucre peut mettre en panne une mobylette ? Le sucre c'est bon, tout le monde aime ça, donc les mobylettes aussi aiment ça. Et la mobylette va tellement aimer ça qu'elle va vite démarrer et rouler à plus de deux cents kilomètres à l'heure.

Puisque je n'avais pas d'autre idée, je me suis dit : Qu'est-ce que je vais perdre si j'essaie le secret de Lounès, hein ? C'est ce que j'ai fait car j'étais vraiment en colère de voir que le monsieur discutait avec maman Pauline et qu'elle, au lieu de le chasser comme moi je chasse les moustiques qui me piquent jusqu'à cinq heures du matin malgré le Flytox, elle l'écoutait, elle riait. Je ne l'avais jamais vue rire de cette façon avec papa Roger. Qu'est-ce que ce type avait de plus que mon père, hein ? Qu'est-ce qu'il était en train de raconter d'intéressant pour que maman Pauline rie de cette façon, hein ? Est-ce que d'abord c'est normal de faire rire les femmes ? Est-ce que moi j'ai déjà fait rire Caroline comme ça ? Si je n'aime pas faire rire Caroline, c'est parce que lorsqu'une femme rit j'ai honte à sa place, je baisse les yeux pour qu'elle n'ait pas honte elle aussi. Quand une femme rit, elle devient vilaine, on voit ses dents et sa langue. Or les dents et la langue, on ne doit pas les montrer à n'importe qui dans la rue. C'est peut-être pour ça que depuis que le monde existe on se cache dans la douche pour se brosser les dents.

Donc j'ai pris un sachet de sucre, je suis allé derrière notre parcelle où le vilain monsieur avait garé sa vieille mobylette, j'ai vidé le sachet dans le réservoir d'essence et je suis revenu m'asseoir devant la porte de notre maison comme si j'étais un gentil garçon. Maman Pauline et le vilain monsieur continuaient à rire, à se montrer la langue et les dents. Pour moi ce cinéma a duré au moins cent ans et dix jours.

Le vilain monsieur a enfin dit au revoir à maman Pauline et lui a passé son bras autour de la taille.

Moi j'ai pensé : Il est en train d'étouffer ma mère! Mais maman Pauline a encore ri alors que ce sauvage l'étouffait. Elle lui a montré une fois de plus ses dents, et sa langue était encore dehors. J'avais honte à sa place, elle qui est toujours belle quand sa bouche est fermée. De colère j'ai craché par terre parce que ma mère n'avait pas écarté de son corps le bras de ce type impoli. C'est comme si elle était contente qu'il la serre puisqu'elle aussi elle a passé un bras autour de la taille de ce méchant, et les deux ils étaient en train de s'étouffer et de rire.

L'homme a disparu derrière notre parcelle, il était content de lui parce qu'il est parti en chantant.

Quelques minutes après il est revenu en vitesse on dirait quelqu'un qui avait vu la vraie figure du diable.

Et il criait :

— Mon engin! Mon engin! Mon engin ne marche plus!

Je n'ai pas compris tout de suite qu'un engin c'est une mobylette.

— Où sont les gamins de ce quartier? Qu'ils viennent pousser mon engin!

Il n'y avait pas d'enfants dans les parages. Ils étaient tous à la messe ce dimanche, et les messes de l'église Saint-Jean-Bosco ça dure si longtemps que même Dieu se met à bâiller à cause des prières qui sont longues et qui racontent la même chose dans les centaines de langues du pays. Je crois que c'est chez nous que Dieu a beaucoup de travail même pendant les jours fériés.

Maman Pauline et moi on a poussé la mobylette. Rien à faire, elle ne démarrait toujours pas. On continuait à pousser comme des esclaves ou les pousse-pousseurs zaïrois du Grand Marché. On est arrivés jusqu'à l'endroit où l'avenue de l'Indépendance monte si haut que les voitures tombent chaque fois en panne là. Un type nous a vus, il a eu pitié de nous. Moi je croyais qu'il allait nous aider à pousser l'engin, mais il a dit qu'il était un réparateur de vélos Solex, que même s'il ne réparait que les Solex il pouvait jeter un œil sur cette mobylette sans qu'on lui donne de l'argent. Moi ça m'a énervé, je ne voulais pas qu'il répare l'engin. Il s'est penché sur la mobylette, très concentré comme un réparateur de montres. Il a ouvert le réservoir, a incliné la mobylette pour que toute l'essence tombe par terre et il a découvert qu'il y avait un produit blanc dedans. Après l'avoir goûté, ses yeux sont devenus gros et verts comme des citrons :

— C'est du sucre ! Celui qui a fait ça est très malin. C'est grave ! C'est très grave ! Je connais cette panne et je vous dis que cet engin ne démarrera pas même si vous le poussez d'ici jusqu'à nos frontières avec le Cameroun !

Il a regardé autour de lui comme pour chercher ceux qui avaient monté ce coup contre lui. J'étais peinard dans mon coin, on ne pouvait pas m'accuser puisque je poussais aussi l'engin. Tu ne peux pas accuser quelqu'un qui vient t'aider. Alors il a cru que c'étaient les jaloux du quartier Trois-Cents qui avaient saboté son engin.

Le réparateur de Solex a tout de même accepté un billet de cinq cents francs CFA. Il a conseillé au type-là d'aller faire le plein dans une station d'essence, et le type-là a pédalé avec son engin jusqu'au quartier Savon.

On est rentrés à la maison en silence avec maman Pauline. Elle était triste au lieu d'être contente comme moi puisque je venais de la sauver de ce méchant.

Le lendemain matin, alors que je rangeais mon cartable pour aller à l'école, elle est venue vers moi :

— Michel, je ne suis pas idiote ! Je n'aime pas ce que tu as fait hier ! Puisqu'on n'a plus de sucre à la maison, eh bien tu vas aller à l'école sans prendre le petit-déjeuner !


Et voilà que maman Pauline veut sortir ce dimanche. Moi je veux la protéger parce que papa Roger dit parfois que «les gens n'aiment pas les gens». Il dit aussi : «la femme de l'autre est toujours sucrée». Et ces méchants de l'avenue de l'Indépendance vont trouver ma mère très sucrée car elle est trop bien habillée et coiffée. Ces méchants, je veux les éliminer les uns après les autres. Je suis fort, moi. Oui, je suis comme Superman, comme Hulk, comme Astérix, comme Obélix, comme Spiderman, comme Zembla ou comme Blek le Roc. J'ai lu ce que ces vrais immortels ont fait, c'est Lounès qui me fait lire ça. Comme eux moi aussi j'ai des muscles qui gonflent quand je suis en colère.

Or ma mère me demande de rester à la maison parce que le dimanche les élèves font leurs devoirs pour le lundi. Je ne suis pas d'accord :

— J'ai déjà fait mes devoirs, je savais qu'on allait se promener le dimanche et...

— Eh bien, il faut les relire pour corriger les fautes !

Comme je ne sais plus quoi répondre, je lui dis :

— Maman, est-ce que tu cs au courant que les méchants sont tous dehors le dimanche ? Eux, ils n'ont pas de jours fériés comme papa Roger, ils ne vont pas à l'église, ils vont t'attraper, te faire du mal, t'emmener dans un bar où c'est sombre à l'intérieur, puis dans une chambre où ils te feront des choses pas du tout gentilles.

Elle rit, me répond que personne ne s'attaquera à elle. Je ne suis toujours pas d'accord, j'insiste parce que ce sont ces gens du dehors qui empêchent maman Pauline de me donner un baiser sur la joue le soir avant de m'endormir. Elle sent que je ne vais pas me calmer, que je vais la suivre.

— Michel, réfléchis bien : tu veux vraiment venir avec moi ?

— Oui, je réponds avec une petite voix on dirait que je vais bientôt pleurer.

— D'accord, d'accord, viens donc avec moi !

Je m'inquiète souvent quand elle dit « d'accord » avec une voix qui cache quelque chose de grave qui risque de m'arriver. Je m'inquiète quand je vois son petit sourire au coin des lèvres comme si elle voulait me dire : Viens avec moi et tu vas voir ce qui va se passer, tant pis pour toi. Mais aujourd'hui je m'en fous, je suis heureux, rien ne peut m'arriver. Je souris déjà, j'irai avec elle. Nous nous baladerons. Je la protégerai.

Pendant que je redresse bien mon chapeau sur la tête et ferme les boutons de ma belle chemise jusqu'au cou, elle vient derrière moi et me tient par les épaules :

— Tu es vraiment bien habillé ! Mais est-ce que tu sais au moins chez qui on va ?

— Non...

— On va chez ton oncle René.

Je recule de quelques pas.

— Tu veux toujours venir?

Je fais non de la tête. Non, je ne veux pas aller chez tonton René. Parce que je vois déjà Lénine qui est chauve. Parce que je vois aussi la barbe de Karl Marx, d'Engels et les favoris de l'immortel Marien Ngouabi. Parce que j'imagine tonton René, sa femme, mes cousins qui mangent en regardant dans leur assiette.

Non, je ne veux pas aller chez tonton René.


Maman Pauline a compris que je ne vais pas la suivre, elle s'en va donc seule. Moi je reste debout devant notre parcelle, je la regarde s'éloigner. Je sens son parfum dans l'air. Je le hume les yeux fermés. Puis, lorsque j'ouvre les yeux, j'aperçois ma mère qui marche sur le bord de l'avenue de l'Indépendance. De temps à autre elle se retourne pour vérifier que je ne me trouve pas derrière elle. Je fais quelques pas, je m'éloigne un peu de la parcelle. Je veux voir dans quelle direction ma mère s'en va. Normalement, pour aller chez mon oncle, on tourne à droite, au bout de l'avenue, puis on continue tout droit vers le quartier Savon.

La voilà qui entre dans un taxi un peu plus loin. La voiture démarre, mais elle ne prend pas la droite, elle tourne à gauche, dans la direction contraire de la maison de tonton René et s'en va vers le quartier Rex. Moi je reste debout au milieu de l'avenue, une automobile peut m'écraser car je pense à beaucoup de choses. J'imagine que le taxi fera demi-tour, qu'il s'est trompé de chemin.

Les voitures m'évitent, me klaxonnent. Un chauffeur s'arrête, m'insulte, me dit que je suis fou, que je suis un enfant de la rue, un fils de prolétaire !

Moi fils de prolétaire ? On dirait que c'est mon oncle qui a parlé comme ça. Mais le prolétaire c'est quelqu'un de bien dans la bouche de tonton René. Le prolétaire c'est quelqu'un qui est exploité par le capitaliste, le bourgeois. Moi j'ai lancé à ce chauffeur :

— Opium du peuple !

Il n'a pas entendu. Sinon il allait s'arrêter pour bien me frapper la figure.

Il n'y a toujours pas de taxi qui fait demi-tour avec ma mère, mais moi je reste encore planté là. Je sais que maman Pauline ne m'a pas dit la vérité. Elle répète parfois que la vérité est une lumière et qu'on ne peut pas cacher la lumière dans sa poche. C'est pour ça que le Soleil est toujours plus fort que la nuit. Oui, c'est elle qui m'a dit que Dieu a créé le Soleil pour que la vérité arrive jusqu'aux hommes. Mais les hommes cherchent la nuit parce que c'est plus facile pour eux de tromper les gens quand il fait noir. Moi j'ai des yeux qui peuvent regarder dans la nuit. Mes yeux c'est des torches qui ne s'éteignent jamais. Pourquoi maman Pauline m'a-t-elle caché la lumière et fait croire que le jour c'est la nuit ? Est-ce qu'elle est allée rejoindre le type qui a une vieille mobylette ? Est-ce qu'il y a un autre type en dehors de ce vilain avec ses bras de gorille ?

Je commence presque à la détester. Je veux tout écraser comme un Caterpillar, comme un bulldozer, comme un tank de l'Armée nationale populaire. Je n'entends plus les bruits des gens. Je vois des immortels autour de moi. Je deviens Superman et rêve que je vole sur la ville de Pointe-Noire pour atterrir là où ma mère se trouve. Superman, on ne peut pas lui cacher la lumière. Superman est capable d'allumer le Soleil à minuit ou de l'éteindre à midi pile. Je décide donc que je vais maintenant éteindre le Soleil pour bien punir maman Pauline. Je ferme les yeux et j'écarte mes bras. Mais rien ne se passe. Je ne peux pas m'envoler comme Superman. Je ferme encore les yeux et j'imagine que je suis en train d'appuyer sur un gros bouton rouge pour éteindre ce Soleil qui a volé ma mère. J'ouvre les yeux, le Soleil est toujours là. Il brille de plus en plus. Il fait d'ailleurs très chaud.

Je sais que maman Pauline ne va pas chez tonton René. Je sais que c'est souvent tonton René qui vient la voir pour l'engueuler sur leurs histoires d'héritage de plantations et d'animaux que grand-mère Henriette Ntsoko a laissés au village Loubou-lou. Ou alors il vient chez nous juste pour me donner un petit camion en plastique, une pelle et un râteau pour que je joue à l'agriculteur. Mon oncle a expliqué à ses chefs blancs que moi je suis un de ses fils, tout ça pour que ces Blancs lui donnent beaucoup d'argent à chaque fin d'année. Il paraît que plus tu as d'enfants, plus les Blancs te donnent des jouets et de l'argent. J'ai même entendu dire que certains papas de ce pays font des enfants pour que les Blancs leur donnent beaucoup de cadeaux. Et quand ils n'ont pas d'enfants ils vont prendre leurs neveux dans les villages, ils les ramènent en ville et ils truquent leur acte de naissance. Quand le Blanc voit ça, il ne vérifie pas, il donne directement le cadeau, il ne cherche pas à comprendre pourquoi le visage du papa et celui de l'enfant sont différents comme le jour et la nuit. Pour moi c'était facile puisque je porte le nom propre de tonton René. Avant Noël il passe alors par chez nous, il me laisse mes jouets — toujours les mêmes — et un billet de mille francs CFA que maman Pauline refuse de prendre. Tonton René balance le billet par terre, ma mère le récupère dès que la voiture démarre. Lorsqu'ils se chamaillent, j'entends maman Pauline qui menace son frère :

— Si tu prends tout seul l'héritage de notre mère, je vais expliquer à tes chefs blancs que Michel n'est pas ton fils mais qu'il n'est que ton neveu, et tu seras chassé de ton bureau ! Si tu as un peu de chance on te gardera encore à la CFAO, mais tu auras un petit bureau comme les kiosques du quartier Trois-Cents !

Mon oncle lui répond :

— Qu'est-ce que les Blancs vont me faire à moi, hein ? Michel porte mon nom propre, c'est moi qui le lui ai donné ! Je t'ai délivrée de la honte, Pauline ! Tu devrais au moins me remercier pour ça au lieu de caqueter. Et pendant que nous y sommes, dis-moi un peu, pourquoi le vrai père de Michel a fui à sa naissance, hein ? Pourquoi le petit n'a pas le nom de son père, hein ? C'est simple : il n'a pas de père !

— Michel a un père, et son père c'est Roger !

— Mon œil ! Roger n'est qu'un père nourricier ! D'ailleurs il a une première femme, et cette femme

52

c'est Martine! Ils ont des enfants, leurs vrais enfants!

Et ils se chamaillent comme ça pendant long-temps. C'est lorsqu'ils m'entendent tousser qu'ils arrêtent. Tonton René démarre sa voiture, baisse la vitre et lance un billet de mille francs CFA sans nous regarder. C'est moi qui cours le ramasser.

On est à table, on mange de la viande de bœuf aux haricots. Maman Pauline et papa Roger sont en face de moi. De là où ils sont assis, comme la porte reste souvent ouverte, ils peuvent apercevoir tout ce qui se passe dans la parcelle alors que moi je tourne le dos à cette porte. Je distribue le sel ou le piment quand ils me le demandent.

Maman dit : Michel, du sel !

Papa dit : Michel, du piment !

Maman dit : Michel, ajoute du vin à ton père.

Papa dit : Michel, tu ne vois pas que le verre de ta mère est vide ? Sers-lui donc de la bière !

On dirait que je suis un arbitre, il ne me manque que le sifflet et les cartons.


Je mange vite car j'espère que papa Roger me donnera son gros morceau de viande que je guette en cachette depuis quelques minutes. Je pense déjà au moment où il va le déposer dans mon assiette et comment je vais l'avaler. Je commencerai par les haricots, après je m'attaquerai à la viande. Je raclerai toute la chair, puis je chercherai avec la fourchette la moelle qui est dans l'os. À la fin il faudra que je rote pour faire plaisir à ma mère car elle sait que ce plat-là c'est mon préféré. Si je ne rote pas elle va penser que je n'ai pas aimé, elle va mal me regarder et me dire que c'est moi l'opium du peuple de cette maison alors que c'est pas vrai. C'est pour ça que j'ai inventé une technique à moi pour roter après un plat que je n'aime pas : je bois d'abord beaucoup de limonade, puis je bloque de temps en temps la respiration, j'appuie le bas de mon ventre. Et là le rot qui sort résonne tellement fort que tous les deux me regardent, très étonnés. Maman Pauline se rend compte que c'est pas naturel, que j'ai forcé mon rot, et elle me blâme :

— Michel, tu essaies encore de jouer avec moi ou quoi ? D'habitude tu n'aimes pas les épinards aux poissons salés ! D'ailleurs c'est pas comme ça que tu rotes quand tu manges la viande de bœuf aux haricots !


C'est donc souvent papa Roger qui me donne son gros morceau de viande. C'est pour ça que ce soir je regarde beaucoup vers lui comme un chien malheureux, mais lui ne me regarde pas trop. S'il continue à fuir mes yeux, je suis foutu puisqu'il ne va pas savoir que j'ai vraiment envie de son gros morceau de viande qui brille au milieu de son assiette. Je n'ai jamais vu un morceau de viande briller comme ce morceau-là. Peut-être parce qu'aujourd'hui je sens que je ne vais pas le gagner comme les autres jours. Peut-être aussi parce que ce qu'on risque de rater est toujours meilleur que ce qu'on a déjà dans son assiette ou dans sa bouche. Peut-être encore parce que dans ma tête je me dis que je suis déjà en train de manger ce morceau de mon père.

Tout à coup, je sens mon cœur qui tombe jusqu'à mes chevilles : mon père vient d'écarter d'abord les haricots avec sa fourchette avant de prendre le morceau en question. Non, il ne va pas me faire ça, il ne va pas le manger lui-même, il est à moi, il est à moi ! Ma tête suit le mouvement de sa main, je ferme les yeux lorsque cette viande disparaît pour de bon dans sa bouche bien ouverte. Il ne peut plus parler pendant quelques minutes, la viande-là est si tendre et bonne que si tu parles trop tu ne peux pas l'apprécier comme il faut.

Au moment où il a mis le morceau dans sa bouche, moi j'ai fermé les yeux pour imaginer que c'est moi Michel qui ai pris cette viande avec mes doigts, que c'est moi Michel qui la mâche, que c'est moi Michel qui sens le goût de la sauce tomate et de l'arôme Maggi dans mes narines, que ce gros morceau est allé directement dans mon petit estomac qui est tout content de continuer le travail que j'ai commencé dans ma bouche.

J'ouvre les yeux et je constate que c'est pas ce que j'ai rêvé qui s'est passé. Cette viande n'est pas allée dans mon ventre mais dans celui de papa Roger. Ça me rend très triste d'avoir perdu, mais je ne montre pas ma tristesse à mon père. Or, de la façon qu'il me regarde, je sais qu'il a compris que j'attendais ce morceau-là et il a fait semblant de ne pas savoir ça. Je l'entends roter et je le vois enlever avec ses ongles les restes de la viande entre ses dents.

Pour ne pas rester triste je me dis : C'est pas

grave, si papa Roger n'a pas mis ce soir le gros morceau dans mon assiette, c'est pour pas que je sois trop gourmand comme mes cousins Kevin et Sébastien.

J'ai débarrassé la table. Maman Pauline lavera les assiettes avant qu'on dorme. Peut-être même qu'elle ne les lavera que demain matin avant d'aller au Grand Marché, c'est comme ça quand elle est trop fatiguée.

Voilà que papa Roger nous apprend qu'il a quelque chose de très important à nous montrer, quelque chose que paraît-il nous on n'a jamais vu depuis que nous sommes nés. Moi je suis toujours un peu fâché contre lui à cause de cette viande que j'ai ratée. C'est pas parce qu'il va nous montrer quelque chose de très important que ça va effacer ma déception de tout à l'heure.

Il soulève son verre de vin très haut au-dessus de sa tête on dirait que c'est une coupe du monde qu'il a gagnée contre le Brésil :

— Fêtons l'événement ! Vous allez voir, c'est formidable !

Alors ma mère et moi on attend. On ne sait pas ce qu'il veut qu'on fête avec lui. On a bien vérifié qu'il n'y a rien sur la table et qu'il n'y a rien qu'il a caché sous la table ou quelque part dans le salon.

Il sert de la bière à ma mère et il remplit mon verre de limonade avec un grand sourire.

— Allez, trinquez avec moi !

Je pense à beaucoup de choses formidables dans ce monde et je me demande ce que papa Roger peut nous montrer pour que j'oublie ce morceau de viande qui est dans son ventre en ce moment. Il va peut-être dire qu'on a augmenté son salaire. Ou alors il a trouvé un autre travail meilleur qu'à l'hôtel Victory Palace. Ou alors il a maintenant un grand bureau, plus grand que celui de tonton René, avec une secrétaire très belle et des miliciens grands comme les soldats noirs américains, et ces miliciens vont empêcher n'importe qui d'entrer dans son bureau sans rendez-vous. Ou alors il a acheté une belle voiture. C'est bien s'il a acheté une voiture, mais d'un autre côté j'ai peur qu'il m'apprenne que la voiture en question est rouge avec cinq places. Il n'a pas le droit d'acheter une voiture comme ça. C'est moi qui dois l'acheter pour que ma femme Caroline soit heureuse avec nos deux enfants et notre petit chien blanc.

Papa Roger est si content qu'il est en train de finir la bouteille de vin tout seul. Et si ça continue il risque d'être saoul et il va discuter avec les personnes invisibles que les fabricants d'alcool mettent dans les bouteilles. Or, s'il est saoul, il ne pourra rien nous montrer de formidable. C'est pour ça que maman Pauline a vite enlevé la bouteille devant lui, mais il a eu le temps de bien remplir son verre et il le soulève, il le rapproche de sa bouche avec un petit sourire au coin des lèvres. On dirait que ça lui fait plaisir de voir que nous on attend, qu'on ne peut plus boire comme il faut s'il ne nous dit pas qu'est-ce qui est formidable.

Il nous parle de tout, de ce qui s'est passé dans son travail, mais pas de ce qui est formidable. Paraît-il que sa patronne, madame Ginette, est revenue de Paris. On avait repeint les murs de l'hôtel et on avait refait le jardin qui est derrière parce qu'elle avait téléphoné pour avertir qu'elle reviendrait de France avec deux types qui ont pour travail de contrôler ce qui ne va pas dans un hôtel et de blâmer les paresseux ou de les renvoyer chez eux.

Mon père a le hoquet, il arrive quand même à dire :

— Ces deux gens... hic... Ces deux gens-là qui sont venus de France... hic... ils étaient là pour rechercher la petite bête. C'est normal. Un des deux... hic... fouillait partout, y compris derrière la cuvette des w.-c. Pendant ce temps l'autre étudiait chaque facture avec une loupe... hic... et, à la fin, il a vu qu'il ne manquait même pas un seul franc CFA dans la caisse... hic...

Maman Pauline n'en peut plus :

— Tu as promis que tu vas nous montrer quelque chose de très important et de formidable ! C'est quoi ?

Voilà mon père qui vide enfin son verre, il recule sa chaise, il se lève et va dans la chambre. Il ne marche pas bien droit comme quelqu'un de normal. On l'entend qui répète le nom de sa patronne. Nous on se regarde, on se demande ce qu'il est allé chercher là-bas.

Maman Pauline me souffle :

— Je crois que ton père a bu un ou deux verres de trop...

Papa Roger revient au salon avec une mallette noire qu'il pose sur la table.

— C'est là-dedans, dans cette mallette, hic... hic !

Ma mère boude encore :

— Et tu attends quoi pour l'ouvrir ?

Papa Roger appuie sur un bouton, la mallette s'ouvre. Maman Pauline et moi on a failli se cogner les têtes parce que sans le savoir on a décidé au même moment de regarder ce qu'il y a dans la mallette. On ne voit qu'une petite caisse noire dedans. Comme papa Roger comprend qu'on se demande à quoi ça peut servir, il nous dit que c'est une radiocassette, c'est une nouvelle marque qui vient de sortir en Europe là-bas et que beaucoup de gens n'ont pas dans notre pays, même certains capitalistes ne l'ont pas. Et on peut aussi écouter la radio avec.

C'est la première fois que moi je vois cet appareil que maman Pauline regarde avec crainte comme si c'était une bombe qui allait exploser dans quelques minutes et nous tuer tous les trois.

Papa Roger nous explique qu'on peut enregistrer beaucoup de choses dedans, il suffit d'appuyer à la fois sur le bouton «Play» et sur un autre, rouge, sur lequel c'est écrit «Record». Mais pour l'instant il veut nous faire entendre quelque chose car il ne peut rien enregistrer puisqu'il n'a pas de cassette vierge.

Maman Pauline veut quitter la table.

— On n'a pas beaucoup d'argent et toi tu vas acheter des choses comme ça !

— Hic... Écoute, Pauline...

— D'ailleurs ça t'a coûté combien, ça ?

Papa Roger sourit comme s'il attendait cette question. Il prend son temps avant de dire que c'est un cadeau, qu'il avait déjà cette radiocassette avec lui depuis quelques jours, qu'il l'avait cachée à l'hôtel Victory Palace. S'il ne l'a pas rapportée chez maman Martine, c'est parce que là-bas il y a trop d'enfants qui risquent de la gâter pendant qu'il est absent. Et le voilà qui nous raconte comment il l'a reçue d'un Blanc, monsieur Montoir, qui l'a remercié parce qu'il a toujours été gentil avec lui pendant ses vacances à l'hôtel. Il est telle-ment content de parler de ce Blanc qu'il n'a plus de hoquet tout à coup :

— Monsieur Montoir est un habitué de l'hôtel. Quand ce Blanc-là arrive de France c'est moi qui m'occupe de lui en personne. C'est moi qui poste ses lettres, c'est moi qui lui donne les adresses des bars de la ville.

Il ajoute tout bas :

— C'est grâce à moi qu'il passe de bons moments dans cette ville. Je lui ramène de très belles et très jeunes gazelles dans sa chambre.

Moi je pense : Si tonton René vient ces jours-ci à la maison, on aura des problèmes sérieux. Il va croire que nous sommes en train de devenir des capitalistes petit à petit et que bientôt on va aussi avoir la télévision, l'eau chaude et la clim. Bon, lui-même il a la télévision, l'eau chaude et la clim, il sera peut-être un peu jaloux parce qu'il n'a pas cette radiocassette qui est un nouveau modèle, mais il ne va pas nous en vouloir pour ça, il peut l'acheter n'importe quand.

Mon père nous prévient :

— Écoutez-moi bien : on doit rester très modestes et ne pas raconter dans le quartier que nous avons maintenant une radiocassette.

Est-ce que je vais dire ce secret à Lounès ? Je crois que oui. Je ne lui cache rien et j'apprends beaucoup de choses de lui. Alors pourquoi je ne lui dirais pas ça ?

Mon père refouille dans sa mallette et sort une cassette. Il appuie sur un bouton de la radiocas-

sette, une petite fenêtre s'ouvre. Il met la cassette
dedans, referme la petite fenêtre et appuie sur le
bouton «Play». Ma mère et moi on a failli encore
se cogner les têtes pour bien voir comment les
choses marchent à l'intérieur de l'appareil. Il y a
une bande qui tourne dans la cassette et nos yeux
suivent le rythme de cette bande de couleur marron. On n'entend rien, mais la bande tourne.

Soudain, une grosse voix nous fait reculer. Papa
Roger garde son calme au lieu d'avoir peur comme
nous.

Quelqu'un commence à chanter. Mon père aug-
mente un peu le volume. Je regarde le visage de
ma mère : il est immobile. Sa bouche est à moitié
ouverte, ses mains sont croisées et posées sur la
table. Elle ressemble vraiment à une statue de
l'église Saint-Jean-Bosco.

On entend maintenant un refrain qui me pousse
petit à petit à bouger les épaules alors que normalement c'est pas avec ce genre de musique qu'on
danse dans notre quartier :

> *Auprès de mon arbre*
> *Je vivais heureux*
> *J'aurais jamais dû*
> *M'éloigner d'mon arbre*
> *Auprès de mon arbre*
> *Je vivais heureux*
> *J'aurais jamais dû*
> *Le quitter des yeux*

Maman Pauline s'agite de plus en plus, mais
c'est pas pour danser comme moi, je sens plutôt
qu'elle va s'énerver. Elle ne dit rien pour l'instant

et regarde mon père qui remue la tête au rythme de la chanson. Moi je me dis : C'est la tête qu'il faut remuer, pas les épaules. Alors j'arrête de danser des épaules et je me mets à remuer la tête comme mon père. Je tape aussi des doigts sur la table car il faut que papa Roger sache au moins qu'il y a quelqu'un dans cette maison qui est content avec cette musique qu'il nous a rapportée et qu'on n'entend pas dans nos bars à nous.

Le monsieur chante toujours. Sa grosse voix résonne peut-être jusque dans la rue. Et il ne fait que parler d'un arbre qu'il regrette d'avoir quitté des yeux. Je pense : Mais qu'est-ce qu'il a à pleurer comme ça pour un arbre ? Nous, on en a en pagaille dans la forêt, les gens les coupent n'importe quand et ils ne pleurent jamais, au contraire ils fabriquent du bois avec ça pour préparer la nourriture. Nous, on a même trois arbres dans notre parcelle ! Est-ce que moi Michel, le jour où je ne vais plus voir nos trois manguiers, je vais me mettre à pleurer comme ce monsieur qui chante dans la radiocassette ? Ce chanteur c'est donc quelqu'un qui est toujours triste. Quelque chose de grave se passe dans sa vie pour qu'il se mette à pleurer un arbre alors que c'est les êtres humains qu'on doit pleurer lorsqu'ils quittent cette Terre. Ce chanteur vit peut-être dans un endroit où il n'y a plus un seul arbre qui pousse. Et comme il s'est éloigné du seul arbre qu'il avait, eh bien il ne fait plus que pleurer du matin jusqu'au soir. D'ailleurs sa voix c'est comme les voix des gens qui chantent dans les enterrements de chez nous et qui font pleurer les femmes et les enfants. Les voix de ces chanteurs d'enterrement sont si tristes et chaleureuses que même quand le mort n'est pas un membre de ta famille tu vas t'arrêter quelques minutes dans la rue et te mettre toi aussi à pleurer. Et si tu pleures dans la rue, la famille du mort va voir ça, elle va être triste et elle va se mettre à pleurer encore plus fort.

Pendant que le chanteur regrette son arbre, moi je prends la boîte dans laquelle il y avait la cassette. Je la retourne, je vois enfin la photo du chanteur. C'est un Blanc avec beaucoup de cheveux et des yeux qui brillent. Il a une moustache, son regard est triste, mais son visage est très gentil. Je me dis : Il n'a jamais fait de mal à personne, je le sens. C'est les gens qui l'embêtent alors que lui il ne fait que chanter pour son arbre. Comme toutes les personnes gentilles, ce chanteur doit avoir beaucoup de globules très blancs, plus blancs que les dents qu'on vient de laver avec le Colgate ou l'Email Landry. Il ira au Paradis et il laissera ses globules blancs aux enfants qui ne font pas de bêtises. Alors il faut que je l'écoute parler de son arbre parce que peut-être qu'il parle en cachette de quelque chose d'autre que d'un arbre. Il faut que je continue à remuer la tête comme papa Roger et à faire semblant de chanter on dirait que je connais les paroles.

Je suis aussi attiré par quelque chose d'autre qui est entre les lèvres de ce chanteur : une pipe. C'est pas comme la pipe que Caroline me demandait de fumer quand on s'était mariés, là c'est une vraie pipe et non un bâtonnet.

Mais c'est surtout sur sa moustache que je m'arrête. J'aime cette moustache. Papa Roger ne garde pas la sienne, il la rase presque tous les jours. Moi quand je serai grand j'espère que j'aurai une moustache comme celle de ce chanteur que je vais désormais appeler «le chanteur à moustache» même si son vrai nom qui est écrit sur la cassette c'est Georges Brassens.

On est assis avec Lounès au pied de leur manguier. C'est le seul arbre qu'ils ont chez eux alors que nous on a un manguier, un papayer et un oranger. Mais le manguier de la famille Mutombo a plus de branches et de feuilles que le nôtre. Quand je viens voir Lounès, on s'assoit toujours sous cet arbre qui est dans un coin, à l'entrée de la parcelle. On ne ramasse que les mangues qui tombent puisque monsieur Mutombo s'énerve si on les cueille. D'après lui, il faut attendre qu'un fruit tombe avec le vent parce que là c'est Dieu Lui-même qui aura décidé ça. Alors on n'a jamais cueilli un seul des fruits de ce manguier. On attend souvent que Dieu nous les donne Lui-même.

Lounès est plus âgé que moi. Comme je grandis vite j'espère qu'on aura bientôt la même taille, mais déjà il faut que lui il arrête de grandir. Il est musclé, moi je suis maigre. Quand il ne me voit pas pendant trois ou quatre jours il passe vite vérifier chez nous si je suis là. Parfois il va jusqu'à me chercher chez maman Martine et il siffle trois fois depuis la rue pour que je sorte. Moi aussi je fais la même chose lorsque je le cherche : je passe d'abord devant leur parcelle, je siffle trois fois. S'il n'est pas là, je vais jusqu'à l'atelier de couture de monsieur Mutombo, je le trouve quelquefois en train d'aider son père à ranger les tissus qu'ils ont achetés au centre-ville ou à mettre du charbon dans le fer à repasser.

Si aujourd'hui on est assis sous ce manguier, c'est parce qu'on ne s'est pas vus depuis un moment. J'avais dormi deux jours chez maman Martine pendant que ma mère était à la veillée de monsieur Moundzika qui est mort « à la suite d'une longue maladie » comme on avait annoncé à la radio. Puisque maman Pauline est une amie de madame Moundzika, elle ne pouvait pas la laisser seule dans ce malheur. Elle m'avait dit avant de partir :

— Tu vas aller ces jours-ci chez Martine, je viendrai te chercher à la fin de la veillée. Sois sage et comporte-toi avec elle comme tu te comportes avec moi. Si j'entends que tu as fait ceci ou cela de mauvais, là tu vas m'entendre.

Une veillée dure au moins deux à trois jours, certaines peuvent durer plus d'une semaine ou deux si le mort n'est pas du tout content avec sa famille et boude dans son cercueil. Dans ce cas on attend que des chefs traditionnels viennent des villages avec leurs tam-tams et leurs sorciers qui feront des gris-gris. Ces sorciers vont demander au mort d'aller pour de bon au Ciel et de ne pas revenir épouvanter les gens à minuit. Il y a même des morts qui sont très capricieux et embêtent les gens le jour où on les emmène au cimetière : ils bloquent les pneus du corbillard qui ne peut plus avancer, ils lancent des tonnerres dans le quartier, ils font tomber la pluie et leur fantôme vient aussi assister aux funérailles pour surveiller ceux qui se moquent du cadavre ou les hommes qui s'amusent avec les femmes au lieu de pleurer. Si le fantôme du mort se rend compte que son corps est mal lavé, que les draps qui le couvrent sont des draps moins chers que les Sénégalais vendent au Grand Marché, qu'on ne le pleure pas très fort, il va alors commencer à déranger tout le monde la nuit.

Quand maman Pauline est allée à cette veillée, je me suis dit : Pourvu que le fantôme de ce cadavre-là ne soit pas trop capricieux. Elle est revenue deux jours après, le fantôme en question n'avait pas été méchant, il était content de la veillée et il avait accepté de partir avec le corps et de laisser les vivants tranquilles.

Aussitôt qu'une mangue tombe de là-haut, Lounès et moi nous la mangeons. Puisqu'il est le plus grand, c'est lui qui croque d'abord. Il croque deux fois, moi je ne croque qu'une seule fois. C'est normal, son estomac est aussi plus long que le mien.

On reste de temps en temps silencieux, les yeux fermés pour entendre les papillons qui volent au-dessus de nos têtes. On regarde surtout les avions qui passent et on devine dans quels pays ils vont atterrir. Celui de nous deux qui dit le nom d'un pays doit également dire le nom de sa capitale. C'est comme ça que je sais que la capitale de la Belgique c'est Bruxelles, celle de l'Angleterre c'est Londres, celle de l'Allemagne c'est Berlin. Mais, comme me l'a expliqué Lounès qui apprend l'his-

toire du monde au collège des Trois-Glorieuses,
c'est un peu compliqué pour l'Allemagne parce
que ce pays-là est divisé en deux avec un grand
mur qui sépare les gens qui sont pourtant tous des
Allemands. Il y a un endroit capitaliste et un autre
communiste. Je ne connaissais pas le nom de la
capitale de l'endroit communiste alors que c'est
un pays qui nous aime parce que nous luttons tous
contre les capitalistes. C'est Lounès qui m'a donc
appris que la capitale de l'autre Allemagne qui est
communiste comme nous c'est Bonn.

Pendant qu'il croque la mangue, je le regarde et
je me revois encore dans l'atelier de monsieur
Mutombo qui est en train de dire à ses clients :

— Mon fils s'appelle Lounès parce que c'est
une promesse que j'avais faite à mon ami algérien.

Et le voilà qui explique qu'il a vécu pendant un
an et demi en Algérie, dans un quartier de la ville
d'Alger qui s'appelle Kouba. En ce temps-là, il voulait être un commerçant comme les Arabes qui
sont chez nous et qui sont devenus les hommes les
plus riches de Pointe-Noire.

Je l'entends expliquer avec des gestes de la
main :

— Si j'étais allé en Algérie, c'était parce que
je m'étais dit que nous aussi on pouvait être des
hommes d'affaires. On pouvait devenir des gens
riches comme ces commerçants, sinon un jour ils
allaient nous vendre du manioc alors que c'est
nous qui le fabriquons depuis l'origine du monde.

Si tu entres dans son atelier, monsieur Mutombo
te racontera au moins dix fois son histoire d'Algérie. Il ne faut surtout pas lui rappeler : Tu me l'as
déjà racontée l'année passée. Sinon, il arrête net

de travailler et tu n'auras ta chemise ou ton pantalon qu'après au moins deux semaines. Donc tu dois l'écouter du début jusqu'à la fin, et il commencera par te dire que c'est dans ce quartier qui s'appelle Kouba qu'il a appris d'abord la cordonnerie avant de l'abandonner et de choisir finalement la couture. Il ajoutera que c'est là aussi qu'il a connu un homme qui est comme son frère : l'Algérien Arezki.

Plus je regarde Lounès, plus j'entends son père qui parle de son ami Arezki :

— Des rencontres comme ça, c'est le destin ! Le matin, depuis la fenêtre de son domicile, Arezki me voyait descendre du bus. Chaque fois qu'il croisait un Noir, c'était pour lui l'occasion de parler de son voyage au Sénégal où il était resté pendant longtemps avec toute sa famille. Il me saluait de loin et moi je me demandais s'il ne m'avait pas connu au Congo ou s'il ne se trompait pas de personne. Et puis un jour il m'a invité à prendre un thé chez lui et m'a dit : «Non, on ne se connaît pas, mais ma maison est aussi la tienne, mon frère.»

Monsieur Mutombo t'expliquera encore qu'en Algérie il y a beaucoup de Noirs comme nous, et ces Noirs sont des Algériens. Il ajoutera tout bas que ces gens qui ont notre couleur souffrent presque comme les Noirs de l'Afrique du Sud où c'est interdit qu'un Blanc et un Noir s'assoient côte à côte dans un bus alors que le bus c'est pour tout le monde. Si certains montent dedans avec leurs animaux qui ont des puces, pourquoi les Noirs ne peuvent pas aussi voyager dans ce bus ? Et monsieur Mutombo s'énervera tout à coup, mais il ne faut pas croire que c'est contre toi qui l'écoutes :

— La souffrance des Noirs qui vivent dans les pays arabes, les gens n'en parlent pas trop ! Est-ce que c'est normal, ça, hein ? Là-bas on trouve rarement des Arabes clairs de peau qui se marient avec des Arabes noirs de peau. Il ne faut pas croire que le racisme et l'esclavage c'est seulement entre les Blancs et les Noirs ! Les Arabes aussi ont eu des esclaves noirs, ils les ont bien fouettés comme les Blancs qui nous fouettaient autrefois, et à voir comment ceux qui sont clairs de peau traitent les Noirs chez eux, je me dis qu'on est encore au temps de l'esclavage. Or mon frère algérien Arezki s'en foutait que ses voisins s'imaginent que le Noir qui venait prendre le thé chez lui était son domestique. Oui, à Kouba on me prenait vraiment pour un boy. La femme d'Arezki s'appelait Saliha, et ils avaient deux garçons : Yacine, le grand frère, qui faisait des études en Europe, puis le tout petit Lounès, très intelligent, avec des yeux très clairs. Entre ces deux garçons il y avait une fille, Sara. Parfois je marchais avec ces deux enfants dans les rues d'Alger, et les gens se retournaient, se demandaient s'ils étaient mes enfants. Si oui, pourquoi donc ils n'étaient pas aussi noirs que moi ? Ils se disaient alors que je n'étais qu'un domestique qui gardait les enfants d'une famille capitaliste d'Alger. Vous trouvez ça normal, vous ?

Après sa colère, il parlera de ce pays avec une voix triste pendant qu'il est en train de coudre ton habit :

— J'ai abandonné la cordonnerie pour apprendre la couture dans un petit atelier d'un des vieux quartiers d'Alger qu'on appelle la Casbah. C'était plus rentable pour moi d'apprendre la couture puisque chez nous chaque année les élèves changent de tenue scolaire alors que beaucoup vont à l'école pieds nus. D'ailleurs mon atelier marche bien : j'ai acheté une parcelle, j'ai construit une grande maison et on ne m'a jamais vu me plaindre à gauche et à droite. Mais qu'est-ce que j'aimais la Casbah ! Dans ce quartier les maisons sont serrées les unes contre les autres et elles donnent sur la mer. C'est comme si on vivait dans une époque ancienne. On voit des gens sortir des petites ruelles en zigzag et disparaître dans d'autres. Il y a des escaliers partout, on ne fait que monter et descendre. Si on ne connaît pas les lieux, on peut se perdre. Pendant la guerre d'Algérie les Français n'ont pas voulu entrer dans la Casbah parce qu'ils pouvaient se perdre dedans et être attaqués par les Algériens qui savent tous depuis leur enfance où mènent ces escaliers et quelle petite ruelle il faut prendre pour arriver ici ou là. Avant de quitter l'Algérie, j'ai fait une promesse à Arezki et sa femme. Je leur ai dit que si Dieu me donne un fils il aura aussi le prénom de Lounès. C'est comme ça que les choses se passaient avec nos ancêtres : on donnait aux enfants les noms des êtres qui nous étaient chers et pas seulement les noms de nos propres parents.

Il y a dans son atelier une grande photo en noir et blanc où on le voit au milieu de sa famille d'Algérie. Monsieur Arezki et sa femme l'entourent. Les enfants sont accroupis devant, et le petit Algérien qui s'appelle Lounès c'est celui qui a des cheveux tout noirs comme son père et les yeux baissés.

Monsieur Mutombo explique avec fierté que si le petit Algérien Lounès avait les yeux baissés sur la photo c'est parce qu'il cachait ses larmes car il savait déjà que l'ami de son père allait retourner pour de bon au Congo.

Le vent souffle beaucoup et il y a trop de mangues qui tombent. On ne peut pas toutes les manger. Lounès les rassemble. Il m'en donnera quelques-unes et gardera les autres pour ses parents et Caroline.

Je regarde le ciel et je me dis qu'il va peut-être pleuvoir. Or, quand il pleut, c'est comme une rivière qui se jette dans le quartier. Mais je crois qu'il ne va pas pleuvoir, le ciel est encore clair.

Lounès m'apprend qu'il a des poils qui poussent en bas.

— En bas où ?

— Dans mon coupé, là-dedans.

Comme je ne le crois pas, il ouvre la fermeture de son coupé et me montre ça. De petits poils noirs qui brillent on dirait les cheveux des bébés. Il dit que moi aussi ça sera comme ça. Qu'il faut avoir des poils en bas pour que les filles te respectent bien. Sinon tu n'es qu'un enfant pour elles et tu ne peux pas les gronder. Les poils c'est ça qui montre qu'on devient un homme, c'est pas la barbe-là que même les boucs ont.

— Moi je ne veux pas avoir des poils en bas ! je lui dis.

— Ça viendra même si tu ne veux pas.

— Je veux rester comme je suis !

Il change de sujet et me demande si j'ai vu Caroline. Donc c'est qu'il a compris que quelque chose ne va pas entre sa sœur et moi. Je ne peux pas le cacher :

— Ne me parle pas de Caroline !

— Qu'est-ce qu'il y a ? Elle t'a provoqué ?

— Est-ce que tu sais que c'est elle qui a tressé les cheveux de ma mère et que c'est pour ça que maman Pauline est allée dehors sans moi ?

— C'est tout ?

— Comment ça c'est tout ? Est-ce que quand ta mère sort tu es d'accord, toi ? Si Caroline n'avait pas tressé les cheveux de ma mère, elle ne serait pas sortie sans moi ce dimanche-là !

On entend quelqu'un qui arrive derrière nous. C'est madame Mutombo qui sort de la maison. Elle nous a peut-être entendus discuter.

— De qui vous parlez en cachette comme ça ?

— Rien, on cause, lui répond Lounès.

Elle avance lentement avec son gros cœur et passe juste devant nous. Comme elle a un sac d'arachides sur la tête, je me dis qu'elle va au Grand Marché. On la regarde s'éloigner, et moi j'avance ma bouche vers l'oreille de Lounès :

— Je vais te dire un secret, tu ne dis même pas à ta sœur...

— Elle n'est pas là, elle est allée tresser les cheveux de notre tante ce matin.

— Oui, mais même quand elle reviendra il ne faut pas lui dire ça, sinon moi je suis foutu pour de bon !

— Je ne lui dirai pas.

— Alors voilà, tu ne vas pas croire ça : nous sommes devenus des capitalistes à la maison...

— Ah bon ? De vrais capitalistes ?

— Oui, on a un appareil tout neuf que même personne n'a encore acheté dans cette ville et ça fait à la fois la radio et le magnétophone. C'est une radiocassette.

Je lui parle du chanteur à moustache :

— Son nom, c'est Georges Brassens. C'est un monsieur gentil avec une moustache. Il ne fait que parler d'un arbre qu'il aimait mais qu'il a quitté des yeux. Et il chante du matin jusqu'au soir cette histoire d'arbre ! Moi j'ai pitié de lui, il faut qu'on fasse quelque chose. Est-ce que toi tu trouves normal qu'un homme soit triste comme ça et pleure un arbre ?

— C'est un Blanc ?

— D'après toi, qui peut pleurer un arbre si c'est pas un Blanc ?

Avant de nous quitter je lui promets qu'un de ces jours, lorsqu'il passera à la maison, on ira écouter le chanteur à moustache. Mais il faut que ma mère et mon père ne soient pas là.

C'est bien d'être un chef. Quand je dis « chef », je ne pense pas à mon oncle parce que lui c'est un chef plus petit que notre président de la République qui est à la fois président, Premier ministre, ministre de la Défense et président du Parti congolais du travail, le PCT. C'est vrai qu'on peut vite croire qu'il est trop gourmand puisqu'il occupe ces postes lui-même. Les gens racontent d'ailleurs que lorsqu'il y a une réunion du président de la République, du Premier ministre, du ministre de la Défense et du président du PCT, notre président reste seul dans la salle pour discuter avec lui-même et il parle d'abord en tant que président de la République, puis en tant que Premier ministre, puis en tant que ministre de la Défense, et enfin en tant que président du PCT. Voilà pourquoi cette réunion dure plus longtemps que lorsqu'il est avec ses ministres.

On oublie trop que c'est pour se protéger qu'il a occupé ces postes, et moi je le comprends. S'il accepte d'avoir un Premier ministre qui n'est pas lui-même, ce Premier ministre voudra lui aussi être président de la République et fera un coup d'État avec le ministre de la Défense parce que notre ministre de la Défense c'est un militaire très dangereux qui a déjà fait un complot pour tuer l'immortel Marien Ngouabi, et il a réussi son complot. Ce militaire, il connaît bien tous les autres militaires de notre armée qui le respectent car c'est pas donné à tout le monde de tuer un immortel.

Papa Roger n'aime pas les militaires et il croit que les nôtres ont toujours faim. On dirait que la dernière fois qu'ils ont mangé, ça date d'un siècle et dix jours. C'est pas des militaires comme les nôtres qui peuvent faire la guerre si les Zaïrois nous attaquent à cinq heures du matin pour prendre notre pétrole et notre océan Atlantique avec les gros poissons qui habitent dedans et qui, normalement, nous appartiennent aussi. Nos militaires à nous sont trop maigres, ils ne font pas l'éducation physique comme les militaires américains ou russes qui sont chaque fois en train de s'entraîner parce qu'ils savent que la guerre mondiale arrive brusquement, et quand elle arrive tu n'as pas le temps de dire : Attendez-moi, je vais d'abord faire pipi avant d'aller me battre.

Papa Roger croit aussi que si nos militaires ne font pas de sport c'est parce qu'ils se disent que c'est pas demain que nous serons en guerre et que de toute façon s'il y a une guerre c'est pas un petit pays comme le Congo qui peut la gagner. Donc nos militaires c'est des gens qui ont des galons pour rien. C'est des gens qui n'ont jamais combattu dans une vraie guerre. Et quand on leur promet de nouvelles tenues militaires, des grades, des casiers de bières qui viennent de l'étranger et un gros salaire, ils acceptent de faire le coup d'État avec n'importe quel bandit pour tuer les immortels alors que c'est interdit.

Notre président a tout compris et c'est pour ça qu'il a décidé d'être lui-même Premier ministre, ministre de la Défense et président du Parti congolais du travail. S'il a aussi décidé que c'est lui le président du PCT, c'est parce que, comme le répète tonton René, pour être président de la République, c'est pas sorcier, il faut d'abord être le chef du PCT. Et c'est le PCT qui choisit le Président parce que nous on ne veut pas perdre du temps dans les élections comme en Europe où on va jusqu'à demander au peuple de choisir celui qui sera le président de la République. Est-ce que c'est sérieux, ça ? On ne va pas quand même demander aux gens de choisir un président ! Et s'ils se trompent qu'est-ce qui va se passer après, hein ? Le pays risque d'être par terre. Or les membres du PCT ne se sont jamais trompés. C'est donc normal que ce soient eux qui choisissent pour nous le président de la République. D'ailleurs le Président nous rappelle dans ses discours que les élections que les Blancs aiment et nous commandent aussi de faire c'est pas bon parce que c'est ça qui fait traîner la Révolution. Notre pays est trop en retard, on est pressés, il faut qu'on rattrape l'Europe et on ne peut pas rattraper l'Europe si on passe des jours et des jours à demander aux gens de choisir un président de la République. Tout le monde ne pourra pas voter de toute façon. Certains ne seront même pas là le jour en question parce qu'ils auront mal aux dents et seront chez le dentiste. D'autres encore iront s'occuper de leurs plantations ou mourront du paludisme ou de la maladie du sommeil. Et puis c'est pas gentil de dire aux vieux d'aller voter alors qu'ils sont fatigués et ont le droit de se reposer.

Moi je ne suis pas d'accord avec Lounès, lui qui pense que si notre président est un dictateur c'est parce qu'il est militaire. Je suis sûr que dans beaucoup de pays du monde il y a des dictateurs qui ne sont pas des militaires. Je m'en fous donc que notre président soit militaire, ce qui m'énerve c'est seulement quand il raconte qu'il a été envoyé par Dieu en personne. Or si Dieu voulait envoyer quelqu'un pour être président chez nous Il aurait envoyé son fils Jésus puisqu'Il l'a déjà fait pour sauver les hommes sur Terre. En tout cas, c'est ce que le prêtre dit le dimanche à l'église Saint-Jean-Bosco.

Quand le Président nous explique qu'il a été envoyé par Dieu en personne, les gens le croient sans d'abord vérifier si c'est vrai ou si c'est pas vrai. Et nous, comme des moutons du Grand Marché, on apprend ses discours à l'école parce que soi-disant ce qu'il dit c'est pour notre bien, ça vient directement de Dieu. On apprend son histoire glorieuse qui raconte comment il a combattu les ennemis de la Révolution dans le nord du pays, comment il a massacré tout seul ces ennemis qui avaient volé le tank de notre armée et se préparaient à bombarder le nord du pays avant de descendre jusqu'au sud pour bombarder aussi les petits villages, y compris les animaux des pauvres paysans. Il fallait vite retrouver ce tank, le seul que les Français nous avaient laissé après l'Indépendance.

Les Français nous aimaient bien et nous aussi on les aimait bien. Ils nous aiment encore aujourd'hui parce qu'ils continuent à bien s'occuper de notre pétrole qui est dans la mer de Pointe-Noire sinon nous autres on va le gaspiller ou le vendre aux Américains qui en ont besoin pour faire marcher leurs grosses voitures.

Et il paraît que c'est lui, notre président, comme il est né invincible, qui est allé dans la bataille à l'époque où il n'était qu'un soldat et qu'il ne savait pas que c'était écrit sur les lignes de sa main droite qu'il va devenir président après une bataille contre les ennemis de la Révolution. Donc le voilà qui est arrivé jusqu'au nord du pays sur une vieille Vespa, puis il s'est tellement bien déguisé qu'on ne pouvait pas savoir si c'était un militaire qui était là ou si c'était de l'herbe qui bougeait à cause du vent. Il a rampé, il a nagé, il est monté dans les arbres. Et il est tombé sur ces centaines d'ennemis de la Révolution regroupés au bord d'une rivière pour étudier comment nous éliminer en moins de vingt-quatre heures. Le futur président a poussé un cri de guerre et a commencé à les mitrailler les yeux fermés. Il tirait plus vite que Lucky Luke. Et quand il n'y avait plus de balles dans son arme les esprits de nos ancêtres lui en donnaient en pagaille. Même qu'à un moment les esprits de nos ancêtres aussi n'avaient plus de balles. Le futur président est allé se cacher dans un champ de maïs où il est tombé sur un vieillard de l'ethnie bembé qui n'avait plus qu'une seule dent et qui lui a dit de charger des graines de maïs dans son arme. Il ne croyait pas à ces mensonges, mais il n'avait pas le choix parce que les ennemis venaient en masse derrière lui. Le voilà qui a chargé quand même son arme avec ces graines de maïs. Quand il tirait les graines éclataient on dirait des grenades de la guerre mondiale. Et il tirait, il tirait, il tirait pendant que les ennemis de la Nation tombaient les uns après les autres et mouraient comme des rats. Le futur président a finalement retrouvé où ces gens avaient caché notre joli tank français. Le tank marchait encore, les adversaires de la Révolution ne l'avaient pas utilisé. Notre futur président est alors revenu avec le tank qu'il conduisait lui-même, et la population l'applaudissait, lui donnait des fleurs au moment où il entrait dans le stade de la Révolution avec le tank.

Dès qu'il est devenu président de la République, comme il était désormais un héros national grâce à ce tank, il a écrit un très gros livre qu'on lit au collège, au lycée et à l'université. Nous, on ne nous lit que quelques bouts parce que notre cerveau est encore trop petit, mais on le lira de la première à la dernière page quand on arrivera au collège.

Ce samedi, les gens qui passent dans la rue sont bien habillés on dirait que c'est la fête de l'Indépendance. Y en a qui attendent le samedi pour s'habiller comme ça. Dès que je vois trop de costumes ou de pagnes neufs, je n'ai même pas à me demander c'est quel jour nous sommes, c'est forcément un samedi. Ces gens font tous pareil : le samedi ils montrent leurs beaux habits depuis le matin jusqu'en fin d'après-midi avant d'aller faire l'ambiance le soir dans les bars de l'avenue de l'Indépendance. Ils vont danser toute la nuit, y en a qui vont dormir de dimanche jusqu'à lundi à midi et ils vont oublier d'aller au travail. Le prêtre de l'église Saint-Jean-Bosco se plaint parce qu'il n'y a plus personne dans son église. Comment les gens vont avoir le courage de se réveiller le dimanche matin pour aller à l'église si de dix-huit heures à six heures du matin ils ont fait la fête et qu'ils ne savent même pas par quelle magie ils sont rentrés chez eux ?

Il ne fait pas trop chaud. Je regarde le ciel, c'est calme et bleu. Lorsqu'un avion passe, je pense à

Caroline même si je suis encore fâché contre elle. Il faut maintenant que je pense à une voiture rouge avec cinq places quand je pense à ma femme. Il faut que je pense aussi à nos deux enfants. Une fille et un garçon. Et il ne faut pas que j'oublie notre chien tout blanc.

Alors que je suis en train d'imaginer ma vie avec Caroline, derrière moi quelqu'un me touche à l'épaule droite. Je me retourne : c'est Lounès.

Il rigole et me demande si j'ai eu peur.

— Même pas peur, je lui réponds.

Il aime arriver en cachette. Il a apporté des bon-bons glacés, deux pour lui un pour moi. Il me donne le mien au moment où on entre dans la maison. Comme mon père dort aujourd'hui chez maman Martine et que ma mère est encore au Grand Marché pour vendre ses arachides avec madame Mutombo, je n'ai pas à m'inquiéter.

Lounès s'est assis là où je m'assois quand je mange avec mes parents. Moi j'ai pris la place de mon père, j'ai laissé la porte ouverte. De là où je me trouve je surveille ce qui se passe dehors.

Lounès regarde une nouvelle photo que ma mère a posée sur l'armoire. On l'a prise il y a quelques jours seulement quand, avec mon père et ma mère, on est allés acheter mes chaussures Spring Court au magasin Printania où on vend les pommes, les rai-sins et beaucoup de fruits qui viennent d'Europe. Au retour, on s'est arrêtés dans un bar de l'avenue de l'Indépendance. Un photographe est entré avec son appareil, il a forcé mes parents pour qu'on prenne une photo :

— Regardez-vous donc ! Vous êtes beaux tous les trois, la photo va être magnifique ! Je vous promets que si elle n'est pas belle vous ne paierez rien.

Ma mère a dit non parce qu'il ne faut pas qu'on gaspille l'argent pour rien. Mais mon père a écouté le baratin du photographe qui racontait que c'est avec son appareil photo qu'il nourrit ses dix enfants, que depuis un mois il n'a pas eu un seul client. Il a montré sa grosse plaie au tibia :

— Vous voyez ça? Je n'ai même pas d'argent pour acheter de l'alcool et du Mercurochrome. En plus, j'ai deux cousines et deux oncles qui viennent d'arriver du village et c'est moi qui dois les nourrir. Il y a aussi un autre problème que j'ai par rapport à la maison que je loue, le propriétaire qui...

— Bon, on y va, faites vite la photo! a dit mon père.

Ma mère a fermé le front et a mal regardé mon père qui a ajouté :

— C'est moi qui paie la photo. Michel, viens te mettre entre ta mère et moi.

La photo est maintenant là sur l'armoire. Parfois je la regarde pendant quelques minutes et je suis très content d'être entre mes parents. Si sur cette photo j'ai la bouche ouverte, c'est à cause du photographe. Il nous avait demandé de sourire au petit oiseau qui allait sortir de son appareil photo. Moi je ne voulais pas sourire sans d'abord voir c'est quel type d'oiseau, de quelle couleur il est, par où il va sortir, est-ce qu'il va voler, est-ce qu'il va chanter comme les vrais oiseaux qui ne se cachent pas dans les appareils photo. La bouche ouverte, j'ai attendu cet oiseau, mais c'est la lumière qui est sortie et qui m'a surpris. Et c'est pas tout : je n'ai pas eu le temps de fermer les boutons de ma chemise. On voit ma poitrine qui est trop plate parce que je suis encore petit pour avoir des muscles comme Blek le Roc. Ma mère a un foulard en pagne sur la tête et un verre de bière près de la bouche. Mon père se penche un peu vers moi on dirait qu'il veut me protéger contre les ennemis de la Révolution qui risquent de nous éliminer et de gagner la lutte finale. Maman Pauline est la plus grande de taille de nous trois. Il y a un verre de bière devant moi, mais c'était pas pour le boire, c'était juste pour la photo puisque ma mère avait expliqué que si on ne met pas de verre devant moi la photo ne va pas réussir, les gens du quartier vont croire qu'on était entrés dans ce bar juste pour la photo. Alors il y a ce verre de bière qui est devant moi. Et pour qu'on ne dise pas aussi que je faisais semblant de boire, maman Pauline a bu un peu dans ce verre. Donc, si tu regardes bien notre photo, comme mon verre n'est pas bien rempli, tu vas t'imaginer que moi Michel je buvais de la bière ce jour-là alors que c'est faux.

Pendant que Lounès continue à regarder notre photo, moi je disparais dans la chambre de mes parents, je prends la mallette de mon père et reviens au salon.

Il faut que je fasse comme papa Roger. J'ouvre la mallette doucement et je sors la radiocassette. J'appuie sur un bouton, la petite fenêtre s'ouvre. Je prends la seule cassette qu'on a et je la mets dans la petite fenêtre, puis je referme, toujours doucement. J'appuie enfin sur «Play», le chanteur à moustache commence à chanter.

On écoute depuis un moment ce Georges Brassens et on regarde aussi sa photo qui est sur la cassette. À chaque fois c'est pareil : Lounès me dit de me taire un peu et me demande de rejouer la chanson dès qu'elle arrive à la fin. Sur la radiocassette il y a un bouton avec une flèche qui va dans le sens de la gauche. Sous le bouton c'est écrit «RWD» : c'est là qu'on appuie pour revenir au début de la chanson. J'ai déjà vu papa Roger le faire la dernière fois. Et, si je compte bien comme il faut même si j'aime pas l'arithmétique, ça fait au moins dix fois que j'ai appuyé sur ce bouton pour recommencer la chanson.

On ne parle plus, on a rapproché nos oreilles. On commence à connaître les paroles mais moi je dois demander de temps en temps à Lounès ce que signifient certains mots difficiles. Lui il connaît plus de mots que moi puisqu'il est en classe de cinquième au collège. Par exemple, je ne comprends pas bien lorsque, tout au début de la chanson, le chanteur à moustache dit :

> *J'ai plaqué mon chêne*
> *Comme un saligaud*
> *Mon copain le chêne*
> *Mon* alter ego

C'est quoi donc *saligaud*? Je ne sais pas. Lounès ne sait pas. On laisse tomber, on ne cherche plus.

Et puis, c'est quoi *alter ego*? On ne veut pas laisser tomber, peut-être qu'*alter ego* c'est ce qu'il y a de plus important dans cette chanson.

— *Alter ego* c'est pas du français, dit Lounès.

— C'est dans quelle langue alors si c'est pas du français ?

— À mon avis, ça vient du patois d'une tribu d'Europe.

— Une tribu ?

— Oui, une très petite tribu d'Europe qui parle encore le vrai français parce que c'est là-bas que le français est né.

Il dit ça, mais je sens qu'il n'est pas sûr. Comme on n'a pas trouvé et qu'on continue à réfléchir, Lounès m'apprend qu'*alter ego* c'est quelqu'un qui est très égoïste comme monsieur Loubaki, le propriétaire du bar Le Relax qui demande aux clients de payer le même jour ce qu'ils boivent alors que dans les autres bars on paie à la fin du mois.

— Oui, monsieur Loubaki c'est *alter ego* !

Moi je lui réponds que c'est pas possible que le chanteur à moustache dise que son arbre c'est son *alter ego*, et donc son égoïste. Sinon pourquoi il se met à pleurer un égoïste et à le regretter au lieu de bien l'insulter comme les gens insultent monsieur Loubaki devant son bar ?

Lounès me promet qu'il va poser la question à son professeur de collège, que moi il ne faut surtout pas que je demande à notre maître parce que si par malchance il ne sait pas ce que ça veut dire *alter ego* et *saligaud* je vais avoir des ennuis. Notre maître aura honte devant les élèves, il va croire que j'ai voulu me moquer de lui et il me frappera avec un câble de mobylette. Au collège des Trois-Glorieuses on ne frappe plus les élèves, ils sont déjà grands et certains ont la taille du professeur, parfois ils le dépassent de deux têtes. Donc Lounès n'a rien à craindre, lui.

Je ne sais pas pourquoi mais moi j'ai envie d'insulter le barman Loubaki de *saligaud* et de surnommer Lounès mon *alter ego*. Y a une petite voix qui me dit que *saligaud* c'est mauvais et qu'*alter ego* c'est gentil. Mieux vaut être *alter ego* que *saligaud*. Parce que le chanteur à moustache, je suis sûr, il ne peut vouloir que du bien à son arbre qu'il appelle *alter ego*, et c'est pour ça qu'il le pleure du matin jusqu'au soir.

Le soir, papa Roger se branche sur La Voix de l'Amérique, une radio qui donne les informations en français depuis l'Amérique. Moi je me demande comment ces informations arrivent dans un petit pays comme le nôtre et pourquoi notre président de la République ne coupe pas le son parce qu'il y a quand même des choses graves que cette radio-là raconte et que Radio-Congo ne peut pas dire sinon il n'y aura plus de radio chez nous.

Mon père ne met Radio-Congo que pour écouter les communiqués qui annoncent la mort des gens dans nos villes et nos villages. On n'explique pas pourquoi ces personnes viennent de mourir, on dit «à la suite d'une longue maladie» comme lorsque monsieur Moundzika était mort et que maman Pauline était allée à la veillée pendant deux jours. C'est quoi ces «longues maladies» qu'on ne peut pas expliquer à la radio? En plus, dans ces communiqués, on regrette la mort d'un tel ou d'une telle. D'après papa Roger, parmi ceux qui regrettent la mort de ces personnes beaucoup souhaitaient qu'elles disparaissent vite de ce monde pour qu'ils aillent prendre les parcelles et les animaux que les défunts ont laissés :

— Il faut se méfier des personnes qui s'occupent du communiqué à la radio, à la fin c'est elles qui chassent la veuve et les enfants du domicile du défunt et accaparent tout l'héritage.

Lorsque arrive l'heure de ces communiqués, on entend d'abord une musique triste, puis celui qui lit les communiqués prend aussi une voix triste on dirait que les morts qu'il va citer sont des gens de sa propre famille. Moi je vais dans ma chambre parce que je n'aime pas cette musique, parce que je déteste la voix de la personne qui lit. Je sais qu'elle fait semblant d'avoir le chagrin, qu'elle est payée pour être triste. Or c'est là que maman Pauline se redresse pour écouter avec attention. Elle demande qu'on monte le son, elle rapproche sa chaise de la table et elle colle presque son oreille droite à la radio. Et si elle entend les noms des villages de la région de la Bouenza comme Moussanda, Ndounga, Ntséké-Pembé, Batalébé, Kimandou ou encore Kiniangui, elle se retourne et nous dit :

— Je connais ces gens qui viennent de perdre leur parent. Ils habitent près de la rivière Moukoukoulou, derrière les plantations de la famille Kibonzi.

Et elle pleure comme si c'était notre parent à nous qui venait de mourir.


Il y a un journaliste de La Voix de l'Amérique que papa Roger aime bien et qui s'appelle Roger Guy Folly. À table il ne nous parle plus que de cet homme. Est-ce que c'est parce que le journaliste en question se prénomme Roger comme lui? Quand mon père prononce son nom, on dirait que c'est de son propre frère qu'il parle. Roger Guy Folly par-ci, Roger Guy Folly par-là.

Le soir, c'est cet Américain-là qui nous donne l'heure :

*Il est vingt et une heures en Temps universel, et vous écoutez La Voix de l'Amérique. Tout de suite, les informations du soir depuis Washington avec votre fidèle serviteur Roger Guy Folly...*

Or, lorsque Roger Guy Folly dit «vingt et une heures» et que je regarde le réveil qui est sur notre armoire, je vois bien que c'est pas la même heure dans notre pays. Donc, quand il fait nuit ici, il y a d'autres pays qui sont encore en plein jour avec des enfants qui jouent. Quand ici on est debout, ailleurs les gens dorment, et quand ici on dort, ailleurs les gens sont debout. C'est pas normal.

Papa Roger est toujours d'accord avec ce que dit Roger Guy Folly. Parfois il hurle, se retourne vers nous, nous demande le silence et nous promet qu'il va nous expliquer tout dans quelques minutes parce que maman Pauline ça l'énerve d'écouter ces choses qu'elle ne comprend pas et ces noms de pays qu'elle entend pour la première fois. Papa Roger m'écrit alors sur un bout de papier les noms des gens, des villes et des pays.

Par exemple, ce soir Roger Guy Folly nous parle d'une ville qui s'appelle Phnom Penh, la capitale du Cambodge. Phnom Penh c'est un nom trop compliqué à prononcer. L'écrire c'est très compliqué aussi, mais une fois qu'on l'a écrit ça devient facile comme de l'eau à boire. Sinon comment les Cambodgiens ils font pour l'écrire et le prononcer chaque fois alors qu'ils sont des êtres humains comme nous ?

Or maman Pauline n'arrive toujours pas à prononcer Phnom Penh.

Papa Roger lui dit :

— Pauline, c'est pourtant très simple : pour prononcer Phnom Penh, tu contractes ta bouche, tu souffles en bloquant de l'air comme pour siffler et tu ouvres brusquement ta bouche comme lorsqu'on est étonné devant une situation très grave, ce qui est justement le cas au Cambodge !

Roger Guy Folly nous apprend que l'armée du Viêt Nam vient de prendre cette ville de Phnom Penh et a chassé de là des gens méchants qu'on appelle les Khmers rouges qui sont pourtant des Cambodgiens. Ces méchants faisaient souffrir leur peuple alors qu'ils sont des communistes comme nous. Donc les Vietnamiens — leur pays est juste à côté du Cambodge — ont dit : Puisque ces Khmers rouges menacent nos frontières, eh bien on va aller au Cambodge, on va prendre Phnom Penh aux mains des Khmers rouges comme ça le peuple cambodgien va un peu respirer car ces Khmers rouges ont trop torturé, trop tué et trop liquidé la population. Quand les Vietnamiens sont entrés dans Phnom Penh, il n'y avait presque plus personne dans la ville à cause des Khmers rouges qui avaient chassé tous les gens. En plus, ces Khmers rouges cherchaient vraiment la bagarre depuis longtemps. Ils provoquaient trop leurs voisins vietnamiens alors que le Cambodge et le Viêt Nam ont déjà de vieilles querelles comme la plupart des pays qui ont des frontières ensemble. Et quand c'est comme ça, un des pays dit : Ici c'est mon territoire, c'est le territoire de mes ancêtres, je veux le reprendre par tous les moyens. L'autre pays dit : Ah non, ici c'est pas ton territoire, c'est mon territoire et je ne vais pas te laisser le reprendre par tous les moyens, je vais le protéger par tous les moyens. Et on se met à se battre aussi par tous les moyens pendant des années et des années. C'est pour ça que lorsque les Vietnamiens sont entrés au Cambodge, les Cambodgiens ont d'abord eu peur et se sont demandé : Mais qu'est-ce qu'ils vont nous faire, ces Vietnamiens ? Est-ce qu'ils viennent nous envahir pour prendre notre pays par tous les moyens ? Dès que les Cambodgiens ont compris par la suite que c'est les Khmers rouges que les Vietnamiens voulaient bien taper, beaucoup ont aidé l'armée du Viêt Nam parce qu'ils ne voulaient plus être encore trop torturés, trop tués et trop liquidés. Le gouvernement des Khmers rouges a donc fui et est allé se cacher dans la brousse. Leur chef s'appelle Pol Pot et il est tellement méchant qu'il a liquidé plus d'un million et demi de personnes avant de s'enfuir quand les Vietnamiens sont entrés dans son pays.

Si moi Michel j'étais un Cambodgien, j'aurais supporté le Viêt Nam les yeux fermés. Or tout le monde n'est pas content que le Viêt Nam entre au Cambodge pour chasser les méchants Khmers rouges. Les Russes sont d'accord, mais les pays comme la Chine ou l'Amérique et beaucoup d'autres qui supportent en cachette les Khmers rouges disent : C'est pas normal que le Viêt Nam entre au Cambodge comme ça, on n'est pas d'accord, on va continuer à supporter les Khmers rouges qui se sont cachés dans la brousse. Les Chinois ont même déclaré : Nous aussi on va punir les Vietnamiens, on va bien les attaquer comme il faut, on va entrer dans leur pays comme ils sont entrés au Cambodge et on verra ce qui va se passer. Heureusement que les Chinois ont raté leur plan.

À la fin de tout ça c'est la pagaille là-bas : il y a maintenant un nouveau gouvernement au Cambodge et leur pays s'appelle désormais la République populaire du Kampuchéa. Donc ils sont un peu nos frères, mais je ne sais pas si notre pays est contre le Viêt Nam ou s'il le supporte puisque Roger Guy Folly ne parle pas de nous dans cette histoire. Pourquoi il va parler de nous ? Qui va demander notre avis ? Notre pays est tellement petit qu'on l'oublie trop dans les informations. Si un jour on a des conflits comme ce qui se passe au Cambodge, alors c'est là qu'on va parler de nous du matin jusqu'au soir comme si on était un grand pays. D'un autre côté, moi je préfère encore qu'on ne parle surtout pas de nous à la radio. Oui, moi je préfère qu'on soit un petit pays, au moins nous sommes tranquilles, nous sommes peinards, et ça veut dire qu'on ne fait pas la guerre, qu'on ne prend pas la ville d'un autre pays, qu'on n'a pas de Khmers rouges chez nous ni de Pol Pot qui embête la nouvelle République populaire du Kampuchéa depuis la brousse où il est caché.

Ça me fait très mal au cœur lorsque tonton René dit à ma mère que papa Roger n'est pas mon vrai père, qu'il n'est qu'un «père nourricier». Ce n'est pas pour la nourriture que papa Roger compte pour moi et ce n'est pas pour me nourrir qu'il a décidé d'être mon père. Je préfère encore «père adoptif», là ça signifie que c'est lui qui m'a choisi et qu'il m'a choisi en réfléchissant bien à ce qu'il faisait. Avant de décider que je serai son enfant, papa Roger m'avait déjà vu. Normalement on ne choisit jamais la figure des enfants qu'on va avoir, on ne les voit même pas avant qu'ils viennent au monde. On attend que le docteur dise ça sera une fille, ça sera un garçon. Si papa Roger ne voulait vraiment pas de moi quand il m'avait vu pour la première fois, il m'aurait laissé tranquille, il m'aurait laissé seul avec ma mère. Or j'étais déjà sorti du ventre de ma mère depuis des mois quand papa Roger m'avait vu pour la première fois. Ce jour-là moi je lui avais souri — et d'après maman Pauline il paraît que j'étais content on dirait que c'était à ce moment-là que j'avais commencé à vivre et à me dire : Moi Michel, je serai quelqu'un dans la vie.

Papa Roger est mon père, un point c'est tout. Je ne veux pas savoir si j'ai un *vrai* père quelque part. Je ne veux pas voir le visage de ce monsieur que je ne connais pas et qui serait mon *vrai* père. C'est un lâche qui a laissé maman Pauline se débrouiller à l'hôpital alors que c'est lui qui l'avait épousée depuis Louboulou, le village de ma mère. Ce type était gendarme là-bas avant d'emmener ma mère vivre dans le district de Mouyondzi où on l'avait affecté. Maman Pauline n'était qu'une petite fille devant lui. Et voilà que ce gendarme a dit, juste deux ans après leur mariage : Maintenant je fais ce que je veux, je sors quand je veux, je prends plusieurs femmes si je veux, je vais te renvoyer dans ta brousse si tu n'es pas d'accord avec moi. Si tu ouvres ta gueule de villageoise de Louboulou, je mets ta famille en prison jusqu'à la fin du monde.

Quand maman Pauline prononçait un mot, le gendarme lui montrait le pistolet on dirait dans les films de cow-boys et il lui criait dessus :

— Tu me sers à quoi, Pauline, hein ? Tu as été enceinte deux fois, et deux fois ces enfants sont morts dès qu'ils sont sortis de ton ventre ! Tu me sers donc à quoi, à la fin ? Ta famille c'est des sorciers, ils ont mis des gris-gris dans ton ventre ! Tu n'auras pas d'enfants !

Le gendarme ne dormait plus à la maison. Il venait quelques minutes le matin pour changer ses habits, puis le voilà qui repartait en courant on dirait que dans notre maison on vivait avec des diables. Maman Pauline fermait sa bouche. Qu'est-ce qu'elle pouvait dire au type ? Elle savait bien qu'il vivait avec d'autres femmes qu'il aimait plus, d'autres femmes avec qui il pouvait avoir des enfants qui ne meurent pas en sortant du ventre de leur mère. Maman Pauline laissait la porte ouverte toute la nuit parce que le gendarme se fâchait si elle était fermée. Il voulait entrer chez lui n'importe quand et à n'importe quelle heure. Mais il ne venait plus que tous les deux jours, puis tous les trois jours, puis une fois par semaine, puis une fois par mois. Et maman Pauline ne l'a plus vu du tout. Elle n'a même pas cherché à aller demander au commissariat où il travaillait. Elle avait un autre problème qui la rendait triste alors que le gendarme avait disparu depuis plus de trois mois : son ventre grossissait. Et donc elle ne sortait plus de la maison, il ne fallait pas que les gens du district voient ça. Elle attendait la nuit pour faire ses courses chez les femmes qui vendaient de la bouillie dans les rues. Elle portait plusieurs pagnes sur elle pour cacher son ventre.

Maman Pauline me raconte souvent que la nuit où j'ai commencé à envoyer des petits coups de pied de bandit pour sortir de son ventre elle a marché jusqu'à l'hôpital central de Mouyondzi. J'ai failli ne pas venir dans ce monde parce que j'avais peur des hommes et des femmes qui bavardaient autour de ma mère dans la salle d'accouchement. Je croyais qu'en arrivant sur Terre je trouverais le silence, que je serais seul avec elle comme lorsque j'étais dans son ventre et que je nageais en m'accrochant au tuyau qui m'envoyait de la nourriture tous les jours. Mais bon, je ne voulais pas faire souffrir ma mère, je ne voulais pas aller au Ciel comme mes sœurs. Si les gens bavardaient tout autour de moi, c'est qu'il y avait quelque chose qui n'allait pas, et moi je voulais le savoir puisque c'est pas au

Ciel qu'on allait m'expliquer pourquoi les gens aiment bavarder sur Terre même lorsqu'ils sont dans une salle d'hôpital. Je voulais voir de mes propres yeux les visages de ces gens, entendre de mes propres oreilles leur voix. En fait ces gens qui discutaient dans la salle d'accouchement pensaient que moi Michel j'allais prendre le chemin de mes deux sœurs comme un idiot. Or je voulais vivre, je voulais suivre ma mère partout où elle irait, je voulais la protéger contre tous les gendarmes de la Terre qui menacent leur femme avec un pistolet alors que c'est les bandits qu'il faut menacer avec ça. Les infirmières me surveillaient donc vingt-quatre heures sur vingt-quatre. Je les guettais d'un seul œil, je lisais sur leur visage triste qu'elles attendaient le pire puisqu'elles avaient déjà vu ma mère dans cet hôpital, dans cette même salle d'où elle sortait en larmes avec un enfant froid dans les bras pour courir vers la morgue et le déposer dans un frigo. Parmi ces infirmières il y en avait qui vérifiaient si je respirais encore. Alors je me disais : Je vais jouer avec ces adultes, je vais leur montrer que je connais leur langue, y compris ce qui se passe dans leur tête. Je m'amusais à couper un peu ma respiration, à fermer les yeux, à serrer mes lèvres et mes fesses, et parfois à devenir si pâle que je ressemblais à un cadavre de bébé blanc puisque les enfants noirs, quand ils viennent au monde, en général ils sont tout blancs, ce n'est qu'après qu'ils deviennent noirs sinon les parents vont se chamailler et croire que c'est un Blanc du centre-ville qui est le vrai père. Croyant que j'étais mort pour de bon, les infirmières s'étaient ruées sur moi. Elles commençaient à pleurnicher avec ma mère. Et là j'ai ouvert brusquement les yeux. J'avais envie de leur crier : Laissez-moi tranquille, est-ce que vous ne voyez pas que je respire? Est-ce que vous ne voyez pas que ça fait trois jours que je suis vivant et que mes sœurs n'ont pas passé un seul jour? Si franchement je voulais aller au Ciel, est-ce que j'attendrais tout ce temps comme un imbécile qui ne sait pas ce qu'il faut faire pour mourir? Je suis un bébé, mais attention, je sais déjà comment on meurt, mais j'ai pas envie de ne plus respirer! Je veux vivre! Laissez-moi me reposer, je viens de loin! Et puis, un peu de silence s'il vous plaît, nous sommes à l'hôpital!

Maman Pauline est rentrée à la maison avec moi une semaine après mon arrivée sur Terre. Son gendarme ne s'est toujours pas pointé, même s'il a bien entendu parler de moi. Ma mère a appris qu'il racontait déjà qu'il n'était pas mon père, qu'elle avait fait cet enfant avec quelqu'un du district, peut-être avec le facteur ou le tireur de vin de palme qui, comme le facteur, passait devant chaque maison le matin. Dans tout Mouyondzi c'est ça qu'on répétait, et on venait nous épier. Or on ne trouvait pas un homme qui vivait chez nous ou qui entrait à la maison à minuit pour sortir en cachette à cinq heures du matin. Dans le marché certaines femmes rapportaient aussi que ma mère avait eu un enfant avec un diable qui venait chez nous la nuit. Je crois que personne n'a vu mon visage dans ce district. Quand on allait dehors, ma mère me couvrait le corps jusqu'au visage et ne me laissait que deux petits trous pour que je voie au moins la couleur du ciel car là-haut les gens ne sont pas méchants.

Maman Pauline a quitté le district deux mois après mon arrivée. Elle n'allait pas passer son temps à se bagarrer contre ces femmes qui disaient n'importe quoi sur elle et sur moi. C'est pas qu'elle avait peur d'elles, mais maman Pauline, je ne me vante pas, elle sait comment bien griffer le visage des femmes méchantes. Quand elle griffe une femme méchante c'est on dirait qu'elle a écrit un gros livre en chinois ou en arabe sur son visage. Mais elle ne voulait pas de ça.

En vérité je ne sais pas à quoi ressemble le district de Mouyondzi qui est dans la région de la Bouenza, dans la brousse du sud. Puisque je n'ai vu que son ciel, j'imagine que sa terre est rouge comme toutes les villes de la Bouenza. En tout cas c'est ce que notre maître dit pendant le cours de géographie. J'imagine aussi que les animaux domestiques de là-bas — surtout les cochons — se baladent partout. Je parle de cochons parce que d'après ma mère les habitants de Mouyondzi aiment cet animal qu'ils mangent avec des bananes plantains à n'importe quelle fête ou lorsque quelqu'un vient de mourir. J'imagine encore que dans ce district, si les pères sont comme le gendarme de maman Pauline, alors il y a beaucoup d'autres enfants qui n'ont pas de père et beaucoup d'autres mères qui vivent seules avec leurs enfants. Je ne souhaite pas mettre mes pieds dans ce coin-là jusqu'à ma mort sinon je vais détester les gens et leur chercher la guerre mondiale, surtout les gendarmes.

Moi je me sens enfant de Pointe-Noire. C'est ici que j'ai appris à marcher, à parler. C'est ici que j'ai vu pour la première fois la pluie tomber, et on est originaire de l'endroit où on a reçu les premières gouttes de pluie. C'est papa Roger qui me l'a dit un jour et je pense qu'il avait raison.

En quittant le district de Mouyoundzi maman Pauline ne souhaitait plus retourner dans le village où elle était née sinon ces gens de Louboulou allaient se moquer d'elle. Elle a choisi la ville de Pointe-Noire parce que tonton René vivait déjà là et venait de finir ses études en France. Comme dans notre ethnie on donne souvent aux enfants les noms des oncles, ma mère m'a donné celui de tonton René alors que c'est pas lui mon père. Mon oncle était très content de voir que sa sœur l'avait choisi à la place de leur grand frère tonton Albert Moukila qui travaillait à la compagnie d'électricité.

Ce qui est bien, c'est que tonton René avait accepté sans discuter que maman Pauline vienne habiter chez lui avec moi et qu'il lui avait remis un peu d'argent pour qu'elle démarre son commerce d'arachides au Grand Marché. Elle se levait le matin et se rendait au quartier Mbota où elle achetait des sacs d'arachides aux agriculteurs. Après il fallait décortiquer ces arachides puis les mettre dans des cuvettes. Au Grand Marché elle s'asseyait derrière sa table et attendait les clients. Parfois ça marchait, parfois ça ne marchait pas. Mais même lorsque ça ne marchait pas elle se disait que c'était pas grave, que demain ça marcherait mieux qu'aujourd'hui. C'était pas avec ce commerce qu'elle allait devenir riche. Au moins elle pouvait m'acheter du lait et des couches au lieu de chaque fois le demander à tonton René. Or ce qu'elle ne savait pas, c'est que c'est là, dans ce Grand Marché de Pointe-Noire, que sa vie à elle allait changer. La mienne aussi.

C'était un dimanche après-midi et il faisait très chaud. Il n'y avait pas trop de monde dans le Grand Marché lorsqu'elle a levé la tête et a vu un homme devant sa table, un homme pas grand de taille, les cheveux bien peignés, la chemise bien repassée et une mallette à la main gauche. Elle a d'abord cru que c'était un de ces méchants qui viennent parfois demander aux commerçants de payer quelque chose à la mairie sinon ils n'auront plus leur table le lendemain dans le marché. Or quand on croise un méchant on a un peu peur, mais là elle a senti que ses jambes tremblaient, que son cœur allait tomber dans son ventre — d'après elle c'est comme ça que ça se passe quand elle est amoureuse. L'homme à la mallette a acheté beaucoup d'arachides et ma mère a tout de suite deviné que si quelqu'un achète autant d'arachides comme si demain il n'y en aura pas, c'est qu'il a une grande famille à nourrir. Il ne peut pas manger tout ça lui-même. Elle a donc rajouté beaucoup d'arachides et a même baissé le prix.

À partir de ce jour l'homme à la mallette venait régulièrement devant la table de ma mère. Il n'achetait plus ses arachides que chez elle, et quand elle n'était pas là il repartait, il préférait attendre le lendemain, et ça énervait beaucoup les autres commerçantes qui racontaient maintenant à gauche et à droite que maman Pauline cachait des gris-gris de l'ethnie bembé sous sa table pour attraper les clients et que ses arachides étaient préparées la nuit par les esprits qui mettaient un peu de sel dessus. Paraît-il que dès que tu goûtais une graine d'arachide de ma mère tu étais foutu, tu allais chaque fois revenir devant cette table et te ruiner on dirait que tu es en train de gaspiller ton argent à la Loterie nationale du Congo où pour gagner il faut être de la famille du président de la République.

Lorsque maman Pauline arrivait devant sa table, elle trouvait la terre mouillée et ça sentait le poisson partout. C'est en fait les autres commerçantes qui jetaient l'eau de mer par terre pour que les clients ne s'arrêtent pas devant le commerce de ma mère. Comme je ne comprenais pas pourquoi tout le monde avait peur de l'eau de mer, maman Pauline m'a expliqué que c'est parce que dans la mer il y a trop d'esprits dedans, y compris les esprits de nos ancêtres qui sont très fâchés parce qu'on les a attrapés pour être des esclaves et pour travailler dans les plantations des Blancs où on les fouettait du matin jusqu'au soir. C'est donc pas pour rien que l'eau de mer est salée comme ça, c'est à cause de la transpiration de ces ancêtres et de leur colère qui provoque les vagues.

Ma mère, elle, ça la faisait plutôt rigoler qu'on jette cette eau de mer sous la table parce que comment les esprits pouvaient perdre leur temps à s'occuper d'un petit commerce d'arachides alors qu'il y a des choses plus importantes dans ce monde. Les clients venaient toujours, y compris l'homme à la mallette. Mais maman Pauline sentait que cet homme-là ne venait pas seulement pour acheter les arachides. Il avait quelque chose d'autre dans la tête car il la regardait trop là où les hommes aiment regarder les femmes et s'imaginer des choses que moi aussi je vais imaginer quand j'aurai vingt ans. Or c'était pas la faute à l'homme à la mallette puisque maman Pauline portait déjà des pantalons orange trop brillants et qui serraient bien son derrière. Les hommes ne pouvaient pas tourner leur regard ailleurs et rater ça. Quand elle passait dans les rues de Pointe-Noire les hommes se retournaient, sifflaient, mais elle faisait semblant de ne rien remarquer et continuait sa route jusqu'au Grand Marché.

L'homme à la mallette restait debout devant la table alors que ma mère l'avait servi. Il était là, il parlait, il n'arrêtait plus. Son baratin marchait petit à petit car ma mère aimait bien ce qu'il racontait. Cet homme m'a enfin vu en chair et en os le jour où maman Pauline m'avait mis dans une grande cuvette en aluminium avec du linge dedans parce que les landaus coûtaient trop cher et que moi je détestais qu'on me porte dans le dos avec un pagne comme les autres femmes de notre pays font avec leurs enfants dans la rue. L'homme à la mallette s'est penché sur la cuvette, il a écarté le linge qui cachait mon visage et il a demandé mon âge. Maman Pauline lui a dit que j'avais à peine cinq mois et demi. Il a passé quelques minutes à me regarder en silence puis à me faire des grimaces pour que je rie. Il a dit que je ressemblais beaucoup à ma mère, que je ne pleurais pas alors qu'il y avait du bruit et des bagarres dans le Grand Marché. Maman Pauline me jure que c'est à ce moment-là que j'ai souri à cet homme. Et, toujours selon elle, si j'avais souri c'était pour dire : Maman, tu viens de trouver ton homme, ne le quitte plus, je veux qu'il soit mon père, mon vrai père, car un homme qui me sourit comme ça ne peut pas nous abandonner un jour, en plus c'est pas un gendarme, donc il n'a pas de pistolet pour te menacer comme dans les films.

Ma mère et l'homme à la mallette allaient boire dans les bars du Grand Marché. Ils se sont cachés comme ça pendant des mois et des mois. Ils me trimballaient parfois avec eux quand il n'y avait personne pour me garder. Moi je continuais à sourire à cet homme gentil dès qu'il se penchait pour regarder mon visage et me faire des grimaces. Après un an et demi ils en ont eu assez de faire le jeu de cache-cache on dirait nous les enfants dans la cour de récréation de l'école des Trois-Martyrs. L'homme à la mallette est venu voir tonton René un après-midi pour se présenter. Il a dit qu'il s'appelait Roger Kimangou et qu'il travaillait au centre-ville à l'hôtel Victory Palace. Il a expliqué qu'il était là en homme responsable et qu'il était prêt à tout pour que maman Pauline devienne sa femme.

Mon oncle a dit  tout bas dans l'oreille de ma mère :

— J'aime pas cet homme, il est trop petit de taille, c'est pas normal.

Maman Pauline lui a répondu :

— Notre président de la République est tout petit mais il a combattu une armée de méchants tout seul ! En plus les gens l'aiment, y compris toi qui es membre de son parti.

Ils ne pouvaient pas trop se chamailler devant l'homme à la mallette, surtout que celui-ci avait avec lui une dame-jeanne de vin de palme et un coq blanc. Dans notre ethnie, si tu veux d'une femme, tu dois donner des cadeaux à son grand frère. Après ça, même si tu ne vas pas à la mairie avec la femme pour signer des papiers, c'est pas grave. Nos ancêtres sont plus forts que ces papiers que les gens déchirent quand ils ne s'aiment plus — et on les voit qui s'insultent dans la rue on dirait des ennemis mortels.

Tonton René a pris la dame-jeanne de vin de palme et le coq blanc. Il a demandé à l'homme à la mallette pourquoi il voulait prendre une autre femme alors qu'il en avait déjà une avec qui il avait eu beaucoup d'enfants. Maman Pauline s'est énervée à cause de cette question et elle a voulu quitter la maison de mon oncle pour toujours. L'homme à la mallette l'a retenue, il a parlé avec calme et a répété à mon oncle qu'il aimait ma mère, qu'il m'aimait moi aussi, que maman Pauline était une femme bien, que jamais il ne fera de différence entre sa première femme et ma mère. Qu'il divisera son salaire par deux : une part pour sa première femme, une part pour maman Pauline. Que d'ailleurs sa première femme était déjà au courant de tout. Il a levé la main droite, a juré au nom de son défunt père et de sa défunte mère.

C'est alors que mon oncle a dit :

— Beau-frère, buvons maintenant! Cette discussion a trop séché nos gorges.

Avant de boire le vin de palme ils en ont versé un peu par terre pour que nos ancêtres aussi goûtent sinon tout allait foirer car on ne peut pas faire les choses dans le dos de ceux qui nous protègent. Et ils ont passé l'après-midi à discuter de Karl Marx, d'Engels, de Lénine, de l'immortel Marien Ngouabi et à boire du vin de palme.

Au moment où l'homme à la mallette allait partir, mon oncle s'est retiré avec lui derrière la maison :

— Je ne veux pas que ma petite sœur aille habiter dans la même maison que ta première épouse. Si c'est le cas, moi René je ne mettrai jamais les pieds là-bas.

L'homme à la mallette nous a trouvé une maison sur l'avenue de l'Indépendance, un peu loin de celle de sa première femme. Il a acheté cette maison pour nous. Donc elle nous appartient, et il a toujours répété qu'il l'avait achetée en pensant à moi. C'est pour ça que si tu lis ce qui est écrit sur les papiers de notre maison c'est mon nom qui est écrit dessus.

Lorsque je vois arriver papa Roger, je deviens un autre garçon. J'ai envie d'être dans ses bras, de rester avec lui, de l'entendre me parler et me toucher la tête. Parfois je vais l'attendre à l'arrêt de bus Studio-Photo Vicky. Dès que j'aperçois un homme petit en costume marron qui descend du bus, marche très vite avec une mallette dans la main gauche et qui regarde droit devant lui, je cours vers lui on dirait un champion du monde de cent mètres. Il me laisse porter sa mallette, je la prends dans ma main gauche et je lève le menton très haut pour marcher comme une grande personne. Je veux que ceux qui nous voient sachent qu'il est mon vrai père. On s'arrête dans un bar, il achète une bouteille de vin rouge, de la bière et de la limonade. Et on marche comme ça, heureux, jusqu'à la maison. Je dépose sa mallette dans la chambre pendant qu'il enlève ses chaussures, son costume et se change pour venir s'asseoir au salon. Il dit quelques blagues à ma mère avant qu'on passe à table. Il nous parle des choses qu'il a vues à l'hôtel Victory Palace. Il nous dit qu'il y a beaucoup de Blancs qui sont arrivés ce matin. Que, parmi eux, il y a un monsieur Montoir, qui est très aimable avec lui. Qu'il a beaucoup discuté avec monsieur Montoir qui est venu de Paris avec sa femme et leur fils unique, Zacharie. Et ce petit Zacharie parle comme un grand alors qu'il n'a que mon âge. Puisque je montre que je suis jaloux de Zacharie, papa Roger essaie de me consoler :

— Michel, toi aussi tu t'exprimes comme un grand. Je suis sûr que si tu rencontres Zacharie, vous serez de grands amis.

Pendant qu'il nous parle, moi je regarde bien son visage, ses yeux noirs qui brillent avec la lumière de la lampe-tempête, et je me dis qu'il a beaucoup de globules blancs, qu'il ira tout droit au Paradis, qu'il ne sera pas loin de Dieu. Papa Roger est beau — peut-être le plus beau de tous les papas de notre ville — et moi quand je serai grand je voudrais être beau comme lui, marcher comme lui, porter une mallette dans ma main gauche comme lui, rentrer à la maison comme lui, enlever mes chaussures, mon costume et me changer pour venir m'asseoir au salon et raconter quelques blagues à Caroline avant qu'on se mette à table avec nos deux enfants.

Je regarde encore papa Roger et je me demande : Pourquoi il nous aime, ma mère et moi ? J'imagine comment il travaille dur pour notre maison et celle de maman Martine. Je dis maman Martine parce que je n'aime pas dire «marâtre» comme les gens du quartier quand ils parlent de l'autre femme de ton père. Une marâtre c'est une femme méchante et sorcière qu'on trouve dans les contes de la brousse et de la forêt. Une marâtre passe son temps à maudire l'enfant de l'autre femme de son mari.

Or maman Martine n'est pas une marâtre. Elle est aussi ma mère.


Papa Roger se lève toujours à cinq heures du matin pour aller attendre le bus devant la station Studio-Photo Vicky. Le bus l'emmène jusqu'au centre-ville et le dépose devant l'hôtel Victory Palace, le grand bâtiment tout blanc qui se trouve derrière le magasin Printania où les Blancs achètent des pommes. C'est pour ça que lorsque mon père me rapporte une pomme bien verte je la mange doucement en pensant à ceux qui n'ont pas la chance d'en manger dans le quartier. Avant de la croquer je l'approche vers mes narines, je la sens pendant longtemps, les yeux bien fermés. Je me dis que ce fruit vient de loin, que dès que je le mange je quitte notre petit pays pour atterrir dans des pays plus grands avec beaucoup de gens qui parlent des langues que je ne comprends pas mais que je vais apprendre très vite. Et soudain je suis tranquille, je sens que je vais vivre plus de cent ans comme mon grand-père maternel Grégoire Mou-kila, qu'il n'y aura plus de problèmes dans notre petit pays car plus un pays est petit plus ses pro-blèmes sont grands et on ne fait que s'étouffer tous les jours. Moi je ne veux pas que les pro-blèmes des grands pays arrivent jusque chez nous sinon on va encore s'étouffer plus que maintenant parce qu'on est déjà trop petit. Des fois, si papa Roger m'a rapporté plusieurs pommes, je me retrouve carrément dans une forêt d'Europe rem-plie de pommiers et je sens la neige qui tombe et des petits bonshommes de neige qui me sourient parce qu'ils savent que moi je m'appelle Michel. Je me couche alors au pied d'un de ces pommiers qui est au bord d'une rivière, je m'endors, je ne sens pas le froid de ces pays d'Europe et je rêve que je suis en train de grandir.

L'hôtel Victory Palace appartient aux Français. Papa Roger note les noms des clients qui arrivent et de ceux qui partent. Il est réceptionniste depuis plus de vingt-cinq ans, il connaît son travail, sinon il ne serait plus là. Il a un téléphone devant lui, les clés de toutes les chambres de l'hôtel sont derrière lui. Tu ne peux pas entrer dans une chambre de cet hôtel sans que papa Roger te donne la clé. En plus, pour travailler à la réception, il faut bien parler le français parce que la plupart du temps ce sont les Français qui viennent y passer leurs vacances. C'est pas tout : il faut aussi bien faire rire les clients. Papa Roger a donc toujours un mot pour que ces Blancs rient car, dit-il, avec le froid qu'il y a là-bas en Europe les Blancs ne rient pas beaucoup. Les muscles de leur visage sont congelés. Et s'ils ont bien ri ils donnent à mon père un peu d'argent le jour de leur départ. Quand ils sont plus généreux, comme monsieur Montoir, ils peuvent donner une radiocassette et une cassette du chanteur à moustache.

Avant d'aller raconter ses blagues aux Blancs, mon père les essaie d'abord à la maison pour voir ce que ça donnera. Il nous demande de nous asseoir et de l'écouter. Il promet qu'on va mourir de rire parce que les blagues en question sont très drôles et que lui-même il n'arrête pas de rire. Il sort alors

112

un bout de papier de sa poche et nous lit à haute voix :

— Écoutez-moi ça : un ouvrier, pressé par son patron qui lui avait demandé de réparer l'air conditionné, a dit : «Je ne peux pas être entre le marteau et la clim !»

On ne rit pas, mais lui il est mort de rire.

Il ajoute :

— Quand le président Georges Pompidou était agacé, il s'écriait toujours : «C'est le cadet de mes sourcils !»

On ne rit pas, mais lui il est mort de rire.

Il ajoute :

— Un type est allé chez son dentiste qui lui a proposé une prothèse dentaire trop chère. Il s'est levé, a quitté les lieux en lançant au dentiste : «Que Dieu me prothèse !»

On ne rit pas, mais lui il est mort de rire.

Il ajoute, cette fois-ci un peu déçu à cause de notre comportement :

— Pour retrouver ses origines il faut toujours remonter l'arbre gynécologique !

On ne rit toujours pas. Nous le regardons rire aux larmes, il nous regarde lui aussi, et on se met à rire parce que justement il n'a pas pu nous faire rire. Il range son bout de papier dans sa poche. Peut-être que les Blancs riront quand ils entendront ces blagues, mais nous on ne voyait pas à quel moment il fallait rigoler.


Tonton René critique beaucoup le travail de mon père. Il pense que le bureau de papa Roger n'est pas un vrai bureau, que c'est juste un endroit où les clients viennent prendre les clés des chambres de l'hôtel. Il pense aussi que mon père n'a pas de pouvoir comme lui qui est le directeur administratif et financier de la CFAO. Que quand les patrons de l'hôtel Victory Palace parlent à mon père, il regarde au sol et répète : «Oui, chefs!» Que c'est comme ça que les Noirs répondaient aux chefs blancs qui nous commandaient avant l'indépendance de notre pays. D'après mon oncle, réceptionniste dans un hôtel ça veut tout simplement dire boy chez les Blancs, et c'est honteux.

Et alors? Moi Michel je dis que tout le monde est le boy de quelqu'un. Même tonton René est le boy de quelqu'un d'autre parce qu'il y a toujours un supérieur qui te dira : Tu fais ça, tu ne fais pas ça. Il n'y a que notre président de la République qui n'est pas le boy de quelqu'un. Mais là encore je ne suis pas sûr parce que notre président n'est pas aussi puissant que les présidents des pays comme les États-Unis d'Amérique, l'URSS et la France. Donc devant ces présidents notre président se fait tout petit comme un nain, il devient leur boy, il devient leur réceptionniste et c'est eux qui décident tout pour nous. Quand les Américains, les Russes et les Français parlent, notre président regarde aussi par terre et répond : «À vos ordres, chefs!» Et si notre président n'est pas d'accord, s'il est têtu, s'il manque de respect aux Américains, aux Russes et aux Français, ils peuvent bombarder notre pays en un seul jour, nous rayer de la carte du monde ou donner notre territoire, notre pétrole, notre fleuve et notre océan Atlantique aux Zaïrois qui n'attendent peut-être que ça.

Où est le problème si papa Roger est réceptionniste à l'hôtel Victory Palace, hein ? Il n'y a pas de sots métiers, il n'y a que des gens qui sautent. Je ne sais pas où j'ai entendu ça — je crois que c'est monsieur Mutombo qui le dit quand les parents d'élèves viennent l'insulter dans son atelier de couture parce qu'il est en retard pour les tenues scolaires et ne fait que raconter son histoire d'Algérie. On l'insulte, on le traite de minable, et lui il répond qu'il n'y a pas de sots métiers, il n'y a que des gens qui sautent. Tout le monde rit de lui parce qu'il parle des gens qui sautent alors que lui-même il boite.

En fait mon oncle ignore que papa Roger est un homme très intelligent qui sait ce qui se passe dans le monde entier. Il a fait l'école jusqu'à son certificat d'études primaires et, de son temps, avoir un certificat d'études primaires c'était comme si on avait un diplôme pour aller à l'université en France et étudier avec les Blancs. En plus, papa Roger lit beaucoup les journaux qu'il trouve dans son travail. Les Blancs les laissent à la réception quand ils ont fini de les lire en buvant leur café. Ils laissent aussi des livres. Mon père les prend, les rapporte à la maison et nous prévient :

— Ne touchez pas à mes livres, je les lirai quand je serai à la retraite.

Caroline passe devant notre parcelle. Mon cœur commence à battre très fort. Je suis content, je sors de la maison et je cours vers elle. Je suis essoufflé comme si j'avais couru pendant une heure et elle ne me laisse pas reprendre mon souffle :

— Pourquoi tu cours comme ça ? C'est pas toi que je viens voir !

— Tu es devant notre parcelle et je pensais que...

— Tu pensais que quoi ? Est-ce que c'est interdit de passer ici, hein ? L'avenue de l'Indépendance c'est pour tout le monde !

Elle prétend qu'elle va au marché, moi je ne la crois pas. On ne va pas au marché comme ça. Elle n'a pas de panier avec elle. Dans quoi alors elle va mettre les choses qu'elle achètera ?

Je lui dis d'entrer avec moi dans la parcelle :

— Viens, mes parents ne sont pas là, on sera tranquilles dans la maison et...

— Non, je ne veux pas !

Je la regarde des pieds à la tête. Elle porte de belles chaussures rouges neuves. J'aime sa robe blanche avec des fleurs jaunes.

— Elle est belle ta robe...

— Ne me baratine pas! Laisse ma robe tranquille, c'est pas pour toi que j'ai porté ça! Tu crois que moi je peux porter une robe pour toi?

— Écoute, arrête tes phases, viens avec moi dans la maison.

— Pour faire quoi dedans? Toi et moi on ne peut plus rien faire ensemble!

— Je vais te montrer quelque chose. Tu vas voir, c'est quelque chose de formidable et...

— Non! Y a rien de formidable chez vous!

Elle me regarde comme si elle ne me connaissait plus, comme si j'étais son ennemi.

— Tu es donc toujours fâchée?

— Oui! On n'est plus mariés, on a divorcé! C'est pas avec toi qu'on va avoir les deux enfants, un chien blanc et une voiture rouge à cinq places!

— Pourquoi?

— Parce que je vais me marier avec un autre...

— Ah, je vois! C'est pas par hasard avec un garçon qui s'appelle Mabélé que tu vas te marier?

Elle est étonnée.

— Tu n'as pas le droit de savoir ça! Qui t'a dit d'ailleurs son nom, hein?

— Lounès...

— Il n'a pas le droit de te dire son nom! C'est moi qui devais te le dire moi-même aujourd'hui, pas lui!

— Alors ça veut dire que tu es venue me voir...

— Non, je vais au marché!

Je pense au fond de moi : Il faut que je la calme et il faut que je me calme aussi. Si tous les deux on se fâche, on va finir par divorcer pour de vrai.

Puisqu'elle est plus en colère que moi, je dois donc rester tranquille.

— Je ne veux pas qu'on divorce, Caroline...

— Tu es trop méchant, tant pis pour toi !

— Je sais, mais j'étais un peu fâché parce que c'est toi qui avais tressé les cheveux de ma mère, et c'est pour ça qu'elle est sortie ce dimanche-là, mais c'est fini, ma colère est morte et...

— C'est trop tard ! J'ai déjà promis à Mabélé que c'est lui qui sera mon mari et c'est lui qui m'achètera la voiture rouge à cinq places.

Là, je ne peux plus rester calme. Ce nom de Mabélé m'énerve et j'attaque :

— Je vais dire à mon oncle de ne pas vous vendre cette voiture ! Vous ne l'aurez pas parce qu'il n'y a que mon oncle qui vend les voitures dans cette ville !

— Si tu dis ça à ton oncle, je ne vais plus tresser les cheveux de ta maman et elle va être vilaine comme la maman de Jérémie !

Elle me regarde droit dans les yeux pour savoir si ça me fait peur qu'elle ne s'occupe plus des cheveux de maman Pauline. Moi au contraire je suis content. C'est bien comme ça, au moins si ma mère n'a pas les cheveux tressés elle ne sortira plus, je vais rester avec elle les dimanches.

Mais Caroline a compris ce que je pense et elle ajoute :

— En plus, si tu dis à ton oncle de ne pas nous vendre la voiture rouge à cinq places je ne te parlerai plus jusqu'à la fin du monde, on va commander notre voiture ailleurs et toi et moi on va être des ennemis à mort ! Et si je te vois dans la rue je crache par terre !

Elle fouille dans la poche de sa robe, sort un papier qu'elle déplie et me tend. C'est une page qu'elle a arrachée dans *La Redoute*. Il y a la photo d'une fille et d'un garçon devant une voiture rouge à cinq places. Ils ont presque notre âge, mais eux c'est des Blancs. La fille a une robe blanche et un chapeau rouge comme ses chaussures. Le garçon est tout en noir avec une chemise blanche et un nœud papillon. C'est comme s'ils venaient de se marier et que le photographe leur avait dit : Mettez-vous-là, je vais vous photographier.

Je regarde encore de très près cette image. Caroline a deviné ce que je cherche :

— Ne cherche pas leur chien blanc sur la photo, il est resté avec leurs deux enfants à la maison.

J'ai envie de rigoler car j'ai déjà ouvert *La Redoute* dans l'atelier de monsieur Mutombo. C'est dedans que le tailleur copie les modèles des habits européens. C'est les clients qui choisissent d'abord leur modèle dans ce livre, puis monsieur Mutombo leur dit si c'est possible de le fabriquer, combien ça va coûter et combien de temps ça va prendre. Or je sais qu'on ne vend pas de voitures à *La Redoute*. Mais je ne vais pas énerver Caroline, je veux continuer à discuter avec elle parce que je l'aime. Parce que c'est avec elle que je veux avoir deux enfants. Il faut donc que je trouve un bon motif pour qu'elle laisse tomber ce Mabélé.

— Lounès m'a dit que Mabélé est vilain, il n'est même pas beau comme moi ! Pourquoi toi tu vas te marier avec quelqu'un qui n'est pas beau ? Vos enfants vont être vilains comme Mabélé alors qu'avec moi ils seront beaux.

— C'est faux ! Mabélé est intelligent et il a deux ans de plus que toi et moi !

— Et qu'est-ce qu'il a encore de plus que moi, à part son âge-là, hein ?

— Il a lu beaucoup de livres.

— Ah oui ? Quels livres par exemple qu'il a lus, lui ?

— Les livres de Marcel Pagnol.

— C'est qui encore ce Marcel Pagnol ?

— Tu vois, tu ne le connais même pas ! C'est quelqu'un qui écrit des livres sur sa mère, sur son père et sur leurs quatre châteaux. Et Mabélé m'a dit qu'il va m'acheter un joli château comme celui qui est dans les livres de Marcel Pagnol.

— Tu ne vois pas qu'il te ment, hein ? Un livre avec des châteaux c'est un livre pour les capitalistes qui exploitent les prolétaires !

— Et toi, qu'est-ce que tu as lu au lieu de dire du mal de Mabélé et de Marcel Pagnol comme ça ?

Je ne réponds pas. J'essaie de penser aux livres qu'on a lus en classe, mais c'est que des petits bouts dans le manuel de lecture et dans le livre de notre président de la République. Si je parle du livre du Président, Caroline va rigoler. Alors je pense fort à notre manuel de classe dans lequel il y a des récitations et je réponds :

— J'ai lu les histoires de La Fontaine !

— Oui, mais c'est les animaux qui parlent dans ces histoires-là, moi aussi j'ai récité ça en classe. Or Marcel Pagnol, lui, il fait parler des gens vrais et qui ont de vrais châteaux !

Je pense aux livres de papa Roger qui sont dans la chambre. Je ne les ai jamais ouverts, ils attendent toujours la retraite de mon père. Je ne connais même pas un seul titre.

— En plus, Mabélé m'écrit des poèmes chaque jour, et dans ses poèmes j'ai des yeux très bleus et de très longs cheveux blonds comme les poupées des filles de l'Europe. Or toi tu n'as jamais écrit un poème pour moi. Tu ne m'aimais pas! Tu n'es pas un bon mari, ne me baratine plus, je m'en vais, oui, je m'en vais maintenant!

La voici qui s'éloigne alors que moi je crie :

— Reviens! Reviens! Caroline! Caroline!

Elle ne m'entend plus. Elle est déjà loin là-bas. Elle ne va pas vers le marché, elle rentre chez elle. Donc elle était venue me voir. Pour ça seulement, je me dis.

Mon père hurle :

— Non ! C'est pas possible ! Incroyable ! Pourquoi ils m'ont fait une chose pareille, hein ? Est-ce que je méritais ça, moi ?

Maman Pauline qui était dehors entre dans la maison en courant. Son pagne autour des reins a failli tomber et elle l'a vite attrapé.

— Qu'est-ce que tu as, Roger ?

— On a renversé le chah d'Iran !

Ma mère se met en colère :

— Y a vraiment rien d'intéressant à la radio ? En plus, c'est même pas un chat de chez nous ! La radio-là va te rendre fou !

Mon père redresse l'antenne de l'appareil comme s'il doutait que l'information qu'il vient d'apprendre est vraie. Parfois le son se coupe, papa Roger change de place, se met près de la fenêtre on dirait que c'est par là que les informations entrent dans notre maison et que si on ferme la fenêtre il n'y aura plus de radio. Il se déplace aux quatre coins de la salle à manger et moi je le suis comme une ombre.

Dès que la radio crache, c'est là que je me rends

compte que l'Amérique c'est très loin de notre petit pays. Mais quand je constate en même temps que Radio-Congo crache aussi, j'ai envie de dire à mon père : Retournons à table, on entendra mieux, en plus on sera assis comme lorsqu'on est en train de manger un plat de viande de bœuf aux haricots.

Papa Roger est debout devant la fenêtre et je suis derrière lui. Il se retourne, se baisse pour que l'appareil arrive juste au niveau de mes oreilles. Maman Pauline est aussi debout derrière nous pour écouter. L'Américain Roger Guy Folly parle de l'Iran. Il explique où ce pays se trouve et quelle langue on parle là-bas, une langue que nous on ne parle pas. J'entends des noms difficiles à prononcer et des endroits que je ne connais pas. Papa Roger nous répète que l'Iran c'est très loin en Asie occidentale, et leur capitale c'est Téhéran. Et quand je lui demande si les Iraniens ont la même monnaie que nous, il me dit que non.

— Et comment ils font pour acheter la nourriture au marché s'ils n'ont pas notre monnaie à nous ? demande ma mère.

— Avec leur monnaie à eux.

Moi je pense que c'est pour une autre raison que l'Iran ne veut pas utiliser notre monnaie : c'est parce que les Iraniens ne veulent pas voir la tête de notre président qui est dessinée sur les billets et les pièces de chez nous. En Iran eux aussi ils ont un guide pour leur Révolution, donc c'est la tête de ce guide qui doit être sur leurs billets et leurs pièces. Ils sont nos frères parce que nous aussi on a un guide de la Révolution. Tous les guides sont des frères, il faut donc aider ce pays frère.

Papa Roger nous précise, en regardant vers ma mère, que le Chah qu'on a renversé n'est pas un animal mais un homme même si dans nos contes de la brousse et de la forêt les animaux sont des rois qui dirigent la Terre et que les hommes doivent les respecter, enlever leur chapeau quand ils passent.

— Le Chah est un homme bon, un homme important, mais c'est un autre Iranien, l'ayatollah Khomeyni, qui est devenu le guide supérieur d'Iran. C'est de l'ingratitude! Dans quel monde nous sommes, hein? Vous vous rendez compte qu'il a été très honnête avec l'ayatollah Khomeyni, il l'a même gracié alors que ce Khomeyni a passé son temps à saper la Révolution qui allait permettre aux femmes de voter! Maintenant qu'est-ce qui va se passer dans ce pays frère, hein? Voilà que Khomeyni cherche à mettre la main sur ce grand homme et à le foutre en prison. Dans quel monde nous sommes?

Papa Roger nous regarde, hausse les épaules parce qu'il sait que notre tristesse à nous c'est pas comme sa tristesse à lui. Nous c'est la première fois qu'on entend parler de ce Chah et de cet ayatollah Khomeyni.

Alors que maman Pauline demande qu'on se mette à table pour manger, mon père quitte la fenêtre, très déçu. Il prend la radio avec lui et va dehors. Ma mère me fait signe de ne pas le suivre:

— Prends sa place, laisse-le avec ses Iraniens, nous on va manger.

De là où je suis j'aperçois mon père assis sous le manguier, les deux mains sur la tête et la radiocassette posée par terre. On entend de loin les paroles d'*Auprès de mon arbre*. Et quand le chanteur arrive sur *alter ego* et *saligaud*, j'arrête de manger et je me dis : Mon père pense à son *alter ego* qui a des problèmes à cause des *saligauds*.

Mes parents se chamaillent derrière le mur qui sépare leur chambre de la mienne.

J'entends ma mère dire :

— C'est injuste! Si Dieu avait voulu me donner un seul enfant, pourquoi Il ne m'a pas donné au moins une fille au lieu de me donner un garçon, hein? Regarde donc les Mutombo, eux ils ont eu de la chance : ils ont Lounès et Caroline, un garçon et une fille!

La voilà qui pleure, et quand elle pleure c'est comme si ses larmes sortaient de mes yeux à moi. Je me dis moi aussi : C'est pas juste que maman Pauline ait eu un garçon à la place d'une fille. Et j'ai maintenant envie de m'habiller comme une fille, de parler comme une fille, de marcher comme une fille, de faire pipi comme une fille. Peut-être que ça va diviser par deux le chagrin de ma mère. Or c'est pas facile de copier ce que font les filles et de cacher aux gens qu'on est un garçon. Ils diront toujours : Toi tu n'es pas une fille, tu es un garçon qui est déguisé en fille. Et ils vont te lancer des pierres dans la rue comme un chien qui a la gale. Ils vont aussi te demander : Puisque que tu crois que tu es une fille, est-ce que tu as aussi changé ta chose-là qui est entre tes jambes pour qu'elle devienne comme la chose-là d'une fille ?

Non, il ne faut pas que je continue à avoir ces pensées alors que c'est pas à cause de moi que je ne suis pas une fille.

Je continue d'écouter ce qui se raconte derrière ce mur. Papa Roger explique que si les enfants qui entrent dans le ventre de ma mère ne viennent pas au monde c'est parce qu'ils se perdent quelque part sur leur chemin. Donc, au lieu de venir ici-bas, eux ils vont directement au Ciel alors que c'est pas comme ça que les choses doivent se passer si on veut que les gens soient heureux sur Terre.

Maman Pauline rappelle à mon père qu'avant moi elle avait eu deux filles en deux ans et demi, les deux sont mortes de la même façon : elles sont bien sorties de son ventre, elles ont regardé les infirmières avec des gros yeux, elles ont pleuré, puis elles ont fermé pour toujours leurs yeux. Et quand on s'est penchés sur elles pour voir si elles respiraient, c'était trop tard, elles étaient déjà reparties.

Quand maman Pauline rappelle ça à papa Roger, moi je tends bien l'oreille. Je veux enfin entendre le nom de ces deux sœurs aînées. Non, elle ne prononce pas leur nom, elle dit : « mes deux filles » ou encore : « mes deux reines ». Est-ce que moi je leur ressemble ? Je crois que oui parce que je ressemble trop à maman Pauline et je ne vois pas ces deux sœurs ne pas ressembler à ma mère et ressembler au vilain gendarme de Mouyondzi.

Qu'est-ce que mes sœurs ont donc vu le jour de leur arrivée sur Terre pour retourner aussi vite comme ça au Ciel? Est-ce que les infirmières qui les aidaient à sortir avaient des globules rouges? Une des sœurs pouvait s'en aller, mais pourquoi une année et demie après, quand une autre sœur voulait aussi sortir, elle a suivi le chemin de la première? Qu'est-ce qu'il y a au Ciel pour que certains enfants foncent là-haut à toute vitesse? Pour ne pas être triste tout le temps, je m'imagine que mes sœurs sont des étoiles qui me parlent peut-être sans que je le sache. Maintenant, quand la nuit tombe, je cherche deux étoiles qui sont proches l'une de l'autre. Et il y en a toujours si on fouille bien. Puisque je ne connais pas le nom de ces sœurs, j'ai décidé que ma grande sœur je vais l'appeler «Ma Sœur-Étoile». La seconde, je n'arrive pas à lui trouver un nom. Je cherche, je cherche, je n'arrive toujours pas. En attendant qu'un joli nom me vienne, je vais l'appeler «Ma Sœur-Sans-Nom».

Je me suis caché dans mon drap, je ne bouge pas trop car chaque fois que je bouge on dirait que la moustiquaire va me tomber dessus. Mes oreilles sont bien ouvertes. Je ne veux rien rater de tout ce qui se dit derrière ce mur. C'est papa Roger qui est maintenant en train de parler. Comme il parle tout bas, je l'entends à peine. Je sors donc de mon drap, j'écarte la moustiquaire et me lève pour être près du mur.

Papa Roger console ma mère :

— Ça ira, on aura des enfants, je te le promets...

— Beaucoup d'enfants?

— Oui.

— Roger, je veux des filles, même une seule, je ne veux pas de garçons, j'en ai déjà et...

— Là, c'est pas de notre volonté, Pauline. Demandons déjà au Seigneur un enfant pour commencer, peu importe si c'est une fille ou un garçon.

Ma mère ne dit plus rien. Papa Roger continue à parler tout seul. Il dit que les enfants qu'il a eus avec maman Martine sont aussi les enfants de ma mère et ils sont mes sœurs et mes frères. Il ajoute qu'il n'a jamais fait de différence entre eux et moi. D'ailleurs, quand je vais voir maman Martine, elle me traite comme si j'étais sorti de son ventre. En plus, mes sœurs et mes frères m'aiment beaucoup. Papa Roger dit aussi que moi j'aime le petit Maximilien, que c'est touchant de voir comment la petite Félicienne fait pipi sur moi, que Marius me parle beaucoup, que Mbombie me respecte, que Ginette me protège, que Georgette est une bonne grande sœur et que Yaya Gaston, le grand frère de tous, veut toujours que moi je reste avec lui dans son studio.

Malgré ces belles paroles, maman Pauline insiste qu'elle veut avoir des enfants qui sortent de son ventre à elle parce que si moi je me chamaille avec mes sœurs et mes frères de l'autre maison ils risquent de me rappeler que je ne suis pas leur frère de sang, et ils vont le dire juste pour me faire mal au cœur.

— Roger, est-ce que tu es aveugle et sourd? Dans le quartier on sait que tu n'es pas le vrai père de Michel, que tes enfants avec Martine ne sont pas les vraies sœurs et les vrais frères de Michel et qu'ils ne sont pas mes enfants ! Alors, arrête de me parler comme si j'étais une idiote !

Là, mon père hausse le ton. Il parle tellement fort qu'on dirait que c'est dans ma chambre qu'il se trouve :

— C'est des conneries, Pauline ! Des conneries ! Est-ce qu'on va vivre en pensant à ce que les gens ragotent dans le quartier, hein ? On s'en fout d'eux, ils mangeront toujours leur piment dans ta bouche ! Il ne faut pas les écouter, moi je vous aime et personne ne nous séparera, personne, tu m'entends ?

— Oui, mais est-ce que tu sais aussi qu'au Grand Marché les autres commerçantes disent que si j'ai des clients c'est parce que je suis une sorcière et que je ne peux pas avoir d'enfants ?

— Pauline, écoute-moi bien, on ira chez un médecin, et tu verras que les choses s'arrangeront !

— On a déjà vu des médecins, on n'a fait que ça depuis des années, j'en ai marre ! Quel médecin on n'a pas vu dans cette ville depuis qu'on se connaît ?

— On vient de me conseiller un nouveau médecin qui...

— Je ne veux plus qu'on aille chez un médecin congolais ! Il va tout raconter et les gens vont continuer à se moquer de moi.

— C'est un médecin blanc, tout le monde sait qu'il est devenu le meilleur de la ville en peu de temps...

Il y a un silence. Je me dis : Maman Pauline est donc d'accord.

Mon père poursuit :

— Et puis, ces commères du Grand Marché sont vraiment des idiotes ! Que chacune se gratte là où elle a été piquée ! Eh bien, je vais leur montrer que moi Roger je ne suis pas n'importe qui ! Le mois prochain je te donnerai un peu d'argent, tu feras un autre commerce loin d'ici. Tu iras dans la brousse, à Les Bandas, et tu achèteras des régimes de bananes là-bas. Tu les mettras ensuite dans un wagon du chemin de fer et tu iras les vendre à Brazzaville. Il paraît que c'est le commerce qui marche le mieux actuellement.

Dès que j'ai entendu ce plan-là, j'ai sursauté. J'ai compris que maman Pauline sera absente au moins une semaine par mois. J'ai envie de frapper contre le mur, de dire à mes parents que je ne suis pas d'accord, qu'il faut qu'ils demandent aussi ce que moi je pense. On est trois dans la maison, c'est pas normal qu'ils prennent des décisions comme si moi je n'existais pas. Les gens de Brazzaville vont tuer ma mère. C'est trop loin, Brazzaville. C'est là que le président de la République vit et commande ce pays. Pour aller là-bas on dort presque deux jours dans le train. Qu'est-ce qu'il a en tête, papa Roger ?

Je les écoute jusqu'au milieu de la nuit. Je pense à maman Pauline qui ira chaque mois à Brazzaville. Je me pose mille questions sur cette histoire d'enfants qu'elle souhaite avoir coûte que coûte. Qu'est-ce que le médecin, même blanc, peut faire si les enfants qui sont dans le ventre d'une femme décident eux-mêmes d'aller au Ciel sans passer par la Terre ? Est-ce que les hommes blancs, noirs, jaunes ou rouges ont vraiment le pouvoir de changer ce que Dieu a voulu ? Est-ce qu'il ne faut pas plutôt aller prier très fort à l'église Saint-Jean-

Bosco même si les prières de cette église durent trop longtemps ?

Mes parents ont éteint la lumière et parlent tout bas. Ma mère qui pleurait tout à l'heure est maintenant en train de rigoler et mon père lui dit :

— Chut ! Ne rie pas trop fort comme ça, Michel peut nous entendre.

— Non, à cette heure il doit ronfler, je le connais bien.

*Quand je serai grand je t'emmènerai dans une île loin là-*
    *bas*
*Où les crabes marchent sur le sable de la Côte sauvage*
*Notre fille portera des chaussures rouges qui brillent*
*Et une robe blanche avec des fleurs jaunes*
*Comme toi*
*Notre garçon portera un chapeau*
*Parce que moi aussi je veux porter un chapeau*
*Quand je serai grand*


*Moi je tiendrai la fille par la main droite*
*On l'appellera Pauline comme ma mère*
*Toi tu tiendras le garçon par la main gauche*
*On l'appellera Roger comme mon père*
*Notre chien tout blanc gardera la voiture rouge à cinq*
    *places*
*On l'appellera Miguel comme le chien de mon oncle*
*Mais il ne sera pas méchant*
*Et il mangera à table avec nous*

*Je te promets que je lirai les livres de Marcel Pagnol*
*Quand je serai grand*
*Mais je ne te construirai pas un joli château*
*Je te construirai une jolie maison en planches*
*Comme celle de maman Pauline et papa Roger*
*Un château c'est trop grand*
*J'ai peur que mes rêves se perdent dedans*
*Et qu'on dise que moi je ne suis qu'un capitaliste*
*Or je ne veux pas avoir les globules rouges des capitalistes*
*Sinon mes deux sœurs ne vont plus me reconnaître*
*Et elles vont me chasser du Ciel le jour où j'arriverai là-*
  *haut...*

Michel

Lounès me dit :

— Tu as raté quelque chose hier, je t'ai cherché partout.

Et il me parle de la mère de Jérémie, la méchante qui insulte les mamans du quartier. Cette fois il paraît qu'elle s'était chamaillée avec son mari. Tout avait commencé à l'intérieur de leur maison, devant leurs enfants, et ça a fini dans la rue avec des gens qui les entouraient on dirait que c'était un match de football au stade Tata Luboko. Lounès essaie d'imiter pour moi la voix de la maman de Jérémie qui manque de respect à son mari et hurle devant tout le monde :

— «Tu n'es qu'un petit connard, tu n'es qu'un idiot, tu ne fous plus rien ! Toi tu crois que tu es un mari, toi, hein ? Tu n'arrives même plus à me faire de vraies choses au lit comme font les vrais hommes ! Moi j'ai tout fait, moi j'ai tout essayé et toi tu n'arrivais jamais à rien, tu dormais, tu ronflais ! Espèce d'impuissant ! Est-ce que c'est un mari que j'ai à la maison ou un poteau qui n'est même pas électrique comme les poteaux de l'avenue de l'Indépendance ? Quelle femme va supporter ça ? Attends donc, tu vas voir ce qui va se passer à partir de ce jour ! Les choses vont changer ! C'est la révolution, je vais trouver un beau jeune homme du quartier et ce beau jeune homme va tellement me secouer tous les soirs que toi quand tu vas me toucher, moi aussi je ne ferai que ronfler ! Tu crois que moi je ne suis bonne qu'à faire des enfants, hein ? Connard ! »

Je ris juste pour lui faire plaisir car si aujourd'hui je suis allé le siffler trois fois devant leur parcelle pour qu'on vienne au bord de la rivière c'était pour lui montrer quelque chose, pas pour écouter les paroles de cette femme que je n'aime pas et qui a déjà insulté maman Pauline parce que son commerce marche trop. Alors je laisse Lounès finir son imitation. Je ris encore lorsqu'il ajoute que la mère de Jérémie portait un pagne rouge qui serrait bien son gros derrière et qu'elle a remonté ce pagne jusqu'à ses cuisses. Elle a demandé à la foule s'il y avait quelqu'un qui avait envie de bien la secouer jusqu'à la fatiguer. Il y a eu des hommes qui sifflaient, qui criaient :

— Moi ! Moi ! Moi je veux bien te secouer !

Or Lounès a bien remarqué que je ne rie pas comme avant.

— Tu as quelque chose à me dire, Michel...

C'est là que je sors de ma poche une feuille de papier que je lui tends :

— Tu peux remettre ça à Caroline ?

Il prend la feuille et commence à lire ce que j'ai écrit. Moi mon cœur n'est plus tranquille. Je ferme les yeux pendant quelques minutes. Lorsque je les rouvre, je vois son visage qui est tout immobile. Il

136

ne me dit rien et recommence la lecture. Est-ce qu'il ne comprend pas mon écriture?

— Michel, c'est pas un poème que tu as écrit! C'est bien, mais c'est pas ça. Dans un poème il faut que ça sonne pareil à la fin des lignes. D'ailleurs je vais te réciter un vrai poème et écoute bien comment à la fin des lignes on entend les mêmes sons :

*Tout enfant, tu dormais près de moi, rose et fraîche,*
*Comme un petit Jésus assoupi dans sa crèche;*
*Ton pur sommeil était si calme et si charmant*
*Que tu n'entendais pas l'oiseau chanter dans l'ombre;*
*Moi, pensif, j'aspirais toute la douceur sombre*
*Du mystérieux firmament.*

J'ai repris ma feuille et je l'ai remise dans ma poche. Je n'ai pas étudié en classe ce poème qu'il vient de réciter et lui il dit que c'est Victor Hugo qui a écrit ça pour sa fille. Quand il m'a dit ça, j'ai pensé aussitôt à la photo de Victor Hugo qui est accrochée sur le mur de la maison de mon oncle.

On ne parle plus de mon poème alors que moi je veux qu'il me dise si c'est bon ou c'est mauvais. On écoute l'herbe qui chante avec le vent et ça nous donne envie de nous endormir.

Lounès se lève et me dit qu'il doit aller dans un club de karaté qu'un certain maître John vient d'ouvrir au quartier Savon.

— Je dois être là-bas à dix-sept heures pile.

— C'est qui ce maître John?

— C'est un homme fort qui décolle en l'air comme dans les films de Bruce Lee. Il est ceinture noire sixième dan. Dès que je vais savoir comment on décolle, je t'apprendrai aussi.

Avant de nous séparer, comme il sent que je suis toujours triste, il me touche à l'épaule droite et me dit :

— Je veux bien t'aider, mais Caroline est allée vivre chez notre tante maternelle au quartier Fouks. Je ne sais pas quand elle reviendra. Et puis ça te permet pendant ce temps de corriger ton poème.

L'Américain Roger Guy Folly annonce que le président de l'Ouganda — il s'appelle Idi Amin Dada — vient de fuir son propre pays parce que ses voisins les Tanzaniens sont maintenant entrés dans sa capitale qu'on appelle Kampala. Les Tanzaniens étaient fâchés depuis que les militaires ougandais étaient entrés en Tanzanie pour paraît-il poursuivre les Ougandais qui embêtaient le pouvoir d'Idi Amin Dada.

Quand j'entends papa Roger nous répéter ce nom, Idi Amin Dada, je me tords de rire. Il me fait de gros yeux on dirait que j'ai commis un péché :

— Attention, Michel, il ne faut pas rire comme ça ! C'est une histoire très grave. Est-ce que tu sais que ce président a tué plus de trois cent mille personnes ? Il n'a pas tué que des Ougandais, il a tué aussi des étrangers pendant les huit ans de son pouvoir. Il n'a pas fait que tuer, tuer, tuer, il a même mangé les gens, coupé les têtes, coupé les sexes comme de la viande qu'on vend au Grand Marché.

Donc c'est là que j'arrête net de rire de ce nom du président ougandais même si je trouve que

139

c'est marrant de s'appeler « Dada » comme le nom de ce chien de notre quartier qui a une queue en spirale et un œil qui suinte du matin au soir.

Mon père a baissé le son de la radio pour nous expliquer qu'Idi Amin Dada c'est un monstre plus méchant que le dragon et qu'il mangeait les gens avec du piment et du sel. Je suis étonné quand j'apprends qu'en fait il ne savait pas très bien lire, qu'il ne savait pas très bien écrire alors qu'il mesurait presque deux mètres. Pourquoi il n'a pas pris le temps d'aller très loin à l'école comme tout le monde ? D'accord, on va me dire que maman Pauline elle aussi elle ne sait pas bien lire et écrire, mais elle, elle n'a jamais tué personne et elle parle bien le français car on peut bien parler une langue même si on ne sait pas bien la lire ou bien l'écrire. Sinon comment nous on fait pour bien parler nos langues comme le lingala, le munukutuba, le bembé, le lari, le mbochi ou le vili alors qu'on n'a pas appris à les lire et à les écrire, hein ? C'est pas la faute à ma mère si elle n'est pas allée à l'école quand elle était petite comme moi. Maman Pauline m'a raconté qu'à son époque les gens étaient si idiots qu'ils prétendaient que l'école c'était pas bien pour les femmes sinon elles allaient trop discuter avec leur mari sur ceci ou sur cela et qu'elles n'allaient pas obéir lorsque les maris allaient les commander. Si une femme va à l'école, disaient-ils, c'est fini, elle va parler le gros français de France, elle va dire NON à tout moment comme les femmes blanches qui sont capables d'engueuler leur mari sans être frappées. Or, même si maman Pauline n'est pas allée à l'école, elle est plus intelligente qu'Idi Amin Dada qui a tué plus de trois cent mille personnes et qui a mangé certaines avec du sel et du piment. Pourquoi on ne l'a pas attrapé au lieu de le laisser s'enfuir et se réfugier aujourd'hui dans les pays musulmans ? Mon père cite les noms de ces pays en question : la Libye (sa capitale c'est Tripoli) et l'Arabie Saoudite (sa capitale c'est Riyad). L'Arabie Saoudite a donné à ce criminel une petite maison tranquille avec des gens qui lui préparent la nourriture alors que ceux qui n'ont jamais tué plus de trois cent mille personnes sont en train de mourir de faim dans notre continent. Est-ce que c'est normal, ça ? Est-ce qu'il faut tuer plus de trois cent mille personnes pour être logé gratuitement dans un pays musulman ou quoi ? En plus, on lui donne de l'argent de poche chaque mois on dirait que lui aussi c'est un bon élève qui a fait de bons résultats alors qu'il n'est pas allé à l'école.

Oui, Idi Amin Dada est vraiment un monstre plus méchant que le dragon. Moi je n'ai plus envie de suivre son histoire que papa Roger veut nous forcer à écouter. Comme maman Pauline tend l'oreille avec attention alors que la politique c'est pas toujours son problème, je ne peux pas quitter la table on dirait un impoli sinon on va croire que moi Michel je ne veux pas m'informer sur ce qui se passe dans un pays de notre continent.

Papa Roger nous explique encore qu'Idi Amin Dada était un militaire qui est arrivé au pouvoir par un coup d'État. C'est normal, ça ne m'étonne pas du tout, quel pays qui se respecte va dire à un analphabète : Tu ne sais pas lire, tu ne sais pas écrire, c'est pas grave, tu vas quand même parler pour nous dans le monde entier? Et comment cet analphabète va faire pour signer les papiers que les vrais présidents qui sont allés à l'école signent quand ils sont ensemble? Comment il va savoir qu'il est en train de signer la permission de laisser les pays capitalistes voler les richesses des Ougandais, hein? Le pire, c'est que papa Roger ajoute qu'Idi Amin Dada a été aussi le président de l'Organisation de l'unité africaine (l'OUA), c'est-à-dire presque le chef de tous les pays africains. Ce sont les présidents africains qui l'ont mis là, et ce n'était pas seulement pour rire. Les Européens, eux, ils étaient très contents qu'Idi Amin Dada ne sache pas lire et écrire. Ces Européens en question c'est les Anglais, parce que c'est pas que la France qui a colonisé tous les pays de notre continent. Il fallait qu'elle laisse quelques pays aux autres Européens aussi sinon ils allaient faire la guerre entre eux les Blancs. Et les Anglais se sont dit : C'est bien qu'Idi Amin Dada ne sache pas bien lire et écrire, comme ça on va le contrôler de loin même si la colonisation est finie dans son pays.

Voilà que papa Roger s'énerve :

— Même les États-Unis et Israël ont soutenu ce dictateur quand il a fait son coup d'État pour devenir président! Et après son coup d'État ce monstre a commencé à mettre les gens de son ethnie dans l'armée, à chasser, à éliminer ceux qui n'étaient pas de son ethnie. Il était tellement fou qu'il s'est réveillé un matin avec le visage triste et a déclaré : J'ai fait un rêve venu tout droit du ciel! Est-ce que lui c'est un Noir américain comme Martin Luther King pour faire un rêve exceptionnel de ce genre?

Tout le monde fait des rêves, je pense au fond de moi. Le problème c'est que, d'après mon père, le rêve d'Idi Amin Dada c'était un rêve énorme : Dieu lui avait demandé de chasser les Asiatiques de son pays alors que c'est eux qui faisaient le commerce pour que les Ougandais mangent matin, midi et soir. Est-ce que Dieu est vraiment aussi méchant pour faire rêver à quelqu'un un rêve pareil ? Et Idi Amin Dada a chassé les Asiatiques, il leur a dit : Nous on va faire tourner notre pays nous-mêmes, on va gérer nos magasins et notre commerce nous-mêmes. Y en a marre que vous mangiez le pain des Ougandais. Si dans trois mois vous ne quittez pas l'Ouganda de mes ancêtres, vous allez voir ce que vous allez voir. Vous devez partir et tout laisser ici, prenez seulement vos brosses à dents, vos caleçons et vos sandales.

Et les pauvres Asiatiques ont couru à gauche et à droite on dirait des pintades qui ont des vertiges alors que ça faisait longtemps qu'ils vivaient en Ouganda. Ils avaient donc oublié qu'ils étaient des Asiatiques, et en Asie les Asiatiques ne savaient plus qu'ils avaient des frères qui étaient devenus des Noirs en Ouganda. Ces pauvres Asiatiques d'Ouganda sont allés se réfugier dans les pays d'à côté où personne ne les connaissait.

Chaque jour Idi Amin Dada devenait de plus en plus fou, il tuait des villages entiers, et lorsque tu n'étais pas d'accord avec lui il te coupait la tête ou le sexe. Ses supporters — les Américains et les Israéliens — ont commencé à se dire : Il faut qu'on se retire de ce pays qui est dirigé par un malade, ce président est vraiment fou, on ne doit plus lui vendre nos armes sinon c'est sur nous qu'il va tirer un jour. Et tous les Anglais qui étaient restés en Ouganda après l'indépendance ont pensé : Nous aussi on s'en va pour de bon, ça risque de mal finir cette histoire-là, on n'a jamais vu de choses pareilles dans le continent des Noirs, quand ce type n'aura plus de chair noire à manger c'est nous les Blancs qu'il mettra dans sa marmite. Et Idi Amin Dada qui s'en foutait leur a répondu : Oui, c'est ça, pauvres anciens colonisateurs, sortez donc de mon pays, c'est moi qui vous chasse, je vais être un ami des Russes et des Libyens, eux aussi ils font du bon commerce et ils vendent de belles armes avec lesquelles je peux continuer à massacrer les Ougandais et les pays d'à côté qui me cherchent des problèmes.

Pour bien embêter ses anciens amis israéliens qui étaient maintenant devenus ses ennemis jurés, Idi Amin Dada a baratiné les gens d'un pays qui s'appelle la Palestine. Il a invité les Palestiniens en Ouganda et il leur a dit : Vous pouvez venir chez moi, les Israéliens sont tout le temps contre vous autres les Palestiniens, moi Idi Amin Dada je vous donne un endroit vaste où vous allez mettre votre bureau, c'est un très bon bâtiment, c'est d'ailleurs le même bâtiment où il y avait l'ambassade de ces Israéliens ! C'est bien parce que vous allez prendre votre revanche contre eux, et moi je vous soutiendrai jusqu'au bout.

Papa Roger nous précise que les Israéliens sont des Juifs, les Palestiniens sont pour la plupart des Arabes, et ces deux peuples se bagarrent depuis longtemps. Maman Pauline veut savoir pourquoi ils se bagarrent et mon père lui répond :

— Ce serait trop long à vous expliquer tout ça

parce que moi-même je m'embrouille sur cette histoire où il y a la politique, la religion, les populations qui sont tuées et beaucoup de pays qui ne reconnaissent pas que la Palestine c'est aussi un pays comme notre pays à nous.

Et moi je me dis : Si c'est pas un pays comme notre pays à nous, c'est quoi alors cette Palestine ? Y a pas de gens qui vivent dedans ? Y a pas des enfants comme moi qui vont à l'école ? Y a pas de rues et des voitures qui klaxonnent quand il y a les embouteillages ? Y a pas des maisons, un drapeau, une musique, des écoles, un président ? Bon, heureusement que papa Roger est d'accord que la Palestine c'est un pays, qu'on le veuille ou non, et que le président des Palestiniens s'appelle Yasser Arafat. Et moi j'aime ce nom de Yasser Arafat, c'est on dirait un surnom.

Alors que je me répète que Yasser Arafat c'est un nom très doux à entendre, mon père ajoute qu'il y a un problème grave qui le gêne avec ce Palestinien :

— Yasser Arafat m'a déçu : il a accepté d'être le témoin de mariage d'Idi Amin Dada lorsque ce criminel qui a tué plus de trois cent mille personnes a pris une cinquième femme.

Là je commence moi aussi à détester ce nom.


Ma tête va exploser parce qu'elle laisse trop entrer des choses plus compliquées que celles qu'on enseigne à Lounès au collège des Trois-Glorieuses. J'entends mon cerveau bouillir au moment où papa Roger raconte l'histoire d'un avion qui avait atterri dans la capitale de l'Ouganda avec à l'intérieur des bandits qui supportaient les Palestiniens. Ces supporters des Palestiniens avaient détourné l'avion et ils menaçaient de tuer les pauvres passagers si on ne leur remettait pas les Palestiniens emprisonnés je ne sais plus où. C'est Idi Amin Dada qui était content de jouer l'arbitre dans cette histoire et de faire croire au monde entier que lui c'était un homme bon avec des globules blancs. Il calmait donc les gens, il faisait de longs discours, il rendait visite aux passagers coincés dans l'avion. Mais comme les Israéliens sont toujours très fâchés chaque fois qu'on leur parle des Palestiniens, ils ont envoyé dare-dare en Ouganda leurs fameux militaires qui font peur, et c'est eux qui sont venus libérer les otages. Papa Roger dit que lorsque les Israéliens font une opération pareille ils sont très efficaces et ils finissent par réussir car ils forment des gens pour des missions spéciales de ce genre, et parfois ces gens sont des femmes alors que nous dans notre armée on pense qu'une femme ne peut pas faire militaire.

Avant de quitter l'Ouganda avec les personnes qu'ils avaient libérées, les Israéliens en avaient profité pour bien bombarder les avions de guerre ougandais. Alors Idi Amin Dada s'était mis en colère et avait tué tous les Ougandais qui travaillaient à l'aéroport car il pensait que c'était à cause de leur idiotie que les Israéliens étaient entrés dans son pays, avaient libéré les otages et bombardé ses avions de guerre. Sans avions de guerre, comment il allait faire pour se défendre ou attaquer les pays voisins comme la Tanzanie ? Dans sa colère Idi Amin Dada avait aussi chassé tous les étrangers de son pays, il avait tué encore plus d'Ougandais. Et comme il croyait que personne ne voulait reconnaître qu'il était le plus fort du monde, il avait décidé : Je vais me nommer maréchal, je veux avoir plusieurs médailles de guerre accrochées sur ma veste depuis mon cou jusqu'à la fermeture de mon pantalon, je veux aussi que la Terre entière sache que je suis le guerrier qui a fait fuir les Anglais, donc appelez-moi le roi d'Écosse, point barre. Je veux que les étrangers qui viennent faire des affaires dans mon pays marchent à quatre pattes devant moi comme des animaux. Surtout les Anglais.

Si tonton René nous rend visite aujourd'hui, c'est parce que c'est la Saint-Michel. Moi je ne sais pas qui est ce saint Michel et je me demande toujours pourquoi mon oncle a voulu me donner ce prénom de Michel. Si ce Michel est un saint, c'est que ça doit être une histoire qui est quelque part dans la Bible car c'est là-dedans qu'on trouve les saints et les autres personnes qui sont proches de Dieu. D'un autre côté, quand je regarde le calendrier, je vois que la Saint-Michel c'est le 29 septembre, et c'est aussi mon jour et mon mois de naissance. Alors tonton René avait sans doute regardé le calendrier et avait dit à ma mère : On ne va pas chercher midi à quatorze heures, ton fils a déjà quelques mois et il n'a pas de prénom, je vais donc regarder le calendrier et lui donner le prénom du jour de sa naissance et on n'en parle plus.

Donc ce 29 septembre mon oncle m'a encore apporté un camion en plastique, une petite pelle et un petit râteau pour que je joue à l'agriculteur. Il dit que s'il y a une vraie révolution qui va se passer chez nous, ça viendra de l'agriculture, des paysans, des gens qui savent aimer la terre. C'est pour ces gens-là que les communistes luttent, pas pour ceux qui sont assis dans les bureaux et qui font l'exploitation de l'homme par l'homme. Il faut donner les bonnes habitudes aux enfants pour qu'ils aiment l'agriculture que l'homme fait depuis que le monde existe.

On écoute mon oncle parler de l'agriculture et nous dire ce que Karl Marx et Engels en pensent. Après, le voici qui regarde vers maman Pauline :

— Engels a raison et je suis d'accord avec lui : les philosophes n'ont fait qu'interpréter le monde, maintenant il s'agit de le transformer...

Moi je répète au fond de moi ce qu'il vient de dire parce que je trouve que c'est agréable à entendre et que mon oncle le dit en agitant le poing on dirait qu'il veut se bagarrer contre les ennemis de notre Révolution. Comme il a constaté que ma mère et moi on n'a pas compris, il sort de la maison, va vers sa voiture et revient deux minutes plus tard avec un petit livre qu'il tend vers moi alors que c'est à ma mère qu'il avait récité les paroles de ces communistes :

— Michel, tiens. Tout ce que je vous dis est écrit dans ce livre. C'est plus que la Bible parce que dans ce bouquin c'est des vérités scientifiques, pas de l'opium pour tromper le peuple !

Je prends le livre en question et je lis le titre qui commence par un nom difficile à prononcer : *Ludwig Feuerbach et la fin de la philosophie classique allemande*. Celui qui l'a écrit s'appelle Friedrich Engels. Oui, j'ai déjà vu sa photo chez mon oncle et c'est maintenant que je sais que le prénom d'Engels c'est Friedrich. Tonton René a toujours dit «Engels», jamais «Friedrich Engels».

Il n'y a pas de photo d'Engels derrière le livre en question, j'aurais bien voulu la comparer avec celle qui est chez mon oncle. Peut-être que quand quelqu'un est connu on ne met plus de photo derrière les livres qu'il écrit et que si on met la photo derrière le livre de quelqu'un c'est qu'on veut le faire connaître car il n'est pas encore très connu. Est-ce qu'Engels est plus connu que notre président? Je crois que oui et c'est pour ça que sur le livre de notre président il y a une grosse photo où on le voit sourire.

J'ouvre le livre d'Engels juste pour voir s'il y a des photos dedans. Il n'y a rien, il n'y a que des mots écrits en tout petit comme si on ne voulait pas que nous autres les enfants on puisse aussi lire ce qu'il y a dedans.

Comme je mets trop de temps sur une page, mon oncle m'arrache le livre des mains.

— Michel, ne lis pas! C'est des choses que tu ne peux pas comprendre pour l'instant. Même mes camarades du Comité populaire du quartier ont du mal. Engels était un vrai visionnaire! Le monde doit changer, et ce changement ne passera que par l'agriculture : les paysans doivent être propriétaires de leurs moyens de production, et il faut qu'on stoppe le profit du capitalisme et qu'on installe vraiment dans ce pays une vraie dictature du prolétariat! Comment peut-on arriver à cela? Eh bien, il faut relire l'histoire du monde comme nous l'explique Marx par le biais du matérialisme historique ou, textuellement, par le nouveau matérialisme car, et on l'oublie trop souvent au grand dam des masses populaires qui sont censées être les bénéficiaires de la pensée marxienne, Marx n'a jamais parlé de matérialisme historique mais de nouveau matérialisme! C'est une nuance capitale et, je dirais même plus, une nuance fondamentale. Est-ce que vous me suivez?

On fait oui de la tête alors qu'on ne comprend toujours pas. Il croit qu'on l'encourage à continuer, et il poursuit :

— C'est évident, ça saute aux yeux : tous les rapports sociaux sont nécessairement fondés sur la confrontation, j'allais dire, pour être plus près du texte, la lutte des classes. Nos rapports sont basés sur ce que nous vivons concrètement et non par l'idéologie, je veux dire, la superstructure, puisque nous savons maintenant que l'idéologie ne peut pas nous expliquer le monde dans la mesure où elle change avec notre condition de vie, nos rapports sociaux, etc. Marx est clair là-dessus et il l'a écrit noir sur blanc, je vous cite : « *Le nouveau matérialisme se situe au point de vue de la société humaine, ou de l'humanité sociale* », fin de citation...

Il transpire sans cesse quand il parle d'Engels, de Lénine, de Karl Marx ou de l'immortel Marien Ngouabi. Le voilà qui sort un mouchoir de sa poche, s'essuie le front. Il vient de se rendre compte qu'on n'a en fait rien compris et il se tourne une fois de plus vers ma mère :

— Bon, j'arrête là, j'ai l'impression de prêcher dans le désert du Sahara. Viens avec moi, on doit mettre certaines choses au point. On ne va pas le faire devant le petit.

Ils sont sortis de la maison et discutent au milieu de la parcelle. Or ils parlent trop fort et j'entends tout. Encore des histoires d'héritage de terrains laissés par ma grand-mère Henriette Ntsoko qui était mariée à mon grand-père Grégoire Moukila, le chef du village Louboulou. Ce grand-père avait des parcelles, des poulaillers, des moutons, des chèvres, des cochons, des bœufs, des champs de manioc et de maïs. Il a laissé ces biens à la grand-mère. Maintenant que celle-ci est morte, tonton René prétend qu'il doit tout prendre parce que c'est lui le grand frère et que ma mère attendra qu'il meure pour récupérer et les biens de ma grand-mère et les biens de tonton René.

Maman Pauline n'est pas d'accord :

— René, la famille c'est pas ta politique-là que tu lis dans les livres d'Angèle.

— Engels !

— Je m'en fous ! Là c'est de notre famille qu'il s'agit. Pourquoi tu me mens comme ça ? Tu as déjà pris la maison de notre grand frère alors que ce sont ses enfants qui devaient hériter !

— Tu rigoles ou quoi ? Pourquoi ces enfants hériteraient de cette maison, hein ?

— Parce que ce sont les enfants qui doivent hériter !

— Ah non, ça c'est une vision capitaliste du monde, et je vois que l'impérialisme continue à bourrer les crânes des gens ! Nous devons revenir à la tradition pour être nous-mêmes. Cette maison appartenait à mon frère, et c'est à moi de m'en occuper parce que c'est moi qui achetais ses médicaments quand il était hospitalisé. N'oublie pas que c'est aussi moi qui ai acheté le cercueil et nourri les gens qui sont venus à cette veillée d'Albert ! Qu'est-ce que les enfants d'Albert ont fait de concret pendant que celui-ci était malade à l'hôpital Adolphe-Cissé, hein?

Leur défunt frère dont ils parlent c'était lui le premier enfant de mon grand-père et qui travaillait dans la compagnie d'électricité de Pointe-Noire. Il est mort quand j'étais encore tout petit. C'est maintenant que je comprends que la belle maison où vit tonton René avec ses enfants et sa femme c'est en fait la maison de tonton Albert Moukila. Ma mère me parle parfois de ses enfants que je n'ai pas encore vus. Parmi eux, en dehors de la sœur aînée Albertine, certains ont des surnoms qui me font rigoler. Le cousin qu'on surnomme Abeille vient après Albertine et il a fait des études en URSS. Puis vient Firmin «Beau gosse» qui a un petit orchestre amateur au quartier Rex. Il y a ensuite Djoudjou «L'Allureux» qui est en France pour continuer les études. Il y a enfin les jumeaux Gilbert «Magicien» et Nzoussi «La Capricieuse» qui appellent ma mère «papa Pauline». Tonton René a chassé ces enfants de la maison de leur père et il a pris tout l'héritage on dirait que c'est lui qui a gagné cette richesse par son travail.

— Je ne te laisserai pas prendre cette fois-ci les biens de notre mère, reprend maman Pauline.

— Tu n'as qu'à attendre quand moi je mourrai, tu hériteras de mes biens, des biens de notre défunte maman et de la maison que j'ai héritée d'Albert.

— Et si je meurs avant toi?

— Tu as un fils, c'est Michel qui héritera!

— Michel n'est pas le fils de notre mère, il est mon fils! Et n'oublie pas que dans la famille on a d'autres gens!

J'entends alors les noms de mes tantes et de mes oncles que je ne connais pas encore : la tante Bouanga qui habite à Dolisie, à plus de deux cents kilomètres de Pointe-Noire. La tante Dorothée qui est mariée dans le village Moussanda. Tonton Joseph qui habite à Louboulou et qui est le dernier de la famille, juste après ma mère. Pour moi, c'est seulement des noms. Je ne les ai pas encore rencontrés. Maman Pauline me dit souvent qu'ils sont très gentils, qu'ils pensent à moi et veulent aussi me voir un jour.

Tonton René se comporte comme si c'était lui le grand frère de cette famille alors qu'avant lui il y a la tante Bouanga et la tante Dorothée. Or ces deux tantes ont trop peur de lui, elles ne peuvent rien lui faire et lui, il attend que quelqu'un meure dans la famille pour se précipiter à la veillée et annoncer : C'est à moi les biens que laisse la défunte ou le défunt. Est-ce que si maman Pauline meurt c'est lui qui va venir prendre notre maison et me chasser comme il a chassé les enfants de tonton Albert ? Je ne peux pas croire ça parce que cette parcelle c'est papa Roger qui l'a achetée pour nous et c'est mon nom qui est sur les papiers. Comment tonton René va venir la prendre ? Papa Roger lui fera la guerre mondiale parce que l'héritage c'est normalement pour les enfants. J'essaie de comprendre pourquoi tonton René se comporte de cette façon et je me dis : Peut-être que dans la vie si on est riche on veut devenir encore plus riche et on ne voit plus que les autres qui vous entourent n'ont rien.

Avant de repartir, mon oncle a jeté par terre un billet de mille francs CFA que ma mère a refusé de prendre. Aussitôt que la voiture a démarré, j'ai vite ramassé le billet sinon le vent allait l'emporter jusqu'au milieu de l'avenue de l'Indépendance et les gens se battraient pour le prendre et dire que c'est pour eux, qu'on n'a pas de preuve que c'est pour nous.

Lounès a été au cinéma Rex avec son père. Ils
ont vu *Mandala, fille des Indes*. Il paraît que les
gens pleuraient dans la salle, y compris monsieur
Mutombo alors que c'est pas tous les jours qu'on le
voit pleurer.

Pendant qu'on marche vers le terrain de foot
du quartier Savon où il y aura un match entre les
Caïds de Tié-Tié et les Dragons de Voungou, Lounès essaie de m'expliquer ce film indien. Il me
parle d'un prince qui s'appelle Samsher et de sa
sœur, la princesse Rajshree, qui vivent dans le luxe,
un luxe que même les capitalistes à côté c'est rien
du tout. Il y a des éléphants, des tigres, des lions,
un palais où c'est le bonheur avec les couleurs de
l'arc-en-ciel, des rivières pleines de fleurs et de
belles femmes qui se baignent, qui dansent en
remuant bien leur Pays-Bas. Je l'écoute, je l'envie
et je suis jaloux. En même temps je me demande si
Lounès n'ajoute pas des choses sucrées dans son
histoire juste pour me pousser moi aussi à demander à papa Roger qu'on aille voir ce film puisqu'on
refuse que les enfants aillent tout seuls au cinéma.

Il raconte que dans ce film le prince et la prin-

156

cesse font souffrir les villageois. Pour ça ils sont comme les capitalistes avec les condamnés de la Terre. Ils sont pourtant riches, cette princesse et ce prince, mais pourquoi ils ne laissent pas les gens tranquilles dans leur pauvreté? Heureusement qu'il y a un jeune homme qui s'appelle Jai et qui décide de lutter contre tout ça. C'est pas facile pour lui de s'attaquer à un royaume. Ce jeune homme est très courageux, il veut d'ailleurs que la princesse Rajshree soit sa femme et c'est pas donné. Cette princesse est trop orgueilleuse et elle ferme les oreilles à toutes les belles paroles de Jai alors que c'est des paroles avec du miel. Dieu merci qu'il y a une fille de la campagne qui aime Jai et elle va se sacrifier pour lui et le sauver de la mort. C'est à ce moment que les gens ont applaudi au cinéma car Jai va bien se venger par la suite et montrer que c'est pas parce qu'on est riches qu'il faut blaguer comme ça avec les gens pauvres.

Quand j'entends Lounès raconter, j'ai l'impression qu'il était en Inde là-bas et qu'il a visité le palais qu'il me décrit avec des détails. Et puis je me rends compte que c'est un peu la même chose qui m'arrive avec Caroline qui aime Mabélé alors que c'est moi qu'elle devrait aimer. Puisque j'ai beaucoup de camions en plastique, des pelles et des râteaux, je suis un peu comme le paysan de *Mandala, fille des Indes*. Je dois baratiner la princesse Caroline, mais je ne veux pas qu'une paysanne m'aime, je ne veux pas qu'une paysanne se sacrifie pour moi et me sauve de la mort. Mabélé est un orgueilleux qui croit qu'il n'y a que lui qui a lu les livres de Marcel Pagnol et qui est capable d'écrire des poèmes pour Caroline.

— Michel, tu parles tout seul!

Je n'avais même pas remarqué que je disais tout haut ce que j'étais en train de penser.

— Sache que Mabélé, moi je l'aime pas, il me dit.

— Tu le connais bien alors?

— Non, je le vois souvent dans la rue avec les garçons du quartier Bloc 55.

— Je veux le voir moi aussi, je veux savoir si je suis plus beau que lui et...

— Tu es plus beau que lui, je te l'ai déjà dit.

— C'est vrai?

— D'ailleurs, tu vas le voir tout à l'heure en chair et en os.

— Où ça?

— Sur le terrain.

— Là, sur ce terrain?

— C'est lui le numéro 11 des Caïds de Tié-Tié.

— Mais c'est Jonas le petit Pelé qui joue d'habitude au numéro 11!

— C'est fini pour Jonas, on l'a écarté parce qu'il a insulté l'entraîneur. Maintenant il joue dans l'équipe des Dragons de Voungou.

— Ça veut dire que le petit Pelé va jouer contre son équipe d'avant?

— Il va jouer contre notre équipe les Caïds de Tié-Tié.

Lounès et moi on a toujours supporté les Caïds de Tié-Tié parce qu'on aimait bien Jonas quand il dribblait depuis le centre du terrain jusque devant le gardien de buts de l'autre équipe. C'est pour ça que les gens l'avaient surnommé le petit Pelé. On ne peut pas l'arrêter quand il a la balle au pied. Il s'envole, décolle comme une fusée et, quand il frappe le ballon avec son pied gauche, c'est sûr que le ballon va aller au fond des filets. Les autres équipes disaient souvent : Pour gagner le match, il faut que quelqu'un casse la jambe de Jonas. Donc on lui collait un défenseur musclé et très grand on dirait qu'il avait déjà vingt ans alors que les joueurs ont au maximum l'âge de Lounès, jamais plus.

Je dis à Lounès :

— Puisque Jonas n'est plus dans l'équipe des Caïds de Tié-Tié et que c'est Mabélé qui l'a remplacé, alors je ne vais plus supporter les Caïds de Tié-Tié, je vais maintenant supporter les Dragons de Voungou et je veux qu'ils gagnent ce match !


Nous voici autour du terrain Tata-Luboko. Lounès me montre Mabélé de loin.

— Tiens, il est là-bas. C'est lui qui est en train d'attacher les lacets de ses bottines près du gardien de buts.

Le stade est déjà rempli. Les gens sont debout autour de ce terrain plein de trous. Les plus petits de taille ramènent leur tabouret et montent dessus sinon ils ne verront rien.

Alors que je regarde encore Mabélé et me dis qu'il n'a rien de plus que moi, Lounès me souffle dans l'oreille :

— Regarde donc qui est juste en face là-bas...

— Caroline ?

— Chut ! Ne regarde pas vers là-bas, elle nous regarde elle aussi.

Caroline a mis un maillot orange, la couleur des Caïds de Tié-Tié. Elle est donc venue supporter Mabélé.

— Tu m'avais dit qu'elle était chez votre tante et...

— Oui, et elle est toujours là-bas. C'est peut-être Mabélé qui l'a invitée ici.

— Je rentre à la maison, j'ai plus envie de voir ce match !

— Non, reste, je vais m'occuper de Mabélé, tu vas voir ce que je vais lui faire devant tout le monde. Maître John m'a déjà appris des katas supérieurs qu'on n'apprend qu'à ceux qui ont la ceinture orange, tu vas voir !

— Non, je m'en vais.

Il me retient par la chemise. Je me débats, j'arrive à me détacher de lui, mais j'entends ma chemise qui se déchire.

Je suis déjà à plus de deux cents mètres de Lounès et je cours comme une balle d'un fusil. Les gens m'insultent derrière lorsque je les bouscule. Je m'en fous, je continue ma course.

J'entends de loin la voix de Lounès :

— Reviens, Michel ! Reviens ! Reviens ! Reviens !

Je ne passe pas dans la rue des Plateaux, j'entre dans la parcelle des parents de Placide, un de mes camarades de classe. C'est un raccourci que je connais bien. Le grand frère de Placide, Paul Moubembé, me barre la route :

— Michel, arrête-toi, tu as volé quelque chose pour courir comme ça ou quoi ?

Je fais semblant de courir vers la gauche, mais je reviens vers la droite et j'ai réussi à feinter Paul Moubembé qui est resté debout comme un poteau à me regarder courir. J'entre dans la parcelle des parents de Godet, un autre camarade de classe. C'est aussi un raccourci qui fait qu'on tombe directement sur l'avenue de l'Indépendance. Je transpire comme tonton René lorsqu'il parle d'Engels, de Lénine, de Karl Marx ou de l'immortel Marien Ngouabi. J'essuie mon front avec le bras droit. Ma chemise déchirée s'écarte on dirait que j'ai des ailes dans le dos. Je risque de m'envoler si je cours aussi vite que ça.

Me voici sur l'avenue de l'Indépendance et je me retourne enfin. Lounès ne m'a pas suivi, il verra le match même si je ne suis pas avec lui. Je ne sais pas ce qui va se passer entre Mabélé et lui. Est-ce qu'ils vont se battre ? Est-ce que Lounès va faire son karaté de maître John ? C'est quoi ces katas supérieurs que ce maître lui a appris ? Est-ce que Lounès décolle déjà comme Bruce Lee quand il tabasse des gens qui sont plus grands de taille que lui ? Au fond je ne veux pas qu'il se batte avec Mabélé, Caroline mettra tout ça sur mon dos.

Lounès aime que je sois avec sa sœur, mais lorsqu'il l'engueule pour qu'elle vienne me voir à la maison, Caroline crie comme si on était en train de l'égorger. Alors il m'a carrément dit que c'est maintenant notre affaire entre elle et moi. Il ne parlera plus de ça avec elle. Caroline est trop compliquée et, d'après Lounès, quand elle pleure monsieur et madame Mutombo le blâment et ne lui donnent plus d'argent de poche pendant une semaine.


J'arrive à la maison et je tombe sur maman Pauline qui range un gros sac. Je ne lui tourne pas le dos parce qu'elle va me demander pourquoi ma chemise est déchirée. Elle va croire que je me suis bagarré alors que j'ai peur de la bagarre parce que je n'ai jamais gagné.

— Le match est déjà fini ?

— Non, j'ai faim et il fait trop chaud là-bas.

Je ne quitte pas des yeux son sac. C'est un sac de voyage, donc elle va voyager.

— Je pars dans deux semaines, mais je prépare déjà mon sac sinon je vais oublier des choses.

— Je pars avec toi...

— Pas question, je vais aller dans la brousse pour acheter des régimes de bananes et les vendre ensuite à Brazzaville. La brousse, c'est dangereux pour les enfants.

Papa Roger lui a finalement donné de l'argent pour son nouveau commerce, je me dis.

— Je vais te faire à manger.

— Non, je n'ai plus faim.

— Michel, c'est une surprise : de la viande de bœuf avec des haricots que j'ai préparés rien que pour toi !

— Je n'ai plus faim.

Je vais dans ma chambre et je m'étends sur le lit les yeux bien fermés, mais je ne dors pas encore. J'entends un petit bruit : des gouttes d'eau qui résonnent sur les tôles de la maison. Au fond de moi je crie : Ah non ! Pas la pluie ! Non, je ne veux pas qu'il pleuve sinon les Caïds de Tié-Tié vont remporter le match. C'est comme ça qu'ils gagnent souvent. Ils vont consulter le féticheur et celui-ci leur dit qu'il va attirer la pluie pour éliminer les fétiches de l'autre équipe. Si les Caïds de Tié-Tié gagnent, Caroline va encore être folle de Mabélé parce que c'est toujours le numéro 11 qui fait beaucoup de dribbles, c'est toujours le numéro 11 que les gens adorent et applaudissent, c'est toujours le numéro 11 que les filles viennent voir à la fin du match.

Le chah d'Iran est devenu un vagabond qui va de pays en pays pendant que le monstre Idi Amin Dada est tranquille, on ne le poursuit pas et il se repose en Arabie Saoudite. Comme il a été champion d'Ouganda de natation, Idi Amin Dada a peut-être une grande piscine et nage chaque jour. Il doit avoir une salle où il fait de la boxe puisqu'il a été aussi champion de boxe de l'Ouganda. Dans son pays, ceux qui dirigent maintenant ont dit : Il n'a qu'à rester là-bas en Arabie Saoudite, on n'a pas le temps de courir après lui, mais s'il s'amuse à revenir on va le coffrer pour qu'il paie ses crimes. Et moi je pense : Est-ce que même s'il est analphabète il va vraiment se comporter en idiot pour revenir dans un pays qui va le tuer ? Donc il va continuer à nager dans sa piscine du matin jusqu'au soir et à s'entraîner à la boxe avec son cuisinier et son jardinier.

Le Chah, lui, il n'a pas encore trouvé un lieu où il peut vivre avec sa famille sans qu'on les menace depuis l'Iran. Son Premier ministre qu'il a laissé là-bas a aussi fui le pays. On pouvait l'exécuter par le nouveau gouvernement qui ne rigole pas avec ceux qui ont travaillé avec le Chah. En plus papa Roger dit que depuis que l'ayatollah Khomeyni est revenu de son exil de France il est en train de régner d'une main d'enfer dans le pays et tous les jours il ne rêve que d'attraper le Chah pour le juger au lieu de gouverner pour aider les Iraniens qui souffrent sur place.

Pendant que mon père parle en même temps que Roger Guy Folly, j'essaie de compter dans ma tête le nombre de pays où le Chah s'est rendu. Chaque fois que le journaliste américain les nommait, moi je faisais tout pour mémoriser. Le Chah est d'abord parti en Égypte chez son grand ami le président des Égyptiens qui s'appelle Anouar el-Sadate. Cet ami ne pouvait pas le laisser devenir un clochard international comme ça avec sa femme, l'impératrice Farah. C'est pas possible. Donc Anouar el-Sadate a dit au Chah : Ne t'en fais pas mon ami, viens te réfugier chez moi en Égypte, c'est aussi ton pays, tu es mon ami de toujours, tu es l'ami des Égyptiens, je ne vais pas te laisser entre les mains de ceux qui veulent te juger pour t'exécuter comme ils sont en train d'exécuter tes anciens ministres.

Mais voilà que l'Iran a fait savoir à l'Égypte qu'il n'est pas content qu'on héberge le Chah là-bas. Anouar el-Sadate a voulu tout de même garder son ami et il lui a dit : Je ne te livrerai pas à l'ayatollah Khomeyni, tu es mon ami. C'est donc le Chah qui a souhaité quitter de lui-même l'Égypte pour éviter des pépins à son ami égyptien.

Le Chah est allé au Maroc où il y a un autre de

ses amis, un roi qui s'appelle Hassan II et qui a proposé de l'héberger.

Je n'ai pas fini de compter les pays que j'entends papa Roger qui hurle vers la radio on dirait qu'il en veut à Roger Guy Folly qui est en train de parler. Mon père baisse le son et se retourne vers nous :

— Le président des Américains a lâché le Chah ! Vous pensez que c'est normal, ça ? Ils sont comme ça, ces Américains ! Qu'est-ce qu'ils croient, hein ? C'est eux les Américains qui foutent la pagaille en Angola à cause de leur peur des communistes, c'est encore eux et les Belges qui avaient comploté pour tuer Patrice Lumumba et mettre au pouvoir ce voyou de Mobutu Sese Seko Kuku Wendo Wazabanga qui fait de longs discours depuis des années et vole les richesses des Zaïrois ! Fallait-il que le Chah soit un dictateur comme Idi Amin Dada pour que les Américains l'aident ?

Le Chah s'est donc retrouvé au Maroc, mais il n'y est pas resté longtemps car les Iraniens ont prévenu que si cet ancien président ne quitte pas le Maroc ils vont assassiner les membres de la famille du roi Hassan II. Et c'est le Chah lui-même qui a dit au roi marocain : C'est pas grave, je vais quitter le Maroc, je ne veux pas qu'on tue des gens dans ta famille.

Et le voilà qui a quitté le Maroc pour aller dans des îles qu'on appelle Bahamas puisqu'il n'y avait plus un seul pays courageux qui voulait le recevoir. Là encore il n'est pas resté longtemps et c'est Henry Kissinger (le ministre des Américains pour les affaires qui se passent à l'étranger) qui lui a proposé d'aller vivre chez les Mexicains.

Là je me dis : C'est bizarre, pourquoi les Américains n'hébergent pas le Chah et l'envoient dans un autre pays ? C'est peut-être parce qu'ils ont peur de manger des patates chaudes comme dit papa Roger. Les Mexicains sont comme nous, rappelle mon père. Ils souffrent comme nous, mais eux au moins ils jouent mieux que nous au ballon parce qu'ils ont déjà organisé la coupe du monde de football même si c'est le Brésil qui a gagné. Je ne sais même pas si nous on sera un jour qualifiés pour aller jouer avec les meilleurs joueurs du monde. Si nous sommes incapables de proposer au Chah de venir habiter chez nous, est-ce qu'on pourra un jour nous faire confiance pour organiser la coupe du monde de football ?

On entend Roger Guy Folly qui ajoute que l'aventure du Chah ne s'arrêtera pas là. Il doit bientôt quitter le Mexique car il a le cancer et il faut vraiment qu'on le soigne dans un pays où on peut espérer qu'il pourra retrouver la santé. Sinon il risque de mourir.

Donc dans les prochains jours le Chah sera envoyé aux États-Unis pour être soigné. Les Mexicains, qui sont gentils, ont promis de l'accueillir après cette opération. Au moins ça c'est une information qui a fait du bien à mon père. Alors qu'il avait refusé de manger tout à l'heure et qu'il s'apprêtait à aller écouter le chanteur à moustache au pied de notre manguier, il a tout à coup demandé à maman Pauline :

— Est-ce qu'il y a encore quelque chose à manger, même une petite grillade avec du manioc ?

J'essaie de lire un livre dans la bibliothèque de mon père. Si je l'ai pris, c'est parce qu'il était au-dessus des autres et était le plus petit de tous. Sur la couverture il y a l'image d'un jeune homme blanc. Quand tu le vois il te paraît très malin, très au courant des choses que même les vieillards ne sauront pas jusqu'à leur mort. Il est comme un ange avec sa main gauche qui tient son menton. Son sourire me pousse moi aussi à sourire, même si ce n'est qu'une image qui est en face de moi, pas une personne en vrai. Je me dis : Comme tous les Blancs ce jeune homme a beaucoup de cheveux, et ces cheveux poussent plus vite que les nôtres grâce à la neige qu'ils ont chez eux et qu'on n'a pas chez nous. C'est pas normal.

Derrière le livre on explique de quoi ça parle, qui l'a écrit. On raconte donc la vie du jeune homme au visage d'ange. En lisant ça je pense : Mais à quel moment il a eu le temps de faire ces choses qu'on raconte ici alors qu'il est très jeune, hein ? On dit par exemple que son père a aban-donné sa mère. Que sa mère s'est occupée toute seule de cinq enfants. Qu'il a écrit des poèmes très

tôt et que même un adulte qui s'appelle Paul Verlaine l'a tellement aimé qu'il a failli le tuer avec un
pistolet. Cet adulte et lui ils avaient d'autres types
de relations qu'on n'explique pas clairement ici
on dirait que c'est honteux de les dévoiler. Ce
Paul Verlaine a blessé au poignet le pauvre jeune
homme avec un pistolet et on l'a mis en prison
pour ça. On dit aussi que si ce Paul Verlaine s'était
mal comporté c'était parce qu'il avait des soucis
avec sa femme et qu'il avait bu de l'alcool le jour
où il avait rendez-vous avec le jeune homme au
visage d'ange. Or quand tu es saoul tu ne contrôles
plus ce que tu es en train de dire ou de faire aux
gens, tu dis n'importe quoi, tu fais n'importe quoi,
tu ne marches pas tout droit parce que tu penses
que les routes ne sont pas bien tracées et que les
voitures qui passent ne sont que des jouets en plastique comme ceux que tonton René me donne
pour que je joue à l'agriculteur à Noël ou à la
Saint-Michel. Oui, lorsque tu es saoul tu ne fais
plus que discuter avec des gens qui n'existent pas,
des gens invisibles que les fabricants d'alcool
mettent dans les bouteilles. Tu peux aussi rire ou
insulter les passants qui ne t'ont rien fait. Je sais
ces choses parce que monsieur Vinou, un de nos
voisins, est un soûlard comme il n'y en a pas deux
sur Terre. Quand il a bu, il parle en regardant
dans notre parcelle on dirait que c'est nous qui le
poussons à boire son alcool de maïs ou son vin
rouge dans les bars du quartier Trois-Cents. Cet
alcool a rougi ses lèvres et le type cherche tout le
temps la bagarre alors qu'il n'est pas fort. Il hurle
toujours : Pourquoi quand je bois mon pot tout le
quartier est contre moi ? Le jour où il aura un pis-

tolet comme ce Paul Verlaine, il tirera sur tout ce qui bouge. Mais comme il n'a pas encore de pistolet il engueule ses six enfants, il les traite de bâtards, de crapauds de la brousse, de criquets de l'Afrique de l'Ouest, etc. Il dit de sa femme que c'est pas une femme, c'est une poubelle publique dans laquelle les hommes du quartier Trois-Cents viennent jeter les ordures et ces ordures ne font plus que pourrir et puer dans son corps. Lorsqu'il a envie de pisser ou de faire d'autres besoins qui puent, monsieur Vinou sort de sa parcelle, baisse son pantalon et fait tout ça dans la rue alors qu'il a des toilettes au fond de sa parcelle. Est-ce que ça c'est un comportement d'un homme normal? Si quelqu'un commence à oublier qu'il a des toilettes dans sa parcelle, c'est que l'alcool ça pousse à faire des choses graves et c'est pour ça que ce Paul Verlaine avait peut-être tiré son coup de feu sur le jeune homme au visage d'ange.

*Une saison en enfer*, c'est le titre du petit livre que je feuillette. Il y a dedans un autre titre que j'aime bien : *Mauvais sang*. C'est on dirait une façon de parler de chez nous. En lingala, *mauvais sang* signifie *makila mabé*. Or quand maman Pauline dit en lingala que quelqu'un a le mauvais sang ça veut dire qu'il est mal né, qu'il n'a pas de chance, qu'il est foutu, que même les oiseaux qui passent dans le ciel font caca sur lui. Je ne sais pas si c'est ce que voulait dire aussi ce jeune homme au visage d'ange qui devait être en colère pour choisir un titre comme ça qui peut porter la malchance à celui qui va lire son livre.

Je m'arrête sur une page et je lis tout bas on dirait que je suis en train de prier :

*J'ai horreur de tous les métiers. Maîtres et ouvriers, tous paysans, ignobles. La main à plume vaut la main à charrue.*

On dit derrière la couverture du livre que c'est un livre de poèmes, or il n'y a pas de lignes qui sont séparées et qui sonnent pareil à la fin comme dans le poème que Lounès m'avait récité. Est-ce que ça signifie que je ne suis pas obligé de suivre ce que Lounès m'a raconté ? Y a des mots et des expressions très difficiles pour moi dans ce poème. Il faut que je demande l'explication à Lounès ou que Lounès demande à son professeur au collège. Par exemple j'ignore ce que veut dire «la main à plume». C'est peut-être la main d'un sorcier blanc qui se déguise la nuit en oiseau pour prendre les enfants et les emmener en enfer pendant une saison. Oui, c'est peut-être ça puisque, un peu plus haut, le jeune homme parle de ses ancêtres qui sont des Gaulois et que ces Gaulois étaient de vrais bandits, ils étaient « *les écorcheurs de bêtes, les brûleurs d'herbes les plus ineptes de leur temps*». C'est bizarre car nos ancêtres à nous aussi étaient comme ça. Ils sont peut-être les parents lointains de ces Gaulois. Je comprends maintenant pourquoi mon père m'a dit un jour qu'à son époque, à l'école, on leur faisait répéter que nos ancêtres étaient des Gaulois.

Dans le poème en question, je trouve «la main à charrue». J'ai déjà entendu le mot «charrue» de la bouche de tonton René lorsqu'il me parle de l'agriculture. Quand je veux vite faire les choses ou que je les fais dans le désordre, il m'engueule et me lance :

— Ne mets pas la charrue avant les bœufs !

Donc la charrue doit toujours être derrière les bœufs pour qu'ils la tirent. Or le jeune homme parle de «la main à charrue». Ça complique les choses parce que, entre la main qui a la plume et la main qui a la charrue, je suis vraiment perdu.

Quand tu entres dans l'atelier de monsieur Mutombo, tu as l'impression d'être dans un tunnel avec des vêtements qui pendent au-dessus de ta tête. Le père de Lounès a deux jeunes apprentis très silencieux tout au fond là-bas et qui répètent les mêmes gestes on dirait deux robots. C'est eux qui mettent les boutons sur les chemises et les pantalons une fois que monsieur Mutombo a fini de les coudre. Je ne les ai jamais vus poser un tissu sur la table, prendre des ciseaux et le couper. Donc je me demande s'ils sont capables de fabriquer même un coupé d'un enfant de l'école maternelle. Si tu essaies de leur parler, ils te regardent avec des gros yeux parce qu'ils ont peur d'ouvrir leur bouche sinon monsieur Mutombo va leur crier : Bande de fainéants, je vais vous renvoyer chez vos parents et c'est vous qui allez rembourser l'argent qu'ils ont payé pour votre formation !

Ce qu'ils aiment le plus, c'est surtout le moment où ils prennent les mesures des femmes. Ils leur disent d'enlever leurs habits, y compris le slip, et ils regardent beaucoup d'autres choses que les femmes ne montrent normalement qu'à leur mari ou au docteur. L'endroit où on prend les mesures des femmes c'est tout au fond, à droite. C'est difficile de bien voir ce que les apprentis sont en train de faire. On entend à peine un des deux qui ordonne à la femme : Enlève le haut, enlève le bas, enlève aussi le slip, mets-toi toute droite la tête bien levée et ferme les yeux.

Pour les hommes c'est autre chose : on leur prend les mesures devant tout le monde. Quand c'est comme ça moi je ferme les yeux parce que la plupart de ces hommes ont de gros ventres alors qu'ils ne sont pas des chefs ou des capitalistes qui exploitent les prolétaires. Ils ont aussi de longs poils sous les aisselles, parfois c'est des poils qui sont tout blancs on dirait que c'est la cendre qu'on a mise dessus ou de la poudre qui est collée là depuis au moins une semaine.

Il fait toujours noir dans cet atelier qui était autrefois l'endroit où les prêtres de l'église Saint-Jean-Bosco rangeaient les pelles, les râteaux et les pioches. D'ailleurs, comme l'église n'est qu'à quelques mètres, quand la cloche sonne là-bas, monsieur Mutombo dit à tout le monde de faire une minute de silence parce que c'est le prêtre qui lui a donné gratuitement ce petit bâtiment. Je ne sais pas comment il s'arrange dans le noir pour que l'aiguille de sa machine Singer ne pique pas ses gros doigts. Comme il est très chauve avec seulement quelques cheveux gris près des oreilles, je me dis que c'est son crâne qui met un peu de lumière là-dedans car lorsqu'il sort pour fumer il fait encore plus noir à l'intérieur, et dès qu'il revient il y a un peu de lumière qui revient aussi. Je n'ai pas vu un crâne briller comme ça dans le quartier. Peut-être qu'il met de l'huile de palme dessus ou alors c'est madame Mutombo qui frotte ce crâne chaque matin avec une pommade spéciale.

Si je me retrouve aujourd'hui dans l'atelier de monsieur Mutombo, c'est parce que je suis venu réparer ma chemise que Lounès a déchirée la dernière fois quand on était au stade Tata-Luboko et que je m'étais échappé avant le début du match. Non, je ne vais pas dire à monsieur Mutombo que c'est son fils qui est responsable. Lounès ne l'avait pas fait exprès. Il voulait simplement que je reste avec lui regarder le match même si Caroline était présente pour supporter les Caïds de Tié-Tié qui ont finalement gagné. J'ai entendu que c'est Mabélé qui a marqué les trois buts de la partie. Je savais de toute façon que cette équipe allait gagner puisque leur féticheur avait fait tomber la pluie pour bien mouiller les fétiches des Dragons de Voungou et les rendre impuissants. Il paraît aussi que dès que le ballon arrivait devant les buts des Caïds de Tié-Tié, grâce aux fétiches il y avait des joueurs invisibles qui soufflaient dessus, le ballon allait ailleurs, les buts ne pouvaient donc pas entrer. Par contre, quand Mabélé, tout fier de porter le numéro 11, était en face du gardien des Dragons de Voungou et qu'il allait tirer, le pauvre gardien voyait une sagaie à la place du ballon, il s'écartait aussitôt parce qu'il pouvait mourir pour rien, et c'est là que le but entrait.
Si moi j'étais un arbitre de foot de ce quartier je donnerais aussi des cartons rouges aux féticheurs assis derrière les filets puisque c'est eux qui déci-

dent quelle équipe va gagner ou si ça sera un match nul. Et s'il y a un match nul c'est parce que les deux équipes ont choisi des féticheurs qui ont la même puissance, donc les mêmes gris-gris.

Je viens enfin de remettre ma chemise déchirée à monsieur Mutombo qui la regarde comme si c'était un vieux chiffon alors que c'est lui qui l'a cousue l'année dernière.

— Qu'est-ce qui s'est passé ? On se bagarre à l'école, et c'est moi Mutombo qui dois recoudre la chemise ?

— Je n'ai pas fait la bagarre, monsieur Mutombo.

— C'est donc un fantôme qui a déchiré ta chemise, hein ?

Les apprentis font semblant de travailler. Je sens qu'ils vont éclater de rire d'un moment à l'autre. Ils se sont un peu rapprochés de nous pour mieux apercevoir ma chemise.

— Qui a fait ça ? reprend monsieur Mutombo.

Je ne réponds pas.

— D'accord, si tu ne me dis pas qui a fait ça, je garde ta chemise avec moi, je vais la montrer à Roger et Pauline ce soir. Tu vas rentrer chez toi torse nu !

Moi je ne veux pas rentrer à la maison torse nu, les gens risquent de se moquer de moi dans la rue. Et puis j'aime pas qu'on voie que je n'ai pas encore de muscles. C'est surtout les filles qui vont beaucoup rire. Non, il faut que je parle.

— Je vais dire qui a fait ça...

— Ah nous y voilà ! Alors, c'est qui ?

— C'est moi-même.

— Intéressant ! Et comment ça s'est passé ?

— C'est difficile à expliquer. J'étais assis comme ça, j'ai mis mon dos contre le mur et là, paf, il y avait un clou comme par hasard. Donc voilà qu'au moment où je veux me lever pour...

— Michel, arrête ce petit cinéma de quartier ! Je constate que tu aimes bien Lounès et tu le défends jusqu'à t'accuser toi-même. Eh bien, lui il m'a tout avoué. Tout ! C'est lui qui t'a tiré par la chemise...

Je comprends maintenant pourquoi les deux apprentis allaient rire tout à l'heure. Ils savaient, eux aussi, que c'était l'enfant de leur patron qui avait déchiré ma chemise.

Monsieur Mutombo se retourne vers eux :

— Longombé, occupe-toi de la chemise du petit rapidement. Et toi, Mokobé, fais les ourlets du pantalon de monsieur Casimir qui me casse les pieds depuis hier alors que je n'arrête pas de lui dire qu'il est petit de taille et que les ourlets vont encore le rendre plus petit que le président des Gabonais.

Moi j'avance vers monsieur Mutombo et lui souffle dans l'oreille :

— En fait j'ai un petit problème très grave...

— C'est quoi ton petit problème très grave ?

— Vos apprentis...

— Qu'est-ce qu'ils t'ont fait ?

— Eux ils ne font que les boutons et moi j'ai peur qu'ils gaspillent ma chemise. Ma mère va me blâmer si c'est comme ça.

Monsieur Mutombo éclate de rire. Ses apprentis qui m'ont entendu en profitent pour bien rire parce qu'ils ont caché leur rire depuis trop long-temps. Et quand on a trop caché le rire on n'arrête plus de rire après. Comme tous les trois rient à mourir, moi aussi je me mets à rire et je ne peux plus m'arrêter. Or, lorsque je ris, ça fait beaucoup rire les autres gens parce que je ris souvent comme un petit chacal qui est en train de tousser. Donc tous les quatre on ne fait plus que rire jusqu'au moment où une femme se pointe devant la porte de l'atelier. On dirait qu'elle ne peut pas entrer ni de face ni de profil. Sa silhouette est tellement immense que c'est comme si la porte venait d'être fermée par un extraterrestre. Même le crâne de monsieur Mutombo n'éclaire plus l'atelier. Les joues de cette femme sont gonflées comme quelqu'un qui souffle dans la trompette ou qui a deux grosses mandarines dans sa bouche. Quand je vois ça, je me tiens encore plus les côtes, je n'en peux plus, j'étouffe de rire, je montre du doigt cette femme et me dis que les autres ne peuvent que rire avec moi dans cet atelier. Mais je n'entends plus personne. Tous me regardent. Monsieur Mutombo racle sa gorge et me fait un signe de la tête on dirait qu'il me demande de ne plus rire. C'est là que j'arrête de rire d'un seul coup et que j'essuie mes larmes avec un bout de ma chemise.

Longombé se met debout comme un élève bavard que le maître vient d'appeler pour aller écrire cent fois au tableau : *Je ne bavarderai plus en classe pendant la leçon de Morale.* Il passe devant moi avec ma chemise déchirée entre ses mains et va vers la femme qui s'est maintenant déplacée de la porte. Quand elle a bougé, j'ai cru qu'on avait allumé les lampadaires de l'avenue de l'Indépendance dans l'atelier. Pendant que Longombé et cette femme discutent dehors, monsieur Mutombo se penche vers moi :

— Il ne fallait pas rire ! Est-ce que tu sais qui est cette femme ? C'est la maman de Longombé ! Elle vient demander un peu d'argent à son fils tous les jours.

Voici Longombé qui revient dans l'atelier. Il repasse devant moi et me regarde d'une façon bizarre. Moi je me dis : Ça y est, il est fâché, il va vraiment gaspiller ma chemise pour se venger.

L'élève le plus intelligent de notre classe s'appelle Adriano et il vient de l'Angola. S'il est très clair de peau c'est parce que parmi ses grands-parents il y en a qui ont eu des enfants avec des Portugais. C'est pour ça qu'on ne l'embête plus avec cette histoire de peau puisqu'il n'y est pour rien et que c'est la faute aux Portugais s'il n'est pas très noir comme nous.

Dès le premier jour où Adriano est arrivé en classe, notre maître nous a appris que son père avait été tué pendant la guerre civile qui se passe dans son pays. Adriano est venu se réfugier à Pointe-Noire avec sa mère pour qu'on ne les tue pas aussi. Chez eux, quand il fait nuit, les miliciens d'un Angolais méchant qu'on appelle Jonas Savimbi attaquent l'armée du président Agostinho Neto. On a tous eu très peur lorsque le maître a rappelé que l'Angola c'est pas loin de notre pays et qu'on peut venir de là-bas à pied en passant par un tout petit pays qui s'appelle le Cabinda où il y a le pétrole en pagaille comme chez nous. Si on a eu très peur, c'est surtout parce qu'on a imaginé que le bandit Jonas Savimbi et ses miliciens pourraient un jour venir à pied dans notre pays pour embêter aussi notre président et nous pousser dans la guerre civile. On a su qu'il y a beaucoup de militaires cubains et russes en Angola pour aider le président Agostinho Neto à rester au pouvoir parce que, le pauvre, il n'est pas attaqué seulement par Jonas Savimbi, il y a encore d'autres ennemis qui ont créé le Front national de libération de l'Angola, le FNLA, et leur chef à eux c'est un certain Holden Roberto qui ne rigole pas. Agostinho Neto est coincé entre Jonas Savimbi et Holden Roberto, qui sont aidés directement ou en cachette par les impérialistes.

À la fin de ses explications, le maître était content de nous dire que notre pays aime le président Agostinho Neto parce qu'il est communiste comme nous. Cela a fait très plaisir à Adriano.

En classe nous sommes placés par rapport à notre intelligence. Quand tu entres, le premier rang que tu vois c'est celui des trois premiers de la classe : Adriano, Willy-Dibas et Jérémie. Le deuxième rang c'est pour les quatrième, cinquième et sixième meilleurs élèves. Et c'est comme ça jusqu'au fond de la classe. Les plus idiots c'est ceux qui sont au dernier rang. On les laisse là-bas pour qu'ils bavardent entre eux et se lancent de l'encre dans la figure.

Aussitôt que le maître pose une question, Adriano a déjà la réponse on dirait qu'il l'avait rêvée la nuit comme le criminel Idi Amin Dada qui rêvait des choses qu'il allait faire contre les Asiatiques. Notre maître dit chaque fois à Adriano : Toi tu ne réponds pas à la question, laisse aux autres la chance de répondre et d'être intelligents au moins pendant quelques minutes de leur vie. Adriano n'est pas du tout content, il veut répondre à toutes les questions. Ça sert donc à quoi que nous on vienne en classe s'il y a un Angolais qui a toutes les réponses même sur les choses qui concernent notre pays comme les rivières et les fleuves ? Adriano n'aime pas que derrière lui quelqu'un d'autre trouve la solution. Mais quand personne n'est capable de répondre — et c'est tout le temps comme ça — le maître est obligé de dire : Adriano, maintenant tu peux répondre. Lorsqu'il a trouvé la solution, on doit l'applaudir debout pendant plus de cinq minutes. Son visage devient rouge comme une tomate et le maître lui donne un cadeau : une boîte remplie de craies, un cahier et un manuel avec les résumés des discours de notre président de la République.

Au milieu de la classe, nous les moyens on rêve d'arriver un jour jusqu'au premier rang à côté d'Adriano, mais c'est pas facile. Quand tu as reçu une meilleure note que ton camarade qui est au rang supérieur, tu prends sa place, lui il recule jusqu'à ton rang de derrière. Parfois j'étais arrivé jusqu'au troisième rang, mais le lendemain je reculais et revenais à mon rang du milieu parce que le camarade à qui j'avais pris la place était allé bien étudier le dimanche du matin jusqu'au soir pour reprendre son rang d'un des dix premiers de la classe. Il n'y a que le premier rang qui ne bouge jamais car Adriano, Willy-Dibas et Jérémie sont si intelligents qu'ils se parlent entre eux pour qu'on n'arrive pas à les rejoindre. Si ces trois-là sont fâchés contre toi, ils donnent un petit bout de papier à ton camarade d'à côté qui ne t'aime pas. Sur ce papier il y a les réponses aux questions, et ce camarade que tu n'aimes pas n'a plus qu'à recopier. Lorsque tu viens en classe le lendemain, le camarade en question a changé de place, il est maintenant juste derrière Adriano, Willy-Dibas et Jérémie. Et toi tu es en colère.

Moi je fais tout pour ne pas reculer jusqu'au dernier rang et rester dans le rang des moyens. Dans ce rang-là on ne t'embête pas, on ne te voit pas car le maître ne voit souvent que les premiers et les derniers de la classe.


Nous les garçons on porte une chemise kaki et un coupé bleu tandis que les filles portent une chemise orange et une jupe bleue. Chaque matin tu ne rentres pas en classe si tu ne récites pas les quatre premiers articles de la loi du Mouvement national des pionniers, le MNP. Moi je les connais maintenant par cœur. Parfois je rêve que je suis en train de les réciter dans un stade plus rempli que le stade de la Révolution. Chaque soir avant de me coucher et tous les matins avant de me lever, je les récite. Je ferme les yeux, j'imagine que je suis quelqu'un qui servira demain notre pays, que c'est grâce à moi que le capitalisme ne gagnera pas sa victoire chez nous, et je murmure comme une prière ces quatre articles :

*Article premier : Le pionnier est un militant conscient et efficace de la jeunesse. Dans tous ses actes il obéit aux ordres du Parti congolais du travail.*

*Article 2 : Le pionnier vit à l'exemple de l'immortel Marien Ngouabi, fondateur du Parti congolais du travail.*

*Article 3 : Le pionnier est économe, discipliné et travailleur, il accomplit sa tâche jusqu'au bout.*

*Article 4 : Le pionnier respecte la nature et la transforme.*

Il y a dans notre classe un élève qui se prénomme Bouzoba et qui n'est pas intelligent. Quand je dis qu'il n'est pas intelligent je suis très gentil car Bouzoba est le plus idiot de tous les idiots de la classe et il est donc assis au dernier rang, dans un coin où il peut faire toutes ses bêtises en cachette. C'est d'ailleurs lui qui a inventé le fameux « jeu du miroir » qui fait maintenant fureur dans la cour de récréation. Pendant la récréation il se promène avec un petit miroir dans sa poche et lorsque les filles sont en train de jouer il vient derrière l'une d'elles qui est debout, il dépose son petit miroir par terre entre les jambes de la fille pour voir la couleur de son slip. Et puis il vient nous apprendre que la fille qui est debout là-bas a un slip rouge, que l'autre qui est à côté d'elle a un slip vert troué. Et quand ces filles passent devant nous on leur lance : Marguerite, tu as un slip rouge ! Célestine, tu as un slip vert troué ! Les pauvres filles se mettent à pleurnicher et vont rapporter au maître qu'on a vu le slip rouge de Marguerite et le slip vert troué de Célestine. Le maître aussi va dire au directeur qu'il y a des élèves qui ont vu le slip rouge de Marguerite et le slip vert troué de Célestine. Et le directeur vient en personne fouetter tous les garçons de la classe puisque nous n'avons pas eu le courage de dénoncer Bouzoba sinon, comme il est musclé et fort, il va nous tabasser dans la cour de récréation, il va nous condamner à payer une amende pendant un mois : lui donner chaque jour notre argent de poche et lui gratter les fesses quand il a des démangeaisons.

Or le directeur est très malin et il veut à tout prix savoir qui a inventé ce jeu du miroir. Après nous avoir bien tapés, il se met sur l'estrade et nous demande :

— Qui peut me dire la couleur du slip de Célestine ?

Il y a un silence dans la classe, on entend voler les mouches. Le directeur répète sa question avec un grand sourire comme pour nous promettre qu'il ne va pas frapper celui qui dira la couleur du slip de Célestine. Et c'est là que cet idiot de Bouzoba lève son bras droit depuis le fond de la classe pour hurler :

— Monsieur le Directeur, le slip de Célestine c'est vert !

— Ah bon ? Comment tu le sais ?

— J'ai vu ça avec mon miroir !

Il sort le miroir de sa poche, l'agite en l'air et ajoute :

— Je ne mens pas, monsieur le Directeur, voici mon miroir !

Le directeur tire Bouzoba par l'oreille, l'emmène dans son bureau pour le fouetter encore plus et le punir à ranger les livres et à essuyer les fenêtres...

Comme les tables-bancs sont trop petites, nous sommes serrés les uns contre les autres. C'est pas difficile de lire ou de copier ce que le camarade d'à côté est en train d'écrire si on n'a pas appris sa leçon. Nous le faisons tous. Moi je ne veux plus regarder chez quelqu'un parce qu'à chaque fois je recopie ses fautes. Quand quelqu'un écrit vite comme s'il sait ce qu'il est en train d'écrire, comment tu vas croire qu'il fait des fautes? Donc tu recopies sans réfléchir parce que si le camarade écrivait n'importe quoi il ne l'écrirait pas aussi vite on dirait quelqu'un qui est intelligent comme Adriano, Willy-Dibas ou Jérémie.

Le maître nous dit :

— Celui qui finit vite son devoir peut aller à la maison avant les autres.

Je sais que c'est un piège pour attraper certains idiots. Moi Michel je ne me laisse pas prendre, je travaille à mon rythme. D'ailleurs il vaut mieux écrire doucement, même si on va être le dernier à sortir de la classe. Au moins le lendemain matin, lorsque le maître va corriger les devoirs, il ne va pas te fouetter. Il va se rappeler que tu n'étais pas pressé d'aller à la maison pour manger et dormir comme l'enfant d'un capitaliste. Il va croire que tu aimes tellement l'école que tu ne voulais pas aller à la maison. Là il ne va plus te frapper très fort.

À Téhéran c'est maintenant la pagaille. Les étudiants iraniens ont pris des otages à l'ambassade de l'Amérique alors que l'Amérique c'est le premier pays du monde. Papa Roger rappelle qu'en principe ce sont les Américains qui aident les gens quand il y a une guerre mondiale contre les Allemands. Les Américains débarquent toujours en Europe, dans un coin qui s'appelle la Normandie et où il y a une plage. Ils sortent des armes compliquées et ils tirent jusqu'à ce qu'il n'y ait plus un seul Allemand qui veut occuper la France et massacrer les Juifs. Alors je me demande comment ces étudiants iraniens peuvent avoir le courage d'aller provoquer un pays comme l'Amérique et enfermer cinquante ou soixante Américains dans la cave d'une ambassade ? Est-ce que l'ayatollah Khomeyni est plus fort que le président des Américains ?

Roger Guy Folly explique que ces étudiants iraniens ne vont pas libérer les otages si les Américains ne leur rendent pas le chah d'Iran qui est hospitalisé chez eux. Et les Américains qui ne savent plus quoi faire acceptent donc de discuter avec ces étudiants. Comme ils veulent vraiment discuter pour sauver leurs compatriotes, c'est Yasser Arafat qui va arbitrer ces discussions. Papa Roger souligne qu'il nous avait déjà parlé de ce Yasser Arafat qui a été le témoin de mariage d'Idi Amin Dada lorsque celui-ci épousait sa cinquième femme. Yasser Arafat c'est lui le président de la Palestine, un pays que les gens ne veulent pas reconnaître que c'est un pays comme notre pays. Il doit être très content d'être l'arbitre dans cette histoire d'otages américains. Si moi j'étais à sa place, j'irais dire aux Américains qui veulent discuter : D'accord, je veux bien vous aider pour que les Iraniens libèrent vos cinquante ou soixante compatriotes qui sont enfermés dans la cave de votre ambassade. Mais j'ai une demande importante à faire : il faut d'abord qu'on accepte que mon pays la Palestine existe, je veux qu'on l'accepte tout de suite et maintenant sinon moi je dis aux étudiants iraniens de continuer à garder vos citoyens dans cette cave !

Hier dans l'après-midi un type a embrouillé la femme de Yeza le menuisier qui habite en face de nous et ça s'est très mal passé. Cet embrouilleur, on le surnomme «Le Siffleur de femmes» car il baratine toujours les femmes mariées on dirait que dans cette ville il manque de femmes célibataires alors que d'après les grandes personnes il y a plus de femmes que d'hommes dans notre pays et c'est normal que les hommes épousent trois ou quatre femmes.

Le Siffleur de femmes ignorait que Yeza se trouvait dans son atelier en train de fabriquer un cercueil. Il en fabrique d'avance pour ne pas être en rupture de stock au cas où il y aurait plusieurs morts dans la journée. En plus, il y a aussi des gens qui commandent déjà un cercueil dès que leur parent est hospitalisé sinon ça va leur coûter trop cher après. Si tu discutes le prix d'un cercueil alors que quelqu'un est mort, le menuisier va te répondre en te regardant des pieds à la tête : Eh bien, fabrique ce cercueil toi-même si tu n'es pas d'accord avec mon tarif !

Dès que la femme de Yeza a entendu les sifflets

dehors, elle a vite quitté leur parcelle et a suivi Le Siffleur de femmes jusqu'au bout de l'avenue de l'Indépendance. Au même moment j'ai vu Yeza sortir de son atelier avec un marteau à la main et je me suis dit : C'est fini, c'est Le Siffleur de femmes qui va entrer dans le cercueil que le menuisier est en train de fabriquer.

J'ai suivi la foule qui marchait derrière le menuisier et qui criait déjà : *Ali boma yé! Ali boma yé! Ali boma yé!* Dans le quartier si on crie comme ça c'est qu'il y a une bagarre qui se prépare. C'est une façon de chauffer la foule et de pousser les bagarreurs à ne pas changer d'avis. Papa Roger pense que ces cris d'*Ali boma yé!* ce sont les Zaïrois qui les ont prononcés pour la première fois l'année où les boxeurs Mohammed Ali et George Foreman sont venus combattre dans notre continent comme s'il n'y avait plus de place chez eux là-bas en Amérique. Il paraît que si ces deux Noirs américains sont venus se battre au Zaïre c'était pour être proches de leurs ancêtres noirs. Celui qui faisait la publicité de leur combat s'appelait Don King, un autre Noir américain avec une touffe de cheveux tellement grosse qu'un oiseau pouvait croire que c'était un arbre et se poser dessus pour faire son nid et pondre ses œufs. Selon papa Roger, ce Don King avait reçu des millions et des millions du dictateur Mobutu Sese Seko pour organiser ce combat mais le Noir américain ignorait que si le président zaïrois avait donné tout cet argent c'était pour faire sa propre publicité et laisser croire au monde entier que lui il était un homme bon alors qu'il est méchant, qu'il fait peur à son peuple, qu'il vole l'argent de l'État et le cache dans les banques d'Europe, qu'il est un des assassins de Patrice Lumumba, l'homme qui avait tout fait pour que le Congo belge soit un pays libre.

Chaque fois que mon père me parle de ce combat de boxe, moi je m'écarte un peu parce qu'il essaie d'imiter le direct droit d'Ali qui a mis K-O Foreman. Si tu es trop près de mon père, tu risques de recevoir son coup dans la mâchoire. D'après lui, au départ, les Zaïrois aimaient pourtant George Foreman : il avait la peau plus noire que Mohammed Ali, donc il était le vrai Africain. Ali était trop clair de peau comme notre camarade de classe Adriano, et c'était suspect pour les Zaïrois d'avoir une peau comme ça et de prétendre qu'on est noir. Mais quand Foreman est descendu à l'aéroport de Kinshasa avec son grand chien qui avait la langue dehors et les oreilles droites on dirait les antennes de Radio-Congo, tout le monde a eu peur. Les Zaïrois ont dit : Ce chien a la même figure que les chiens des Belges qui nous commandaient pendant la colonisation ! Comment un Noir peut avoir un chien de la même famille que les chiens des colonisateurs ? Comment il peut emmener jusqu'ici un chien qui nous rappelle ces chiens éduqués pour sentir l'odeur du Noir et le retrouver en brousse, dans la nuit profonde, lorsqu'il essayait de fuir les brimades des Blancs ? Les Zaïrois se sont encore dit : Ce Foreman n'est pas un vrai Noir comme nous, il veut devenir comme les Blancs, il faut donc qu'Ali le mette K-O pour venger nos parents et nos grands-parents qui ont été mordus par les chiens des Belges. En plus, regardez comment Ali est simple et fait son footing avec les petits enfants le long de notre fleuve et dans les rues de Kinshasa alors que ce vendu de Foreman reste dans sa salle d'entraînement à frapper comme un fou contre un sac rempli de sable. Ali c'est un homme du peuple. Ali il est comme nous. Il faut qu'on l'aide à gagner même si Foreman n'a jamais été battu. Nous on a les fétiches avec nous. Nous on a nos ancêtres avec nous. On va demander à nos fétiches et à nos ancêtres de supporter Ali. Et nos fétiches vont boxer à la place d'Ali. Et nos ancêtres vont faire que Foreman se fatigue vite, qu'il ne voie pas par où les coups d'Ali vont arriver.

Le jour du combat, au stade du 20-Mai, Ali dansait sur le ring avec son jeu de jambes. Nos ancêtres l'aidaient pour qu'il soit souple. Il évitait les coups, il s'appuyait sur les cordes, il laissait Foreman frapper, frapper, frapper. Foreman était fatigué de frapper. Ali a commencé à travailler, à écouter nos ancêtres, à suivre ce que lui dictaient nos fétiches. Au lieu de frapper avec la gauche puisqu'il est gaucher, il frappait avec la droite. Et au huitième round, paf! le coup d'Ali est parti. Foreman n'a pas vu venir ça, il a perdu la force de ses jambes, il est tombé comme un gros sac de patates. Quand il s'est relevé, le combat était déjà fini. Ali avait gagné. Et il a commencé à pleuvoir. Ça voulait dire que nos ancêtres étaient contents, qu'ils arrosaient la victoire de Mohammed Ali.

Quand j'ai donc entendu cette foule du quartier crier derrière le menuisier *Ali boma yé! Ali boma yé! Ali boma yé!* moi aussi j'ai commencé à crier comme tout le monde. Mais je ne savais pas qui dans cette bagarre allait être Ali et qui allait être Foreman. La femme du menuisier avait entre-temps disparu.

Le Siffleur de femmes a vu venir Yeza avec son marteau. Il a voulu fuir, la foule l'a vite rattrapé.

Quelqu'un lui a dit :

— Tu ne vas pas t'enfuir comme ça, il faut te battre ! Tu veux nous faire rater la bagarre ou quoi ? Allez, bats-toi !

Il a répondu :

— Ah non, je ne vais me battre que si mon adversaire laisse son marteau par terre.

La foule s'est retournée vers Yeza :

— Laisse ton marteau par terre ! Laisse ton marteau par terre ! Laisse ton marteau par terre ! Laisse ton marteau par terre si tu es un homme avec de vraies couilles !

Comme le menuisier ne voulait pas lâcher son marteau, un homme grand et fort comme un baobab de cent ans le lui a arraché. On a formé un cercle autour des deux bagarreurs. L'homme qui est grand et fort comme un baobab de cent ans a dit aux deux adversaires :

— Le menuisier Yeza va faire Foreman parce qu'il est plus musclé, Le Siffleur de femmes va faire Ali parce qu'il est plus beau.

Ça a énervé d'un coup Yeza, lui qui voulait faire Ali parce que c'est Ali qui gagne toujours.

— En quoi Le Siffleur de femmes est plus beau que moi, hein ?

Le Siffleur de femmes a ricané, et tout le monde a ricané avec lui, ce que Yeza n'a pas apprécié.

— Pourquoi vous riez tous avec lui, hein ? Vous le soutenez ou quoi ? Vous ne voyez pas qu'il fout la pagaille dans les ménages des gens ? Eh bien, je vais vous montrer que c'est moi Yeza le vrai Mohammed Ali !

D'un bond le menuisier s'est jeté sur Le Siffleur de femmes, mais celui-ci, comme un chat, l'a retourné et s'est retrouvé au-dessus. Les deux hommes mangeaient maintenant de la poussière. Moi je ne savais plus qui était désormais au-dessus et qui était en dessous. Les coups partaient dans n'importe quelle direction. Quand Yeza était en bonne position, une main dans la foule le poussait, et il se retrouvait en dessous. Quand Le Siffleur de femmes était au-dessus, une autre main le poussait et il se retrouvait en dessous. La bagarre qui avait commencé au milieu de l'avenue de l'Indépendance se poursuivait tout au bout là-bas et on ne faisait que pousser les deux bagarreurs. Personne n'allait les séparer.

Après plus de dix minutes de combat, j'ai vu les gens s'enfuir, sauter les barrières des parcelles. Les sirènes de la police résonnaient. Je me suis dit : La police, quand elle arrive, elle frappe d'abord les témoins avant de savoir qui se battait. J'ai aussi fui comme les autres. Je suis resté devant notre parcelle, et c'est de là que j'ai vu Yeza rentrer chez lui avec la chemise déchirée et du sang sur le visage on dirait qu'il avait combattu dans la même journée contre une tribu de lions et une armée de bonobos. Il est allé directement dans son atelier avec son marteau à la main. Il cognait si fort sur le cercueil que c'était comme si je recevais les coups sur ma poitrine.

J'ai pensé au fond de moi : Qu'est-ce qui va se passer quand sa femme va revenir à la maison ?

Qu'est-ce que Mabélé a vraiment de plus que moi pour que Caroline l'aime au lieu de m'aimer, moi ? J'ai envie de bien le boxer pour qu'il la laisse tranquille. J'imagine déjà notre bagarre : moi je serai Ali et lui il sera Foreman. Je vais voler comme un papillon, je vais piquer comme une abeille, c'est impossible que Mabélé m'envoie un coup de poing car on ne peut pas frapper ce qu'on ne voit pas. Je serai trop rapide, je vais flotter dans l'air, et hop, le coup de poing de Mabélé va passer à côté. Mabélé va rester planté au sol avec ses pieds qui sont plats on dirait la truelle des maçons. En plus, Lounès m'aura déjà appris les katas de maître John, et je vais décoller comme dans les films de Bruce Lee.

Lorsque j'avais vu Mabélé pour la première fois au terrain de foot Tata-Luboko je m'étais dit : Ça c'est un garçon, ça ? Est-ce que Caroline est devenue aveugle ou quoi ? Elle ne voit pas que je suis plus beau que lui ? Elle ne voit pas que les genoux de Mabélé c'est comme des ignames qui ont mal poussé dans la forêt du Mayombe ? Elle ne voit pas que lorsqu'il est debout il ressemble à un dindon à cause de son cou qui ne fait que bouger ?

Bon, c'est vrai que je n'ai pas encore de muscles, mais ça viendra et je serai encore plus beau qu'aujourd'hui. Finalement, qu'est-ce que Caroline cherche ? Elle ne comprend pas que si elle fait ses deux enfants avec Mabélé leurs enfants seront aussi vilains que leur père ? D'accord, leurs enfants seront peut-être intelligents, mais ils seront quand même vilains, un point c'est tout.

Si Caroline aime Mabélé, c'est pour autre chose. Le baratin de Mabélé doit être fort comme celui des grandes personnes. Et ces grandes personnes elles parlent bien aux femmes qui ne font plus que rire, montrer leurs dents et leur langue car ce qu'elles entendent ça les intéresse. Moi je ne suis pas intéressant quand je parle. Pour être intéressant il faut avoir des choses à dire, des choses qui plaisent aux filles. Mais quelles choses alors ? Mabélé n'est qu'un tricheur, il trouve des trucs dans les livres de Marcel Pagnol et il vient les dire à l'oreille de Caroline pour l'envoûter. Moi ce n'est pas avec les poèmes d'Arthur que je vais charmer Caroline. Pour l'intéresser, je pense par exemple à cacher une plume de pintade dans ma poche, et si je la croise, je frotte le bout de la plume dans son oreille. Là c'est sûr qu'elle va bien rire et me trouver plus intéressant que Mabélé.

Je pense aussi, toujours pour intéresser Caroline, que je pourrais faire les gestes de Louis de Funès dans le film *Le Gendarme et les extraterrestres* que Lounès aime beaucoup, lui qui l'a vu trois fois déjà. Il paraît que dans ce film les extraterrestres se transforment, ils prennent la figure des gendarmes, et tout le monde se ressemble tellement qu'on ne sait plus qui est un extraterrestre et qui est un être humain. Moi je vais prendre la figure de Mabélé, et Caroline va croire que c'est son cher Mabélé qui est avec elle alors que c'est moi Michel qui ai pris la figure de Mabélé. Et quand je vais reprendre ma propre figure — parce qu'elle est plus belle que celle de Mabélé —, Caroline va beaucoup rigoler jusqu'à s'étouffer. Ça peut bien marcher puisque, d'après Lounès, l'acteur Louis de Funès fait rire tout le monde : les filles, les garçons, les enfants, les vieux, les animaux, etc. Or moi je ne veux pas faire rire tout ce monde-là. Je ne veux faire rire que Caroline.


Lorsqu'elle est amoureuse, ma mère a l'impression que son cœur tombe dans son estomac. Moi je n'ai pas encore senti ça depuis que je suis né. J'ai un cœur presque immobile. Même si je saute, il ne bouge pas de là où il est. Le jour où j'ai demandé à Lounès s'il avait déjà senti son cœur tomber dans son estomac il m'avait pris pour un fou :

— Le cœur peut tomber dans l'estomac?

Je n'ai pas voulu lui dire que c'est comme ça quand on est amoureux. Lounès, je ne l'ai pas encore vu baratiner les filles. C'est plutôt les filles qui le baratinent et lui il fait comme s'il ne voulait pas, comme s'il n'avait rien remarqué. Or c'est quand il fait comme s'il ne voulait pas et qu'il n'a rien remarqué que les filles se mettent à courir après lui. Et lui il vient vers moi, tout fier :

— Tu vois cette fille? Eh bien, elle veut de moi depuis longtemps mais je vais la laisser souffrir un peu, après quand je vais lui parler, elle sera déjà bien cuite !

Moi j'ai peur de me comporter de cette façon devant Caroline car si je lui montre que je ne veux pas d'elle, que je la fais souffrir, elle va se dire : Tant pis pour toi, Mabélé m'aime et il ne me fait pas souffrir comme toi tu me fais souffrir !

Notre école c'est ce vieux bâtiment en terre cuite rouge avec un toit qui va bientôt s'écrouler si on ne fait rien dans les mois qui arrivent, peut-être même dans les deux ou trois semaines qui arrivent. Les parents d'élèves font des réunions chaque mois pour qu'on répare la toiture. Papa Roger ne veut plus participer à ces réunions. Il pense que les gens sont là à beaucoup parler pour rien avec leur gros français on dirait qu'ils ont été en France comme tonton René alors que non. À la fin ils votent pour décider de la date de la prochaine réunion. Et ils reviendront encore beaucoup parler en gros français pendant que la toiture de l'école continue à se gâter. En plus, il y a des méchants qui ont volé le bois des fenêtres pour faire du feu chez eux. Quand il pleut, l'eau entre dans les salles de classe, nous on doit se regrouper dans un coin pour ne pas se mouiller. C'est pour ça que nous venons à l'école avec nos imperméables et que nos cahiers ont des couvertures en plastique. Déjà qu'il y a l'eau qui entre par le toit, si maintenant elle entre aussi par les fenêtres c'est que ce n'est plus une école qu'on a mais une piscine comme chez les capitalistes du centre-ville qui achètent leur nourriture au magasin Printania.

Si ça sent très mauvais dans la classe, c'est à cause des élèves qui font pipi pendant que le maître est en train de les chicoter. Lorsque tu bavardes trop, le maître te dit de te lever, d'aller te mettre à genoux et de croiser tes bras sur l'estrade devant les autres camarades qui te regardent. Le maître continue à faire sa leçon pendant que toi tu es là en train de te demander : Qu'est-ce qui va se passer lorsqu'il va finir la leçon et qu'il va venir vers moi ? Alors tu pleures d'avance. Or tu gaspilles tes larmes car c'est après qu'il faudra pleurer, une fois qu'on t'aura fouetté. Et comme tu pleures d'avance, on t'entend. Et comme on t'entend, c'est que tu embêtes les camarades qui recopient la leçon, donc tu aggraves ton cas. Le maître se retourne vers toi, il est très fâché. Il va chercher une brique dehors. Il te dit de la tenir bien au-dessus de la tête et de ne pas bouger jusqu'à la fin de la leçon. Si tu laisses tomber la brique, il double ta punition. Tu dois tout faire pour qu'elle ne tombe pas même si elle pèse plus lourd que toi. Là tu transpires, la morve commence à sortir. Comme tu ne veux pas que la morve sorte, tu respires dans toi-même pour que ça reste dans ton nez, et ça fait un bruit bizarre on dirait un caméléon très affamé qui avale des insectes. Le maître revient vers toi, il est encore plus fâché que tout à l'heure parce que tu fais des bruits de caméléon qui avale des insectes. Il demande à l'Angolais Adriano de monter sur l'estrade. Notre meilleur camarade est tout content parce qu'il sait déjà ce qui va se passer.

Le maître lui dit :

— Adriano, récite-nous le discours que l'immortel Marien Ngouabi a prononcé le 31 décembre 1969, le jour de la création de notre courageux Parti congolais du travail.

Adriano se met au garde-à-vous. Il regarde vers le ciel et prend la voix de l'immortel Marien Ngouabi, cette voix qu'on nous apprend aussi pendant le cours de théâtre de la Révolution.

Adriano hurle :

— Pionniers !

La classe répond :

— Servir !!!

Adriano :

— Tout pour le peuple !

La classe :

— Rien que pour le peuple !!!

Adriano :

— Vaincre ou mourir !

La classe :

— Vaincre ou mourir !!!

Adriano :

— Mourir pour qui ?

La classe :

— Mourir pour le peuple !!!

Adriano :

— Mourir pour quoi ?

La classe :

— Mourir pour la Révolution !!!

Maintenant que la classe est bien chauffée, Adriano récite le discours de l'Immortel :

— « *L'année 1969 s'achève. Une année au terme de*

*laquelle nous pouvons mesurer l'étendue du chemin par-*
*couru, les écueils rencontrés, nos joies et nos peines. Bref,*
*encore une année qui nous permet de comptabiliser nos*
*efforts, et surtout nos échecs. Dans cette même année les*
*plus dangereux adversaires avaient un instant caressé*
*l'espoir que le Conseil national de la Révolution serait*
*favorable à une conférence de cadres qui regrouperait un*
*agglomérat de renégats pour tenter de poser le fondement*
*d'une unité nationale basée sur des facteurs prodomi-*
*nants, procolonialistes : le tribalisme, le régionalisme et le*
*sectarisme. Cet espoir — très nourri ces derniers temps*
*dans les milieux réactionnaires — fut vite déçu. Mieux,*
*après une éclatante victoire sur l'impérialisme et les*
*traîtres à la nation, notre jeune et dynamique peuple a*
*osé poser ce jour l'acte le plus audacieux de l'histoire de*
*notre Révolution : le Parti congolais du travail. Le*
*peuple congolais vient de raviver les flammes des journées*
*des Trois Glorieuses. Aujourd'hui et demain nous ne*
*chanterons plus faux L'Internationale. Aujourd'hui,*
*31 décembre 1969, le Congo-Brazzaville entre dans le*
*palmarès de la grande Révolution prolétarienne mon-*
*diale...* »

La classe applaudit. Le maître se tourne vers toi
qui pleures avec ta brique au-dessus de la tête et
t'ordonne :

— Pose la brique par terre, c'est maintenant à
toi de réciter le discours de l'immortel Marien
Ngouabi comme vient de le faire Adriano.

Puisque tu ne peux pas réciter comme Adriano
qui n'a pas bégayé et qui n'a pas oublié un seul
mot, tu pleures encore plus. Alors le maître prend
la chicotte qui est bien cachée dans son sac et la
donne à Adriano :

— Tiens, Adriano, frappe vingt coups de chicotte

sur cet élève qui ne peut pas réciter le plus célèbre discours de l'immortel Marien Ngouabi.

Voilà Adriano qui frappe pendant que la classe compte en chœur jusqu'à vingt et que toi tu cries en appelant le nom de ta pauvre maman qui n'est malheureusement pas au courant de ce malheur qui t'arrive.

On a une carte de la République populaire du Congo accrochée près du tableau, juste à côté de celle de l'Afrique. On doit répéter que la République populaire du Congo est un pays qui se trouve en Afrique centrale, et il est entouré par le Zaïre, l'Angola, le Gabon, le Cameroun et le Centrafrique.

Je dis souvent que notre pays est tout petit, mais il ne faut pas le dire en classe sinon le maître va se fâcher et te chicoter alors qu'on voit bien que sur la carte d'Afrique le Zaïre qui est à côté de nous est plus grand. Le Zaïre est l'un des plus grands pays de notre continent. Non, ça aussi il ne faut pas le dire sinon les Zaïrois vont se réveiller alors qu'ils ne savent même pas que leur pays est plus grand que beaucoup de pays d'Europe et que leur président-dictateur Mobutu Sese Seko a donné des millions et des millions de dollars à Don King pour que George Foreman et Mohammed Ali viennent se battre chez eux alors que le peuple zaïrois vit dans la pauvreté.

Le maître insiste pour qu'on mémorise tous les noms des régions de notre pays, du nord au sud et de l'ouest à l'est. On doit surtout savoir où se trouve exactement le village de l'immortel Marien

Ngouabi. Son village natal c'est Ombélé, et il est situé au nord, dans le district d'Owando. C'est là où il y a une croix rouge sur la carte. Pendant la leçon de Morale on nous apprend que la mère de l'Immortel s'appelle Mama Mboualé, et son père Osseré Dominique. Alors que L'Immortel a été assassiné par des Nordistes comme lui qui voulaient prendre sa place, on nous a appris comment parler de cette histoire triste. On doit répéter :

« *L'immortel Marien Ngouabi, le fondateur du Parti congolais du travail, est mort le 18 mars 1977, l'arme à la main. Il a été lâchement assassiné par l'impérialisme et ses valets locaux.* »

Le maître nous a dit que le gouvernement a fini par attraper et emprisonner les valets locaux de l'impérialisme qui ont tué le camarade Marien Ngouabi. L'Immortel s'est défendu mais il ne pouvait rien parce que c'est un complot qui a été inventé depuis l'Europe là-bas, et les Européens sont trop forts quand ils vendent leurs complots aux Africains. Ces valets locaux de l'impérialisme qui ont tué notre Immortel sont des Noirs comme nous, des Congolais comme nous. Le gouvernement a promis qu'on va les juger pour les tuer par pendaison au stade de la Révolution devant le peuple. Il faut que le peuple sache qu'on ne touche pas aux immortels. Donc, pour l'instant, il ne reste plus qu'à juger l'impérialisme. On aura du mal à l'attraper et à l'emprisonner car il ne vit pas chez nous comme ses valets locaux. En plus, c'est un Blanc.

D'après Lounès, ses camarades collégiens et lui étudient des matières que nous on ne peut pas encore apprendre à l'école primaire puisque notre cerveau n'a pas fini de grossir. On ne peut donc pas mettre des choses trop difficiles dedans sinon ça va exploser, on risque de devenir des fous, de parler avec des personnes invisibles et de ramasser les ordures dans les rues. C'est pour ça d'ailleurs que les fous de notre ville font de l'arithmétique sur les murs des maisons, parfois ils écrivent aussi des poèmes qu'ils croient avoir inventés alors que c'est leur folie qui écrit ça.

Les fous de chez nous ont de ces noms que moi je ne sais même pas où ils les trouvent. Lounès m'a parlé de l'un d'eux qui s'appelle Athéna et que la police a arrêté parce qu'il imaginait des exercices qu'il écrivait sur les murs des maisons de l'avenue de l'Indépendance. Athéna donnait aussi les solutions et les élèves n'avaient plus qu'à recopier. Et comme par hasard ces exercices tombaient pendant les examens. Alors, quelques semaines avant les examens, les collégiens recherchaient Athéna dans les rues de Pointe-Noire. Lorsqu'ils le trouvaient, ils lui apportaient à boire et à manger, ils lui chantaient des chansons de quand il était tout petit dans les bras de sa maman. Athéna pleurait en écoutant ces chansons et on savait que s'il avait pleuré son imagination allait être encore plus grande. Les élèves lui offraient des habits neufs, ils lui coupaient ses cheveux, sa barbe et l'emmenaient devant un grand mur qui est en face du Studio-Photo Vicky :

— Athéna, tu dois nous aider, écris-nous l'exercice sur ce mur et donne-nous la solution.

Athéna tremblait de peur parce que, selon Lounès, les fous croient toujours que les enfants sont des géants, donc ils craignent plus les enfants que les grandes personnes. Et voici Athéna qui se mettait à réfléchir puis à griffonner sur le mur. Les élèves se bousculaient pour tout recopier. À la fin ils lui demandaient tous :

— Athéna, tu es sûr que c'est ça la solution ?

— Athéna, tu es sûr que c'est cet exercice qu'on aura le jour de l'examen ?

Et puis il y a un autre fou du quartier Savon qu'on appelle Archimède et un autre du quartier Bloc 55 qui s'appelle La Mangue. Archimède se promène nu, aime se baigner dans la Tchinouka et péter dedans pour voir les bulles faire Plouf ! Plouf ! Plouf ! La Mangue, lui, s'assoit au pied de n'importe quel manguier qui est sur sa route. Et quand on lui demande ce qu'il fait là, il répond qu'il attend qu'une mangue lui tombe sur la tête.

Lounès pense que si Archimède et La Mangue sont fous c'est parce que dans leur enfance on leur a enseigné des choses que leur cerveau ne pouvait pas encore comprendre. Alors ces choses-là ont pourri à l'intérieur de leur cerveau et ces pauvres hommes se sont mis à parler avec des personnes invisibles et à ramasser les ordures dans les rues de notre ville on dirait des gens qui travaillent à la Voirie.

Donc les mathématiques compliquées c'est pour les grands du collège, et nous c'est le calcul mental, la géométrie, etc. On doit d'abord comprendre le rectangle, puis le triangle, puis le carré, puis le cercle, puis le cube. C'est après ça que notre cerveau va s'habituer petit à petit aux exercices qu'on fait au collège.

Moi je ne suis pas d'accord avec Lounès. Je pense que c'est très difficile pour nous aussi à l'école primaire. Une fois on nous a donné un exercice que je ne vais jamais oublier parce que, au lieu de chercher la solution, moi je me demandais : Est-ce que c'est comme ça que les choses se passent dans la vraie vie ? L'exercice en question était le suivant : un commerçant a acheté dix hectolitres de vin rouge à trente francs CFA le litre et cent cinquante litres de vin de palme à vingt-cinq francs CFA le litre, combien doit-il payer ? Toute la classe se regardait alors qu'Adriano, Willy-Dibas et Jérémie étaient déjà en train de calculer ce que devrait payer le commerçant. Depuis le milieu de la classe je les guettais. Ils ressemblaient à des bossus qui cherchent une aiguille par terre. Ils écrivaient, ils écrivaient pendant que nous on était là à lire et à relire l'exercice. Moi je me disais encore : Est-ce que c'est à nous de calculer ce que ce commerçant doit payer ? Pourquoi lui-même il ne le fait pas au lieu de nous embêter alors que nous sommes encore trop petits pour être des commerçants ? Est-ce que dans leur commerce maman Pauline et madame Mutombo pensent à ces calculs bizarres ? Il fallait pourtant trouver la solution, et il n'y a eu qu'Adriano, Willy-Dibas et Jérémie qui l'ont trouvée. Ils ont quitté la classe avant tout le monde, moi j'étais le dernier à sortir.

Le lendemain, après que le maître nous a bien chicotés, il nous a expliqué enfin comment calculer ce que le commerçant devait payer.

— Est-ce que vous avez compris ?

On a tous répondu :

— Oui, monsieur le maître ! ! !

— Vraiment ?

— Vraiment ! ! !

On n'avait en fait rien compris, on était perdus, on a tout simplement recopié ce que le maître avait écrit au tableau. Je sais que s'il nous donne encore cet exercice maintenant il n'y aura qu'Adriano, Willy-Dibas et Jérémie qui vont trouver la solution.


Le collège de Lounès s'appelle Les Trois-Glorieuses. Il est situé vers l'hôpital Adolphe-Cissé, pas loin de la mer. Tu ne peux pas aller là-bas à pied, il faut prendre un car au quartier Savon. Mais les élèves ne veulent pas payer leur ticket et gardent leur argent pour manger les beignets pendant la récréation. Alors ils prennent le Train ouvrier (le TO) qui va directement du quartier Savon jusqu'au centre-ville. C'est un vieux train avec quatre wagons, et normalement c'est pour les travailleurs du chemin de fer. Mais on accepte aussi que les élèves le prennent car s'ils travaillent bien à l'école ils peuvent un jour devenir des chefs dans notre compagnie de chemin de fer, le CFCO (Chemin de fer Congo-Océan).

Lounès pense que si les collégiens trichent beaucoup dans ce train c'est parce qu'ils ont vu le film *Peur sur la ville*. Dans ce film il y a un acteur blanc qui s'appelle Jean-Paul Belmondo et qui a beaucoup d'ennuis à cause d'un bandit qui fait des braquages dans la ville. Donc il faut que Jean-Paul Belmondo le trouve. Mais pendant qu'il cherche le braqueur, il y a un autre bandit qui s'appelle Minos et qui tue les femmes célibataires. Il prétend qu'il fait la justice dans le pays. Est-ce que c'est normal que quelqu'un qui veut faire la justice dans une ville se mette à tuer les femmes célibataires à chaque fois? Et voilà Jean-Paul Belmondo qui doit maintenant aller à la recherche de Minos. Il grimpe au-dessus d'un train en marche pour courir après l'assassin qui se trouve là-haut. Lounès jure que Jean-Paul Belmondo ne tombe jamais lorsqu'il fait la bagarre avec Minos. Les collégiens se sont dit : Si dans un film on monte au-dessus d'un train en marche sans tomber, nous aussi on peut monter au-dessus du TO pour échapper aux contrôleurs.

Du coup, lorsque le TO s'arrête à la gare du quartier Savon, les collégiens sont là à attendre au lieu de monter. Ils veulent d'abord savoir où se trouvent les contrôleurs. Et dès que le train démarre les collégiens courent et s'agrippent aux portes. Il y a au moins cent d'entre eux qui se retrouvent au-dessus des wagons en quelques secondes. Lounès dit qu'on appelle ça *gabarer*. De là-haut ils s'accrochent bien et baissent la tête quand on entre dans un tunnel comme dans *Peur sur la ville*. Les contrôleurs ne peuvent pas les suivre car ils ont peur de tomber et de mourir. En plus ils sont déjà trop vieux, et les vieux sont incapables de gabarer comme les collégiens. Les contrôleurs font arrêter le TO et appellent la police. Mais quand la police arrive c'est trop tard, les collégiens ont déjà fui et continuent leur route à pied jusqu'à leur établissement. Demain ils reviendront et ils vont encore gabarer.

J'ai demandé un jour à Lounès comment on fait pour bien gabarer.

— D'abord il ne faut pas avoir peur ! Jean-Paul Belmondo n'a jamais peur, quel que soit le film dans lequel on le voit. Dans *Peur sur la ville* ce n'est pas lui qui a peur, c'est la ville. Pour bien gabarer, c'est simple : tu dois attendre que le train démarre, tu cours un peu, puis tu cours plus vite et tu t'agrippes à la porte. Après tu montes sur les échelles qu'il y a entre deux wagons, et tu te retrouves en haut !

Maman Pauline m'a demandé d'aller acheter du sucre chez le Sénégalais Diadhiou qui a l'une des plus grandes boutiques de l'avenue de l'Indépendance.

Je marche depuis quelques minutes seulement, mais il fait si chaud ce dimanche après-midi que j'ai les pieds qui brûlent. Je n'ai pas écouté ma mère qui me conseillait de porter mes sandales. En plein soleil quand tu marches pieds nus sur le goudron c'est on dirait que tu marches dans une poêle qui chauffe au feu. Parfois je m'arrête sur le bord de la route et me mets à l'ombre d'un manguier pour refroidir mes pieds, mais quand je reviens sur le goudron mes pieds brûlent encore très fort. Donc c'est mieux de rester sur le goudron, comme ça les pieds vont s'habituer à la chaleur et tu ne vas même plus les sentir. Il faut simplement serrer les dents et oublier qu'on a des pieds. C'est un peu comme lorsque tu as très envie de faire pipi et que la maison est encore très loin. Si tu ne fais que penser à comment tu vas faire pipi et à comment tu vas te sentir très bien après, le pipi risque de sortir brusquement alors que tu es dans la rue, et tu vas pisser dans ton coupé. Mais si tu oublies un moment ce besoin, tu peux tenir pendant plusieurs mètres.

Donc je marche vite en pensant à des choses agréables, pas à mes pauvres pieds. Je pense à Caroline. Je pense à la voiture rouge à cinq places. Je pense au petit chien tout blanc. Je pense à la radiocassette. Je pense au livre de poèmes d'Arthur et à son visage d'ange. Et ça marche.


Me voici devant la porte de la boutique de Diadhiou. Qui j'aperçois à l'intérieur? Non, je n'en crois pas mes yeux! J'ai aussitôt envie de revenir sur mes pas. C'est Mabélé qui est dans la boutique et il est en train d'attendre que Diadhiou beurre son morceau de pain. C'est la première fois que je le vois de près comme ça. Mon cœur tombe dans mon estomac. Je me dis : Donc quand on a peur c'est comme quand on est amoureux, le cœur tombe aussi dans l'estomac.

Mabélé se retourne et me voit à son tour. Qu'est-ce que je vais faire maintenant? Je ne sais plus. J'avance vers le comptoir et me mets derrière lui. Je garde au moins un mètre de distance entre lui et moi. S'il m'envoie un coup de poing, ça ne peut pas m'atteindre, je vais simplement reculer de quelques centimètres.

Mabélé fait comme s'il ne m'avait pas vu. Il regarde son pain que le Sénégalais continue à beurrer. Diadhiou lui tend enfin son pain, il paie et se retourne pour sortir. Il passe devant moi, me bouscule et me dit tout bas :

— Petit con, je t'attends dehors! On va voir qui

est le plus fort entre toi et moi! Et quand j'aurai cabossé ta figure, Caroline ne te regardera plus!

Il est sorti, je l'aperçois dehors en train de dévorer son pain. J'ai si peur que j'ai oublié ce que je suis venu faire dans cette boutique.

— Tu veux quoi, petit Michel?

Comme je ne dis rien et regarde vers la rue, Diadhiou me redemande:

— Qu'est-ce que tu veux? Tu as un problème dehors ou quoi?

Le Sénégalais vient maintenant de comprendre que Mabélé qui agite un poing dehors m'attend pour bien me boxer.

Diadhiou hurle depuis son comptoir:

— Hé, toi là qui es dehors! Quitte devant mon magasin! Je ne veux pas de bagarres devant mon magasin! Est-ce que c'est tes parents qui paient ma patente?

Mabélé a disparu, je me rappelle alors que je suis venu acheter du sucre pour ma mère. Je paie et j'avance doucement vers la porte. Je reste debout à regarder à gauche et à droite. Je sens que Mabélé est caché quelque part. Je ne vois personne. Il est peut-être derrière un arbre ou derrière ces voitures qui sont garées sur l'avenue.

Je prends de l'élan, je compte au fond de moi: UN, DEUX, TROIS! Et me voilà qui file comme une fusée.

Je ne regarde pas derrière, je ne fais que courir, courir et courir. Je cours si vite que lorsque j'arrive devant notre parcelle je la dépasse et tombe dans celle de notre voisin monsieur Vinou, ce soûlard qui n'a pas un pistolet comme Paul Verlaine. Il m'insulte, me traite de voleur, de petit bandit, etc.

Je saute les fils barbelés qui séparent nos deux parcelles et je me retrouve en sueur dans la maison.

Je guette par la fenêtre : Mabélé est debout devant notre parcelle. Cette fois-ci il agite trois fois en l'air son poing bien fermé et il s'en va. Je me dis : Son geste signifie qu'il m'aura la prochaine fois, que ce jour-là je ne vais pas m'échapper comme aujourd'hui.

Je suis fâché contre les Mexicains. Ils n'ont plus voulu que le Chah revienne dans leur pays après son opération en Amérique, et voilà que l'ancien président se retrouve maintenant au Panamá. C'est pas normal.

Papa Roger n'arrive pas à nous expliquer où se trouve le Panamá. Il dit simplement que c'est à côté du Costa Rica et de la Colombie — ce dernier pays joue aussi bien au football que le Mexique, mais il n'a pas encore organisé une coupe du monde comme le Mexique. C'est quand même bien que le Panamá reçoive le Chah. Il doit être très fatigué, et il faut qu'il se repose.

Ma joie ne dure pas longtemps puisque mon père nous dit aussi que les Panaméens se laissent influencer par l'ayatollah Khomeyni et veulent rendre le Chah à l'Iran. Là c'est moi qui allais hurler de colère, mais je me suis calmé parce que maman Pauline me regarde avec le visage fermé. Elle pense que je suis le complice de mon père dans cette histoire du Chah qui cherche un pays pour l'accueillir.

La radio fait des caprices aujourd'hui. Parfois il y a des coupures de son pendant quelques minutes. Mon père croit que c'est le gouvernement qui fait ça pour nous empêcher de nous informer de ce qui se passe dans le monde et continuer à nous faire croire que c'est l'impérialisme et ses valets locaux qui ont assassiné l'immortel Marien Ngouabi. Pourquoi le gouvernement s'entête à parler de cet assassinat si lui-même n'est pas complice de la mort de notre Immortel?

Le son de la radio est revenu et on entend le journaliste américain dire un mot très compliqué que j'entends pour la première fois : *extradition*. C'est très dur à prononcer, il faut faire comme si on allait éternuer, puis racler dans la gorge. Je regarde mon père, il se penche vers moi, me dit que l'*extradition* c'est quand on attrape quelqu'un dans un autre pays et qu'on le renvoie dans son pays natal où il va être jugé. Dans le monde entier beaucoup de pays se sont mis d'accord pour attraper des gens qu'on recherche comme le Chah et les renvoyer dans leur pays d'origine pour qu'on les juge.

Et papa Roger s'emporte :

— C'est pas normal que le Panamá renvoie le Chah en Iran! On ne sait pas ce qui pourrait se passer là-bas. Heureusement que le président des Égyptiens lui a demandé de revenir en Égypte où il sera tranquille! Mais pour le Chah c'est un retour à la case départ. Est-ce qu'il a le choix? Il est obligé de retourner en Égypte! Son cancer devient de plus en plus grave. Je suis sûr qu'on a fait exprès de mal l'opérer aux États-Unis. J'espère au moins qu'il ne va pas mourir en Égypte comme un pauvre chien abandonné.

Papa Roger et maman Pauline ne sont pas là, je peux donc reprendre en cachette le livre du jeune homme au visage d'ange. On dirait qu'il me sourit un peu plus aujourd'hui et qu'il est content de me revoir. Je l'ai laissé trop longtemps seul. Quand je regarde sa photo, c'est comme un ami que je retrouve. J'ai envie de lui parler de Mabélé qui voulait me casser la gueule la dernière fois alors que c'est lui qui a pris ma femme et qui lui parle des châteaux de ce Marcel Pagnol qui m'énerve.

J'ai aussi envie de lui parler de Lounès, de lui dire qu'on se voit beaucoup avec mon ami, qu'on s'aime comme deux frères, qu'on ne se cache rien, mais que je ne vais pas raconter à Lounès que Mabélé a failli me tabasser sinon il va chercher à me venger avec ses katas supérieurs que lui apprend maître John. Or moi je n'aime pas la bagarre et c'est pour ça que je ne suivrai pas Lounès dans son club de karaté.


Arthur ne parle pas, il continue à me sourire. Qu'est-ce que je sais de lui en dehors de son his-

toire de la «main à plume» et de la «main à charrue»? Qui est-il?

Justement on raconte d'autres choses sur sa vie
au début du livre, dans une partie qui a pour titre
«Introduction». Il est écrit qu'Arthur est venu
dans notre continent et qu'il a fait le commerce de
l'ivoire, de l'or, du café. Ça veut dire qu'il aimait le
commerce comme maman Pauline et madame
Mutombo. On a écrit qu'il a parfois fait la fête avec
de très belles femmes africaines. Qui peut refuser
de faire la fête avec de très belles femmes africaines? Je ne comprends pas trop pourquoi on
prétend qu'il s'ennuyait beaucoup à l'étranger
alors qu'il faisait la fête avec de très belles femmes
africaines. Je découvre un peu plus loin qu'Arthur
a eu de l'argent — peut-être beaucoup d'argent —
avec son commerce et qu'il a déposé cet argent
dans une banque en Égypte.

En Égypte? Là je sursaute puisque c'est là où
le Chah est en train de souffrir du cancer. C'est
bizarre d'aller cacher de l'argent là où les gens qui
sont chassés de leur pays vont se reposer pour ne
pas trop souffrir du cancer de l'extradition.

Ah non, je n'arrive pas à imaginer Arthur en
train de vendre des armes comme on a écrit dans
ce livre. Les armes c'est pour tuer les gens, c'est
pour faire la guerre mondiale. Celui qui vend des
armes est aussi coupable que celui qui les utilise.
Pourquoi vendait-il des armes alors que lui-même
avait failli mourir si son ami qui était saoul ne
l'avait pas raté avec son pistolet?

Mais bon, c'est pas tout ça qui me rend le plus

triste. Ce qui me rend le plus triste c'est surtout d'apprendre qu'il était malade et que finalement il fallait qu'on coupe sa jambe sinon elle allait pourrir. Paf, on a coupé la jambe en question! Et le voilà qui boitait plus que monsieur Mutombo. Et le voilà qui avait un bois à la place de la jambe. Et le voilà qui était très malade vers la fin de sa courte vie. Alors je pense au Chah qui est malade du cancer. Comme le Chah, Arthur avait le cancer, et le cancer d'Arthur avait tellement mangé sa jambe que c'était arrivé jusqu'à son bras droit. Le cancer c'est toujours comme ça, il s'aggrave et finit par te tuer à petit feu. C'est papa Roger qui le disait en parlant du Chah, pas d'Arthur car je suis certain qu'il n'est pas au courant que le jeune homme au visage d'ange était malade comme le Chah. Mon père ne peut pas le savoir maintenant, il le saura quand il ira à la retraite et ouvrira les pages de ce livre qui est entre mes mains.


Je lis plus loin encore qu'Arthur ne restait pas sur place, il voyageait beaucoup. Lui c'était pas comme le Chah qui n'a pas de pays pour l'accueillir. Lui c'était pour l'aventure, et il aimait ça. Si aujourd'hui le Chah voyage, c'est pour que l'ayatollah Khomeyni ne l'attrape pas. Or Arthur voyageait pour que sa vie passée ne l'attrape pas. Même au moment où il était en train de mourir en France, il a dit à sa sœur qu'il voulait refaire l'aventure vers l'Égypte. Toujours l'Égypte! Je me pose alors des questions sur ce pays qui a des pyramides et des momies en pagaille : Est-ce que l'Égypte c'est là où c'est mieux de mourir ou quoi? En

même temps je ne comprends pas le comportement d'Arthur : tu es retourné chez toi en France,
au lieu de mourir là, tu veux retourner en Égypte !
Heureusement qu'il est mort en France, qu'on l'a
enterré là-bas. Dans son pays natal. S'il meurt, le
Chah n'aura peut-être pas la chance d'être enterré
en Iran. C'est pour ça que je prie pour lui, pas
pour Arthur qui repose en paix dans son pays
natal.

L'année dernière, lorsque le maître m'a remis mon bulletin de notes, je me suis dit : Si je le montre à papa Roger il va expliquer à maman Pauline ce qui se passe, ils vont voir que le maître a marqué des choses sur mon comportement, que ce comportement n'était pas bien, ils vont alors m'engueuler comme deux personnes qui battent le même tam-tam sans s'arrêter.

J'ai mis le bulletin de notes dans un sac en plastique, j'ai caché le tout dans une maison abandonnée qui n'est pas loin de chez nous. Personne ne vient là, sauf les chiens et les rats. C'est d'ailleurs à cause d'eux que j'ai creusé et enterré ce bulletin. Je suis rentré à la maison comme un garçon gentil qui est le premier de la classe. Tous les jours j'avais peur qu'on me demande : Michel, où est ton bulletin de notes ?

La première semaine, papa Roger s'est inquiété parce qu'il ne voyait pas mon bulletin alors que chez maman Martine mes sœurs et frères avaient montré leurs notes. J'ai dit à mon père que le maître n'avait pas fini de remplir nos bulletins. La deuxième semaine, j'ai expliqué la même chose.

La troisième semaine, j'ai menti qu'on avait donné les bulletins de tout le monde, mais on avait oublié le mien.

Papa Roger n'était pas content :

— J'irai dire à ton maître que ce n'est pas comme ça qu'il doit traiter mon fils !

Et le voilà qui est parti à notre école. Il n'a pas travaillé cet après-midi-là parce qu'il estimait que l'affaire était trop grave.

On était dans la classe quand j'ai aperçu mon père guetter par la fenêtre. Le maître est sorti pour aller vers lui, et ils sont restés dehors à discuter pendant quelques minutes. Le maître est ensuite revenu dans la classe et m'a montré du doigt :

— Michel, DEBOUT !

Je me suis levé pendant que derrière moi mes camarades murmuraient :

— L'affaire est grave ! L'affaire est grave ! L'affaire est grave !

Comme je regardais par terre, le maître a relevé ma tête :

— Alors, Michel, redis à ton père ce que tu lui as raconté ! Est-ce que je ne t'ai pas remis ton bulletin de notes il y a plus de trois semaines ?

Moi j'ai rebaissé la tête.

— Redis ce que tu as dit à ton père !

Mes camarades qui ont entendu la voix de notre maître se bousculaient depuis les fenêtres pour apercevoir ce qui se passait.

Cette fois-ci c'est papa Roger qui m'a relevé la tête :

— On y va, tu dois me montrer ce bulletin aujourd'hui ! Va prendre ton cartable !

Je suis retourné dans la classe, j'ai récupéré mes

affaires pendant que les camarades continuaient à murmurer :

— L'affaire est grave ! L'affaire est grave ! L'affaire est grave !


On marchait dans la rue, mon père derrière, moi devant. Après plus d'une demi-heure on est arrivés devant la maison abandonnée. Dès qu'on a poussé la porte, des chiens ont aboyé dans leur langue compliquée et se sont enfuis par les trous des planches des murs. Papa Roger, les mains sur les hanches, a jeté un regard partout et s'est retourné vers moi :

— C'est vraiment ici ? Où est donc ton bulletin de notes ?

Je me suis agenouillé dans un coin de la maison et j'ai commencé à creuser pendant que mon père me regardait faire. J'ai creusé, j'ai creusé, j'ai creusé. Quand j'ai touché le sac en plastique il était un peu mouillé on dirait que les sacs aussi transpirent comme les êtres humains. Papa Roger l'a arraché de mes mains et a ouvert le nœud. Le bulletin de notes était bien là-dedans. Lorsque mon père s'est mis à le lire, j'ai pensé : Là je dois m'enfuir, il va bientôt arriver à l'endroit où le maître écrit les observations sur le comportement des élèves.

J'ai reculé de deux pas, je me suis retourné, j'ai fui comme les rats et les chiens qui habitent dans cette maison abandonnée. Je me retournais de temps en temps, mais papa Roger n'était pas derrière moi. Je courais en me disant : Moi Michel, je suis Carl Lewis, ce Noir américain dont parle ces

223

derniers temps Roger Guy Folly. Il paraît que Carl Lewis est encore un élève au lycée, mais qu'il saute et court déjà comme un vrai grand, qu'il va devenir le meilleur coureur du monde dans moins de deux ou trois ans.

Je suis arrivé devant notre parcelle le souffle coupé. Je suis entré directement dans ma chambre et je me suis caché sous le lit en me demandant : Est-ce que papa Roger va me taper? S'il me tape, ça sera pour la première fois depuis qu'il a décidé que moi je suis aussi son fils, que je suis comme les enfants qu'il a eus avec maman Martine.

— Michel, sors de là! Je sais que tu es caché sous le lit!

Je suis sorti, le visage couvert de poussière et de toiles d'araignée. Je commençais déjà à pleurer. Dehors j'entendais du bruit : c'était maman Pauline qui revenait du Grand Marché. Comme j'étais maintenant debout on dirait une poule qui a peur qu'on lui coupe la tête le jour de la bonne année, mon père m'a fait signe :

— Assois-toi là, je dois te parler, je ne suis pas content de ce que tu as fait.

Je me suis assis là où je m'assois lorsqu'on mange la viande de bœuf aux haricots et que je guette le gros morceau qui brille dans l'assiette de mon père.

— Qu'est-ce qui se passe encore? a demandé maman Pauline qui s'est mise debout derrière moi.

— J'ai enfin retrouvé le bulletin de Michel.

— Où ça?

— Il l'avait enterré dans une maison abandonnée, celle qu'on voit juste à l'entrée du quartier.

Ma mère s'est assise tandis que mon père ouvrait le bulletin. Impatiente comme d'habitude, elle a demandé :

— Alors ?

— Michel a bien travaillé. Il a eu la moyenne, et le maître a écrit comme observation : « Élève très assidu ».

Je ne comprenais plus rien car si j'avais caché ce bulletin c'était parce que je pensais : « Élève très assidu » ça veut dire un élève qui ne se comporte pas très bien, un élève qui bavarde beaucoup en classe et qui est idiot comme Bouzoba.

Voilà papa Roger qui me félicitait, maman Pauline qui se mettait à préparer un plat de viande de bœuf aux haricots. Moi j'avais les idées ailleurs. Je venais de comprendre qu'« élève très assidu » ça voulait dire un élève qui est très bien, un élève qui se comporte bien, un élève qui vient en classe et qui écoute ce que dit le maître.

Chaque fois que maman Pauline va en brousse pour son commerce, comme ces jours-ci, j'habite dans l'autre maison de mon père et je retrouve mes sept frères et sœurs : Yaya Gaston a vingt-quatre ans, Georgette en a dix-huit, Marius en a treize, Ginette en a onze, Mbombie en a neuf, Maximilien en a six, et Félicienne, la toute dernière, a deux ans.

Dans cette maison je suis aussi chez moi, mes sœurs et mes frères ne disent pas que papa Roger est mon père nourricier, ils me considèrent comme leur propre frère.

Yaya Gaston est le premier enfant de la famille. À vingt-quatre ans on dirait qu'il est déjà un très grand monsieur. Il a une petite moustache qu'il taille comme sur les affiches de films du cinéma Rex. Il ressemble à papa Roger, sauf que Yaya Gaston est plus grand de taille. On l'a surnommé «le Français» parce qu'il te répondra toujours en français même si tu lui parles en munukutuba, en lingala ou en bembé. En plus il ne s'habille qu'avec les habits qui viennent de France. Il les achète au port de Pointe-Noire où il travaille comme douanier. Parfois il n'achète pas ces habits, on les lui donne si on veut retirer un gros colis à la douane sans payer quelque chose. Il a un gros bracelet en or, il l'essuie avec un chiffon qu'il plonge dans un produit qui s'appelle *Mirror*. Ce produit pique les yeux comme le Flytox et pue plus fort que le pipi de chat sauvage. Le matin il nettoie son bracelet devant la porte de son petit studio qui est du côté de la rue, mais qui est collé à la maison principale où vit le reste de la famille.

Georgette est très belle, tout le monde le lui rappelle, et comme elle le sait, elle passe son temps à se mirer, à demander à ses copines ce que les garçons pensent d'elle. Elle met du vernis rouge sur ses ongles le week-end, mais elle doit l'enlever pendant la semaine parce que c'est interdit au lycée. L'an passé, quand elle avait dix-sept ans, papa Roger a failli l'envoyer habiter pour de bon chez un jeune homme qui passe souvent la chercher devant la parcelle pour qu'ils aillent se promener en pleine nuit. Ce type s'appelle Dassin et se comporte comme Le Siffleur de femmes qui avait fait la bagarre avec le menuisier Yeza.

Yaya Gaston l'a attrapé une fois et lui a dit :

— Dassin, si tu n'arrêtes pas de faire des tours devant notre parcelle, si j'entends encore un seul sifflet la nuit et que ma sœur quitte la maison, je te casse la gueule.

Dassin tremblait, la sueur coulait sur son visage parce que notre grand frère est fort comme Tarzan. Tout le quartier a peur de lui. Mais Dassin n'est pas un idiot qui est né de l'avant-dernière pluie. Il a trouvé un autre moyen pour nous embrouiller : il envoie les petits du quartier, les paie chacun vingt-cinq francs CFA s'ils arrivent à faire sortir notre sœur Georgette de la maison.

Papa Roger n'est pourtant pas quelqu'un de méchant, mais là c'était quand même trop parce que ce Dassin avait engrossé notre sœur. Si on n'a pas vu le bébé, c'est parce que celui-ci est allé tout droit au Ciel sans passer par la Terre.

Marius est un prénom pour les vieux, c'est ce que les gens disent dans le quartier. Comme papa Roger aime le footballeur Marius Trésor — c'est un Noir qui joue dans l'équipe de France —, il a donc donné le prénom de ce joueur à l'un de mes frères. Parfois on l'appelle Trésor, et il aime ça. Marius rêve un jour d'aller en France où il pourra devenir un footballeur comme Marius Trésor qui, d'après lui, est le premier Noir capitaine de l'équipe de France alors qu'il y a dans cette équipe-là des joueurs comme Michel Platini ou Didier Six, des Blancs qui devraient en principe être des capitaines à sa place parce que c'est pas normal qu'un Noir commande les Blancs.

Marius est au courant de comment on peut arriver en Europe par l'aventure. À treize ans il sait déjà que les aventuriers passent par l'Angola où il y a la guerre civile et qu'on n'a pas le temps de tout surveiller quand il y a la guerre. Les aventuriers prennent l'avion depuis là-bas pour atterrir d'abord au Portugal avant d'arriver en France. S'il est au courant de ça, c'est parce que son meilleur ami Tago est le petit frère de Jerry le Parisien, un jeune homme qui revient au pays à chaque saison sèche et qui raconte comment en France on peut tout avoir sans travailler, y compris des costumes et des cravates. Comme Jerry le Parisien est un Sapeur, Marius aussi veut faire la Sape, et c'est lui qui m'a dit que la Sape signifie «Société des ambianceurs et des personnes élégantes». Les Sapeurs c'est donc des gens qui s'habillent bien, qui ne vivent que pour s'habiller, qui marchent avec élégance et portent des vêtements chers fabriqués par les tailleurs d'Europe et non par monsieur Mutombo. C'est peut-être pour ça que monsieur Mutombo ne les aime pas et les critique du matin au soir. Il dit que les Sapeurs sont des voyous qui viennent de Paris pour engrosser les filles dans notre pays et les abandonner avec leurs enfants alors qu'eux ils vivent tranquillement en Europe.

Marius a prévu qu'il quittera le pays le jour où il aura dix-huit ans. Donc, si je compte comme il faut, c'est dans cinq ans seulement qu'il va voyager pour devenir Sapeur comme Jerry le Parisien. Or, s'il a dix-huit ans, je crois qu'il ne pourra plus devenir un footballeur puisque le roi Pelé a commencé à jouer à l'âge de quinze ans. Tel que c'est parti pour mon frère je pense qu'il aura plus de chances d'être un grand Sapeur qu'un grand footballeur comme Marius Trésor, Didier Six ou Michel Platini. Dans la Sape il n'y a pas d'âge, on n'est pas obligé de faire de l'éducation physique, de courir le matin, de s'entraîner en transpirant. Il faudra d'abord que Marius trouve de l'argent pour voyager en France. Beaucoup d'argent. C'est pour ça que pendant les vacances scolaires il travaille à l'hôtel Victory Palace où il sort les poubelles et arrose les fleurs. C'est papa Roger qui lui donne souvent ce petit travail, mais il ne sait pas que si Marius travaille c'est pour un jour nous laisser seuls et aller vivre avec les Blancs en Europe. Alors Marius économise son argent de poche dans une petite caisse en bois qu'il cache sous son lit et qu'il vérifie avant de dormir et lorsqu'il se réveille. Il croit que les jaloux du quartier vont faire leur sorcellerie pour qu'il n'aille pas en Europe et ne devienne pas un grand Sapeur ou un grand footballeur. Ces jaloux risquent d'envoyer des rats sous son lit, et ces rats vont manger son argent, y compris les pièces. Voilà pourquoi il verse chaque nuit autour de sa caisse un produit qui s'appelle *Mort aux rats*. Le rat qui s'amuse à manger son argent va mourir sur place à cause de ce poison.

Ginette c'est un prénom qui étonne les gens du quartier alors que moi je trouve que c'est un joli prénom. C'est le prénom de la propriétaire de l'hôtel Victory Palace. Notre père a voulu faire plaisir à sa patronne qui l'a embauché et le garde depuis des années. Il paraît que la patronne a été heureuse que mon père ait donné ce prénom à notre sœur. Du coup madame Ginette a augmenté le salaire de papa Roger de cent trente francs CFA de plus par mois. En décembre elle offre à notre sœur Ginette un cadeau plus gros que ceux des autres enfants des travailleurs de son hôtel qui n'ont pas eu l'intelligence de prénommer leurs filles Ginette.

Ginette est toute petite de taille. On peut croire qu'elle n'a pas onze ans et lui donner facilement huit ans. Je devine donc qu'elle ne sera pas grande à cause de papa Roger qui est trop petit. Mais il ne faut pas lui dire qu'elle est trop petite sinon elle va s'énerver et refuser de manger à midi et le soir. Or nous, si on veut la provoquer et manger sa nourriture, on lui dit qu'elle est trop petite comme un enfant de huit ans. Si elle a très faim, elle mange quand même et promet de ne pas manger demain à midi et le soir. Lorsque demain arrive, elle a déjà oublié que hier on lui avait dit qu'elle était très petite.

Puisqu'il a constaté que sa patronne était heureuse parce qu'il a donné le prénom de Ginette à notre sœur, papa Roger a voulu recommencer lorsqu'il a eu une autre fille. Il avait prévu de lui donner le prénom de Marie-France comme la grande sœur de madame Ginette. Le jour de la naissance de sa fille, notre père est allé annoncer la bonne nouvelle à sa patronne et il a attendu que la patronne saute de bonheur. Là, madame Ginette n'était plus du tout d'accord. Elle a dit que ça suffisait comme ça. Que ça devenait ridicule à la fin. Papa Roger était très déçu. Il a finalement donné le nom de sa défunte mère à cette fille. Notre sœur qui a neuf ans se prénomme donc Mbombie comme notre défunte grand-mère paternelle. Sinon elle aurait reçu le prénom de Marie-France et elle aurait aussi un plus gros cadeau à chaque fin d'année. Or il arrive que papa Roger l'appelle Marie-France parce qu'il aime vraiment sa patronne. Mais Mbombie n'aime pas ce prénom, elle ne se retourne jamais quand on l'appelle comme ça.

— Ne m'appelez pas Marie-France ! Est-ce que vous avez déjà vu quelqu'un qui s'appelle Marie-Congo ou Marie-Zaïre, hein ?

Maximilien est un garçon qui ne dit jamais non alors qu'à six ans on a déjà appris depuis longtemps à refuser certaines choses que les grandes personnes nous demandent de faire. Alors, à la maison, tout le monde lui dit d'aller acheter ceci ou cela, de fermer le portail de la parcelle ou d'aller voir si la marmite est en train de bouillir dans la cuisine. Dès que tu lui dis d'aller acheter ceci ou cela, il court comme un champion du monde de cent mètres. Et puis il s'arrête un peu plus loin, revient sur ses pas et te demande avec des gros yeux :

— C'est quoi déjà que je dois aller acheter ? C'est où que je dois aller l'acheter ?

On l'envoie souvent acheter des beignets, des bonbons, une lame Gillette pour Yaya Gaston, des fils pour les tresses de Ginette, de l'huile de palme pour maman Martine. Mais quand il revient on l'engueule parce qu'il a perdu en route la monnaie que les commerçants lui ont rendue. On sait qu'il l'a perdue dès qu'il pleure et montre du doigt la rue on dirait que c'est la rue qui a volé cet argent. Parfois il oublie de vite revenir à la maison avec les courses et s'arrête au carrefour pour regarder une bagarre de prostituées zaïroises qui se battent avec des fourchettes et des couvercles de marmites parce que l'une d'elles qui est la plus

232

jeune a pris le client de la plus vieille. Maximilien veut à tout prix séparer la bagarre pour qu'à la fin la plus vieille qui a été tabassée par la jeune lui donne un peu d'argent car il a sauvé sa vie.

Félicienne est la dernière de la famille. Maman Martine prend soin d'elle comme si c'était son enfant unique. Du coup, à deux ans, elle se comporte encore en bébé de cinq mois très capricieux. On dirait qu'elle ne veut pas grandir et préfère marcher à quatre pattes alors qu'elle peut marcher debout quand elle le souhaite, surtout lorsqu'elle vient vers moi. En plus c'est pas demain qu'elle arrêtera de boire du lait dans son biberon. Une fois je l'ai surprise en train d'essayer de préparer elle-même son lait. Dès qu'elle a vu que je la regardais, elle a tout arrêté et a pleuré comme si c'était une guêpe qui l'avait piquée. Peut-être parce qu'elle s'était rendu compte que j'avais compris son petit jeu.

Félicienne aime que je la prenne dans mes bras, mais quand je le fais je sens quelque chose de chaud qui brûle mon ventre : elle vient de pisser sur moi et se met à rire. Donc elle le fait exprès. Alors dès qu'elle me tend les mains avec le sourire pour que je la prenne et la porte sur mes épaules, moi je regarde ailleurs. Parce que je sais qu'elle a envie de faire pipi sur moi, pas sur quelqu'un d'autre. C'est pas trop méchant, c'est sa meilleure façon de jouer avec moi et peut-être aussi de me dire qu'elle m'aime comme elle aime ses autres sœurs et frères de même sang.

Je suis toujours content lorsque Yaya Gaston veut que je dorme dans son studio même si mes frères sont un peu jaloux. Yaya Gaston sait que moi je ne rapporte pas aux gens les choses qui se passent dans ce studio alors que, franchement, j'aurais mille choses à raconter puisque je vois les belles filles qui viennent lui rendre visite et qui lui amènent aussi de la nourriture. La nourriture en question est tellement bonne qu'on dirait que ces filles la préparent très bien juste pour que Yaya Gaston les aime encore plus. Moi je les écoute parler, se vanter qu'elles sont belles, plus belles que les actrices de cinéma alors que c'est pas possible qu'une femme soit plus belle qu'une actrice. Elles veulent être gentilles avec moi pour que Yaya Gaston les aime. Mais c'est de la fumée dans l'herbe car quand Yaya Gaston tourne le dos, il y en a parmi elles qui me regardent avec de gros yeux de méchantes, elles veulent que je sorte vite de la maison pour qu'elles restent avec notre grand frère. Moi je ne sors pas tant que c'est pas Yaya Gaston qui me dit d'aller faire un tour dehors. C'est pas leur maison à elles, c'est notre maison à nous.

De toutes les filles qui sont folles de Yaya Gaston c'est Geneviève ma préférée. Elle ne me regarde pas avec de gros yeux de méchante. Elle ne me demande pas d'aller faire un tour dehors pour qu'elle fasse des choses honteuses avec mon grand frère. Au contraire elle me dit de rester avec elle, de lui raconter ce que j'ai étudié à l'école, ce que j'aime dans la vie et ce que je ferai plus tard quand j'aurai vingt ans. Et moi je n'arrête plus, je deviens plus bavard qu'une famille de moineaux, je ne fais plus que parler. Je dis à Geneviève que je veux être ceci, que je veux être cela, que je veux être ceci et cela à la fois si c'est possible. J'ai envie de tout faire dans ma vie. Je veux être acteur de cinéma pour embrasser les actrices des films indiens, je veux être président de la République pour faire de longs discours au stade de la Révolution et écrire un livre qui parle de mon courage contre les ennemis de la Nation, je veux être chauffeur de taxi pour ne pas trop marcher sur le goudron qui chauffe à midi, je veux être directeur du port maritime de Pointe-Noire pour prendre gratuitement les choses qui viennent de l'Europe, je veux être un docteur vétérinaire, mais je ne veux pas être un agriculteur à cause de tonton René qui veut que je sois agriculteur. Je veux aussi écrire des poèmes pour Caroline. Je lui dis ça, elle sourit, me rappelle que la vie est trop courte pour que quelqu'un fasse toutes ces choses. Il faut en faire certaines, et surtout bien les faire.

Quand Geneviève est là, mon cœur bat très fort. J'ai envie d'être dans ses bras, de sentir son parfum. Elle n'est pas grande de taille, c'est tant mieux puisque Lounès dit qu'il ne faut pas qu'une femme soit trop grande sinon personne ne va l'épouser. L'homme qui marchera à ses côtés aura honte d'être trop petit.

Geneviève est très noire de peau, c'est pour ça que Yaya Gaston l'appelle « Ma beauté noire ». Elle ne lisse pas ses cheveux avec les produits des Blancs comme font les autres filles du quartier, elle les peigne, et ça fait une grosse touffe afro qu'on a envie de toucher. C'est on dirait les cheveux d'une Noire américaine. Elle s'habille en blanc — ça veut dire que c'est une femme qui surveille que ses habits ne soient pas sales.

Quelquefois je m'imagine que si Yaya Gaston aime Geneviève c'est pour ses yeux. Lorsqu'elle te regarde tu peux tout lui donner, même une maison à étages ou un gros morceau de viande de bœuf alors que toi-même tu as très faim depuis deux jours. C'est la première fois que je vois des yeux de cette couleur-là. C'est comme une rivière verte et calme avec des petits diamants qui brillent sur les bords.

J'aime ce moment où je me retrouve avec Geneviève et que nous marchons dans la rue. Je lève la tête bien haut et j'avance comme un grand garçon pour que les gens me respectent. Quand une voiture arrive derrière nous, c'est moi qui dis à Geneviève :

— Attention, y a une Peugeot 504 bleue qui vient derrière nous !

Elle rigole, on s'écarte, la voiture passe, et on

poursuit notre chemin. On marche longtemps, mais elle reste silencieuse. Or moi je sais que si elle ne parle pas c'est qu'elle est en train de penser à beaucoup de choses, qu'elle est très triste et qu'elle a mal au cœur à cause de ces autres filles qui sont restées dans le studio de Yaya Gaston.

On marche toujours. On est maintenant dans la rue parallèle à l'avenue Félix-Éboué. Tout à coup elle me tourne le dos comme si elle voulait faire demi-tour. Je m'arrête moi aussi, je la vois essuyer des larmes. Je lui demande pourquoi elle pleure, elle me dit qu'elle ne pleure pas, que c'est une fourmi qui est entrée dans son œil. Je lui réponds que je peux souffler dans son œil pour enlever la fourmi.

— C'est gentil, ça ira, la fourmi n'est plus là.

Je sais que ce sont des larmes qui coulent de ses yeux, que Yaya Gaston la fait souffrir. Sinon pourquoi les autres filles qui sont restées dans le studio n'ont pas une fourmi qui entre dans leur œil? Donc ces filles n'aiment pas Yaya Gaston. Si on aime quelqu'un et qu'on souffre parce qu'il se comporte mal, on doit avoir une fourmi qui entre dans l'œil et des larmes qui coulent.

On reprend notre route. Je pense à la souffrance de Geneviève, à ces autres filles qui disent qu'elle est trop noire, qu'elle est trop petite, que sa nourriture n'est pas bonne, etc. Et comme je me mets à la place de Geneviève, je sens moi aussi une fourmi qui entre dans mon œil. Je tourne le dos on dirait que je vais faire demi-tour, mais c'est trop tard, elle m'a vu.

Elle arrête d'avancer et me demande :

— Tu veux que je souffle dans ton œil pour enlever la fourmi?

Comme je me souviens tout de suite de sa réponse, je murmure :

— C'est gentil, ça ira, la fourmi n'est plus là...

Et nous rions. Je n'ai plus envie qu'on se quitte. Je ne veux plus qu'elle lâche ma main. Je ne veux plus qu'on retourne dans le studio de Yaya Gaston. Je me sens bien avec elle. Je serre très fort sa main. Elle serre aussi très fort ma main. Je sens que je l'aime, est-ce qu'elle m'aime? Je suis amoureux d'elle. J'ai envie de le lui dire maintenant. Mais comment? Elle risque de se moquer de moi.

Et je le lui dis quand même :

— Geneviève, mon cœur est en train de tomber dans mon estomac, je veux me marier avec toi.

Elle n'est pas du tout surprise et me demande avec un petit sourire :

— Pourquoi tu veux te marier avec moi?

— Parce que je ne veux pas que tu souffres tous les jours. Je ne veux pas qu'une fourmi entre chaque fois dans ton œil.

Elle me touche la tête, je la regarde dans les yeux : sa rivière verte a de plus en plus de diamants qui brillent sur les bords. Je rêve que je suis un de ces diamants. Le plus gros de ces diamants. C'est moi qui brille plus que les autres diamants, et c'est moi qui fais que la rivière est toujours verte.

— Michel, tu n'es pas encore une grande personne pour m'épouser...

— Un jour je serai une grande personne !

— Et moi je serai une vieille pour toi.

— Non, tu ne peux pas être vieille et je...

— Michel, tu as déjà une petite copine, tu me

l'as dit la dernière fois. Comment déjà s'appelle-t-elle ?

— Caroline.

— C'est elle qu'il faut que tu épouses, vous avez le même âge et...

— On a divorcé.

— Déjà ?

— C'est elle qui a décidé ça, pas moi.

— Pourquoi ?

— Elle va épouser Mabélé, et ils vont avoir une voiture rouge à cinq places, deux enfants et un chien tout blanc...

— Tu veux que je parle à Caroline ?

— Non, je suis trop nul. Je sais pas jouer au foot, en plus j'ai pas encore lu Marcel Pagnol qui parle de quatre châteaux que Mabélé va acheter à Caroline.

On arrive maintenant devant le Sénégalais qui a une boutique en face du bar Le Relais. On entre et Geneviève m'achète deux bonbons Kojack.

On revient à la maison, les autres filles ne sont plus là. Elles ont laissé leur pagaille partout. C'est Geneviève qui va passer la nuit avec Yaya Gaston, et elle arrange la pagaille qu'il y a dans le studio.

On mange d'abord tous les trois, puis je vais dire bonne nuit à maman Martine, à mes sœurs et à mes frères dans la maison principale. Papa Roger lit le journal dans la chambre, je l'entends tousser. Au fond je sais qu'il regrette la radiocassette qui est restée dans l'autre maison. Il aimerait bien écouter La Voix de l'Amérique, Roger Guy Folly qui lui donne des nouvelles du chah d'Iran. Il aimerait aussi entendre le chanteur à moustache qui pleure son arbre, son *alter ego*. Mais ça c'est notre secret à nous dans l'autre maison. Je n'ai pas le droit de dévoiler, même pas à Yaya Gaston, qu'on a une radiocassette qui peut enregistrer ce que les gens racontent.

Yaya Gaston et Geneviève dorment dans le lit, moi dans un petit matelas par terre. Un drap noir qui va d'un mur à l'autre nous sépare. Ça coupe le studio en deux, mais eux ils ont plus d'espace que moi. Et quand il y a la lumière derrière ce mur en drap je peux voir leurs deux silhouettes qui deviennent une seule et qui bougent on dirait que je suis en train de regarder un film en noir et blanc. Ils parlent tout bas pour que je n'écoute rien. J'entends des petits bruits comme un petit chat qui pleure parce que sa maman l'a laissé seul dans la rue. C'est pourtant la voix de Geneviève. Mais pourquoi au lieu de crier au secours elle se met maintenant à rigoler?

Avant de fermer les yeux, je pense très fort à mes deux sœurs qui sont au Ciel. Ma Sœur-Étoile et Ma Sœur-Sans-Nom. Est-ce qu'il fait nuit au Paradis ou c'est toujours le soleil là-haut? Je leur demande de protéger maman Pauline qui est toute seule en brousse et qui sera encore toute seule à Brazzaville au milieu des méchants qui regardent les pantalons serrés des femmes.

Maman Martine a des cheveux blancs qui poussent sur les côtés. Elle a compris que je les regarde, que je me dis qu'elle est plus âgée que maman Pauline qui est sans doute sa petite sœur, mais vraiment une toute petite sœur, et peut-être sa fille. Or moi je pense à autre chose : Pourquoi elle n'accepterait pas de prendre une graine dans le ventre de ma mère et de la garder dans son ventre à elle pour que les enfants de maman Pauline n'aillent plus au Ciel sans passer par la Terre ? Si elle accepte ça, maman Pauline ne sera plus malheureuse, il y aura un autre enfant chez nous puisque les enfants de maman Martine, quand ils viennent au monde, ils ne vont pas directement au Ciel. En plus, si maman Martine est d'accord avec mon idée, on va garder ce secret, on ne dira pas aux gens que la graine en question vient en fait de son ventre. Un jour il faudra que je parle de ça à papa Roger car je ne crois pas trop à cette histoire du docteur qui va arranger les choses dans le ventre de ma mère même si ce docteur est un Blanc et que les Blancs ne se trompent jamais. En même temps je suis sûr que chez les Blancs aussi il y a des femmes en pagaille comme maman Pauline, des femmes en pagaille qui cherchent un enfant du matin au soir et qui ne peuvent pas en avoir et qui n'en auront pas même si elles sont soignées par des docteurs blancs.

Nous sommes assis devant la porte de la maison. Maman Martine écaille les poissons de mer que nous mangerons ce soir lorsque tout le monde sera là. C'est pas grave si c'est pas un plat de viande de bœuf aux haricots. Ici je mange tout et je fais comme si j'aimais tout. Je peux faire mes caprices avec maman Pauline, pas avec maman Martine sinon ça va lui faire trop mal au cœur.

À la maison il n'y a que Mbombie, Maximilien et la petite Félicienne qui vient de pisser sur moi alors que j'étais gentil avec elle et que je lui donnais le biberon. Les autres enfants, je ne sais pas où ils sont passés. Yaya Gaston est parti tôt ce matin au port et papa Roger ne viendra que lorsque le soleil va se coucher. Normalement mes autres sœurs et frères devraient tous être là puisqu'on n'a pas école à cause des fêtes de fin d'année qui approchent.

Comme je n'arrête pas de regarder les cheveux blancs de maman Martine, elle me dit :

— Oui, je ne suis plus jeune comme ta mère Pauline. Elle doit avoir l'âge d'une de mes petites sœurs, la toute dernière qui a à peine vingt-sept ans et qui vit encore à Kinkosso.

Alors elle regarde vers le ciel, murmure des choses comme si c'était à quelqu'un d'autre qu'elle s'adressait. Elle commence à parler et m'apprend qu'elle a grandi à Kinkosso et que pour aller dans ce village de la région de la Bouenza on doit prendre un camion Isuzu qui met plus de quatre ou cinq jours de route. On traverse ensuite d'autres villages, on tombe sur des ponts qui ne sont en fait que deux arbres parallèles qu'on a placés d'un bord de la rivière à l'autre pour que les camions passent. On ne remplace pas ces deux arbres tant qu'il n'y a pas eu un accident avec des morts en pagaille. C'est là-bas que papa Roger et elle se sont connus.

J'aime la voix de maman Martine quand elle raconte son histoire avec papa Roger. Est-ce qu'elle n'ajoute pas de magie dans tout ça ? Je veux bien la croire, mais parfois on dirait que c'est une de ces histoires de l'époque où les animaux et les hommes pouvaient discuter de comment ils vont vivre ensemble sans se chamailler.

Quand maman Martine parle de cette histoire, elle a un sourire qui éclaire tout son visage et efface ses petites rides, elle devient jeune comme maman Pauline. Son visage est tout lisse, sa peau devient comme celle d'un bébé, ses yeux brillent et je ne vois plus ses cheveux blancs. Je l'imagine alors en jeune fille qui fait tourner la tête aux garçons. Comment elle fait pour m'oublier et s'imaginer que c'est quelqu'un d'autre qui est en train de l'écouter puisqu'elle regarde plutôt au-dessus de ma tête au lieu de s'adresser à moi directement ? Elle parle à une personne qui n'existe pas et moi je pense : C'est normal, oui c'est normal, les grandes personnes sont toutes comme ça, elles sont sans cesse en train de discuter avec des gens qui habitent dans leur passé. Moi je suis trop petit pour avoir un passé et c'est pour ça que je ne peux pas parler tout seul en faisant comme si je parlais à une personne invisible.

Maman Martine ne se rend pas compte que ses lèvres bougent depuis un moment déjà, que sa tête remue légèrement, que ses yeux deviennent humides on dirait qu'elle va pleurer. Parfois elle manque deux ou trois écailles du poisson qui est entre ses mains et c'est moi qui lui montre que le poisson a encore quelques écailles sur lui et qu'on risque de s'étouffer quand on va le manger.

Elle parle tout bas :

— Roger était vraiment un petit bandit séducteur ! Je le revois cette année-là dans mon village quand on l'appelait encore Roger le Prince...

Et là elle me regarde comme si elle ne voulait plus discuter avec les gens qui habitent dans son passé mais avec une vraie personne. C'est là que j'apprends qu'à vingt ans papa Roger était le plus grand danseur de la région de la Bouenza. On le respectait à Ndounga, son village natal. Lorsque le rythme du tam-tam battait fort, il était capable de quitter le sol, de danser en suspension sous les applaudissements de la foule et les regards amoureux des femmes, y compris celles qui étaient déjà mariées. À la danse, personne d'autre ne pouvait faire match nul avec lui ou le battre. Il était alors célèbre, et on l'avait surnommé « Roger le Prince » pour ça. Quand il y avait les funérailles dans la région, on l'appelait en urgence comme on appelle un docteur lorsqu'on est malade. Il arrivait avec son groupe de danseurs — ils étaient dix, beaux et forts — et ils dansaient la nuit entière pour que le défunt ne voyage pas dans la tristesse vers l'autre monde où la route n'est pas une ligne droite et où il n'y a pas de musique et de danse.

L'année de sa rencontre avec maman Martine, on avait demandé à Roger le Prince d'aller danser dans le village Kinkosso qui avait perdu son chef âgé de cent dix ans. Les habitants des villages de la région étaient tous venus à ces funérailles parce que ce n'était pas tous les jours que quelqu'un mourait à cent dix ans. En arrivant à Kinkosso, Roger le Prince a annoncé aux villageois qui l'entouraient avec des cadeaux :

— Ce soir je vais danser à plus de dix centimètres du sol parce que c'est le grand-père de nos grands-pères qui vient de mourir.

Les vieux sorciers de ce village ont menacé qu'ils feront des gris-gris pour empêcher ça sinon les autres villages de la Bouenza allaient s'imaginer que Roger le Prince était le plus fort de tous les danseurs du monde. Ces vieux sorciers avaient le secret de la danse en suspension, et depuis qu'ils l'avaient inventée ils n'avaient jamais vu un être humain danser au-delà de dix centimètres du sol.

Roger le Prince s'est entêté :

— Personne ne m'empêchera de rendre hommage au grand-père de nos grands-pères ! Je vais danser à plus de dix centimètres du sol !

Les vieux sont allés loin du village pour faire une grande réunion contre le jeune homme impoli qui voulait les ridiculiser. Dans leur réunion ils ont failli se battre entre eux. Ils s'accusaient les uns les autres d'avoir invité cet impoli de Roger le Prince. Mais ils ont fini par se mettre d'accord : il fallait empêcher que la danse de cet étranger dépasse les dix centimètres en suspension.

Le soir, quand Roger le Prince est arrivé avec son groupe sur la place du village où les femmes pleuraient le cadavre du chef, il a croisé trois de ces sorciers, et le plus vieux l'a presque bousculé :

— Mon fils, tu n'es pas dans n'importe quel village ici. C'est chez nous que tu te trouves, et ici il y a des règles qui datent de l'époque où nos ancêtres se promenaient nus et ne comprenaient pas encore la face visible de la Parole. Ta barbe n'a pas encore de cendres pour que tu saisisses certaines choses que seules les personnes qui ont quatre yeux et quatre oreilles peuvent capter. Fais donc très attention à toi, c'est moi qui te le dis. Et si tu ne respectes pas ce village, respecte au moins ma barbe grise et mon crâne nu.

Roger le Prince lui a répondu :

— Grand-père, j'ai accepté l'invitation de venir à Kinkosso parce que l'homme qui vient de mourir n'est pas n'importe qui. Il n'est pas que le chef de ce village, il est le grand-père de nos grands-pères.

— Oui, mais si tu danses à plus de dix centimètres du sol, tu es foutu ! Tu peux danser comme tu veux, mais ne dépasse pas les dix centimètres ! Ne nous fais pas honte devant notre population !

Un autre vieux pas très gentil a menacé :

— D'abord tu te prends pour qui, toi ? Pourquoi tu nous parles de cette façon alors que tu n'as pas de barbe grise et de crâne nu ? Est-ce que quand nous on est nés toi tu étais là ? Est-ce que toi tu as été là le jour où le premier Blanc a mis le pied dans ce village pour nous offrir des miroirs, du sucre et des fusils et choisir nos hommes les plus forts pour les emmener loin, au-delà des mers ? Est-ce que toi tu as une médaille de guerre comme le vieux Maniongui qui vient de te demander de respecter sa barbe grise et son crâne nu, hein ? Le vieux Maniongui a vu les présidents français depuis Émile Loubet au début de ce siècle jusqu'au général de Gaulle ! Et puis, qui d'ailleurs t'a donné le titre de Prince que tu ne mérites même pas ? C'est nous qui donnons ce titre ! Je t'avertis donc une dernière fois : si tu danses à plus de dix centimètres du sol, c'est toi que nous allons enterrer après le grand-père de nos grands-pères ! En plus ton cadavre ne retrouvera pas le chemin de ton village et tu seras enterré dans la brousse comme un animal sauvage !

Le troisième vieux a craché par terre. Et ça voulait dire qu'il ne souhaitait pas gaspiller ses paroles comme les autres.

Roger le Prince s'est éloigné de ces vieux qui continuaient à l'intimider dans son dos. Il a regroupé ses dix danseurs pour leur donner des consignes :

— Ces vieillards ont peur d'être ridicules car aucun danseur de ce village n'a dépassé dix centimètres en suspension alors que c'est chez eux, ici à Kinkosso, qu'est née la danse en suspension. On ne va pas se laisser influencer par une poignée de vieux boucs qui se prennent pour les gardiens de la tradition. Nous on a appris leur technique, nous l'avons maîtrisée et nous sommes devenus les meilleurs de la région. On va le prouver encore ce soir, tenez-vous prêts et ne soyez pas découragés. Jouez le tam-tam, dansez comme d'habitude, moi je m'occupe du reste.

Maman Martine écaille le dernier poisson et elle a failli se blesser avec son couteau quand elle a crié :

— Roger le Prince ! Quel jeune homme ! Quel têtu !

Elle a remarqué que j'attendais la suite de son histoire. Elle s'est raclé la gorge et a continué :

— Le soir des funérailles du grand-père de nos grands-pères, les hommes de Kinkosso avaient formé un rang, les femmes un autre. Et, au milieu, c'est Roger le Prince qui dansait torse nu, un pagne en raphia, les cauris autour des reins, des clochettes autour des chevilles, du kaolin blanc sur le visage et les cheveux. Les femmes courageuses devaient entrer dans l'espace qu'on avait laissé à Roger le Prince pour l'accompagner dans la danse. Mais aucune d'elles ne venait vers lui. Le public s'énervait déjà car ce n'était pas avec un spectacle de ce genre qu'on pouvait dire adieu au chef du village. On entendait des sifflets de colère, des gens qui réclamaient le spectacle. Il fallait donc danser, et tout le monde devait entrer dans la transe. Roger le Prince a soufflé quelque chose à l'oreille d'un de ses danseurs qui a alors lancé un défi au public et j'entends encore cette voix grave qui hurlait : « Roger le Prince est très déçu de ce village ! Vous n'avez pas de femmes à Kinkosso ou quoi ? Est-ce que c'est comme ça qu'on doit saluer la mémoire du grand-père de nos grands-pères, hein ? Si c'est ainsi, Roger le Prince va tout arrêter, il va rentrer dans son village. Et il jure qu'il ne reviendra plus dans ce coin de timides quand il y aura un mort ! » C'est alors qu'une jeune villageoise toute maigre est sortie du rang des femmes comme une flèche.

Les danseurs de Roger le Prince ont applaudi, la foule a suivi les applaudissements et les tambours sont devenus fous comme si c'étaient les mains des fantômes qui les battaient. On pouvait les entendre dans toute la région, ils réveillaient même les animaux qui dormaient dans la forêt. La jeune villageoise soulevait la poussière lorsqu'elle dansait. Son pagne autour des reins se relevait jusqu'à sa poitrine tellement le vent soufflait maintenant, et on voyait son slip rouge. Tout le monde a reculé, et la voilà qui commençait petit à petit la danse en suspension. Les vieillards de Kinkosso hurlaient de joie, eux aussi dansaient, heureux de voir que c'était une fille de leur village qui menait la danse, pas cet impoli de Roger le Prince. L'un des vieux sorciers qui menaçaient Roger le Prince dans la journée a demandé à son collègue : «Dis-moi, c'est la fille de qui celle-là? C'est quoi son nom de famille déjà?» Un autre lui a répondu : «Tu cherches quoi, à la fin? On s'en fout de qui il s'agit et de comment elle s'appelle, ce que je sais c'est que c'est une fille de Kinkosso, et c'est elle qui mène la danse! Alors, dansons avec elle! Le petit impoli qui se fait passer pour un prince est foutu! Quelle honte pour lui!» On a hué Roger le Prince. On l'a traité d'incapable. Lui, pendant ce temps, regardait la fille les bras croisés. Il s'est retourné vers le chef des batteurs de son groupe : «Dites, c'est qui cette maigrichonne qui me provoque et qui danse comme un moineau qui vient de tomber du nid de ses parents?» Le chef des batteurs a presque hurlé : «On ne la connaît pas, mais elle a fait au moins cinq centimètres en suspension, il faut que tu fasses quelque chose sinon c'est la

honte pour nous et pour notre village Ndounga!»
Roger le Prince a alors décidé : «Je dois aller plus
loin, c'est moi le Prince! Frappez-moi dix mesures
du rythme *muntuntu* que jouait le défunt Mubungulu, lui qui faisait même danser les morts du
cimetière de Batalébé!» Un de ses danseurs a eu
peur : «Tu veux vraiment qu'on joue ça? C'est
trop dangereux! La dernière fois qu'on a joué ce
rythme, tu as failli perdre la vie!» Roger le Prince
a insisté : «Je vous demande de le faire, c'est un
ordre!» Le rythme des tam-tams a alors changé tout
d'un coup. Même le ciel a commencé à remuer
comme si quelque chose allait tomber de là-haut.
Quand les batteurs frappaient c'était comme si la
peau du tambour se déchirait et que les nuages
s'écartaient. Au moment où les villageois se bou-
chaient les oreilles à cause de ce rythme qu'ils
entendaient pour la première fois et qui déchirait
leurs tympans, Roger le Prince montait, quittait le
sol. Il a atteint six centimètres, puis sept, puis huit.
Il ne voulait pas atteindre les dix centimètres car
les trois vieux sorciers qui l'avaient embêté plus tôt
s'étaient maintenant rapprochés de lui et tiraient
leur barbe de colère. Il est redescendu sur terre,
les vieux sorciers ont soufflé. Or, derrière eux, la
villageoise maigrichonne de Kinkosso venait de
reprendre sa danse, et elle était désormais à dix
centimètres du sol sous les applaudissements des
villageois. Très en colère, Roger le Prince s'est
redressé, a tourné autour de lui, a fait signe de la
tête aux batteurs qui ont doublé, triplé, quadruplé
le rythme *muntuntu* du défunt Mubungulu. Et on a
vu Roger le Prince monter, pédaler, monter, pédaler, monter encore, pédaler encore et encore. On

savait qu'il avait dépassé les dix centimètres, mais c'est parce qu'on n'y croyait pas qu'il y avait maintenant un silence dans le village. On a dit que c'est l'esprit du grand-père de nos grands-pères qui s'était réfugié dans le corps de Roger le Prince. Les villageois, apeurés, ont fui la veillée avec leurs nattes sous les aisselles et leurs enfants qui pleuraient. Les chiens, la queue entre les jambes, se sont rués dans la brousse comme des animaux sauvages. Même les vieux qui défiaient Roger le Prince et ses danseurs n'étaient plus là. Le cadavre du grand-père de nos grands-pères avait donc été abandonné et Roger le Prince était par terre, essoufflé comme s'il avait porté des sacs de patates sur le dos pendant des kilomètres et des kilomètres. Il est tombé dans le coma, les membres de son groupe l'ont réveillé en lui jetant de l'eau fraîche sur tout le corps. Dès qu'il a rouvert les yeux, il a demandé aux batteurs : «Je suis monté jusqu'à combien?» On lui a répondu en chœur : «Plus de quinze centimètres et demi!» Il s'est relevé en murmurant : «On repart à Ndounga tout de suite, je ne sais pas ce qui s'est passé. Je n'ai jamais atteint cette hauteur, c'est pas moi qui montais tout seul, un esprit me poussait et j'ai failli mourir car je ne respirais plus bien là-haut.» Il était déjà plus de quatre heures du matin quand Roger le Prince et son groupe ont repris le chemin de Ndounga. Sur la route ils ont entendu un bruit bizarre derrière eux. Ils se sont tous retournés, prêts à fuir chacun de son côté comme lorsqu'on croise un diable dans la brousse. Les danseurs s'étaient déjà éparpillés, mais Roger le Prince est resté sur place et a vu quelqu'un s'approcher de lui. Il a alors hurlé

dans la direction où s'étaient enfuis ses hommes :
«Revenez! Revenez! C'est pas un diable! C'est la
petite danseuse maigrichonne de Kinkosso.»

Maman Martine a eu un large sourire lorsqu'elle
a dit :

— Et cette maigrichonne de Kinkosso c'était
moi...

Elle a ensuite éclaté de rire :

— Roger le Prince, un vrai bandit! Il m'a pris la
main, je lui ai juste dit que mon prénom c'est Martine, mais lui, tout de suite, il a répondu : «Si tu
m'as suivi jusqu'ici, c'est que c'est toi qui vas être
la mère de mes enfants. On va quitter la Bouenza
sinon les vieillards de ton village ne vont pas nous
laisser tranquilles toute notre vie. On va aller vivre
en ville.» Et moi j'ai suivi Roger le Prince, parce
que moi aussi je savais que c'est lui qui serait le
père de mes enfants, que le grand-père de nos
grands-pères m'avait donné un signe car je n'avais
jamais dansé la danse de suspension jusqu'à ce
soir-là, et je ne sais pas ce qui m'avait poussée à
sortir du rang des femmes pour entrer dans la
danse et défier votre père. Le destin, oui, c'est ça
qu'on appelle le destin.


Elle a fini d'écailler les poissons et les met sur
une planche. Je la vois verser de la farine et du sel
dessus.

— Je vais les griller tout à l'heure avec de l'huile
de palme, puis je vous ferai une bonne sauce
tomate. Tu verras, toi tu vas mordre tes doigts!

Avant d'aller renverser dans le caniveau de la

rue la gamelle d'eau remplie d'écailles et de sang, elle a dit :

— J'aurais pu être quelqu'un d'autre dans ma vie. Mais est-ce que ce n'est pas cette vie qui était la meilleure pour moi ? Je n'ai fait l'école que jusqu'au cours moyen première année, ton père avait eu son certificat d'études primaires et avait même commencé des études au collège de la Bouenza jusqu'en classe de quatrième. C'était un avantage lorsque nous sommes arrivés dans cette ville : les Blancs recherchaient des gens qui étaient allés à l'école, surtout ceux qui avaient leur diplôme comme lui. Quelques semaines après ces événements de Kinkosso, Roger le Prince et moi nous avons pris en cachette un camion Isuzu en direction de la région du Kouilou pour la ville de Pointe-Noire. Il fallait quitter la Bouenza sans que la population le sache. Et on est partis comme ça, avec seulement un petit sac chacun. Moi j'étais déjà enceinte car ton père que tu vois là est très chaud comme un lapin. Je savais que notre vie allait changer, et Roger le Prince a trouvé du travail à l'hôtel Victory Palace juste après la naissance de Yaya Gaston. C'est pas le destin, ça, hein ?

Mon petit frère Maximilien transpire. Il a tellement couru que je croyais qu'on l'avait envoyé
acheter quelque chose à plus de dix kilomètres.

Il est encore tout essoufflé quand il me dit :

— Y a quelqu'un qui te cherche dehors. Il est
géant, il est plus grand que toi, il se courbe un peu
pour qu'on pense que c'est un enfant comme nous
alors que c'est vraiment un gaillard comme Tarzan ! C'est qui, lui ? Il veut la bagarre avec toi ? Est-
ce que tu as volé ses billes à la cour de récréation ?

Je ne lui réponds pas. C'est encore ce Mabélé
qui me poursuit jusqu'ici pour me casser la figure.

Pendant que je m'apprête à sortir de la parcelle,
Maximilien crie :

— Michel, ne fais pas la bagarre, le géant va
gagner ! Il a trop de muscles !

Depuis l'entrée de la parcelle je guette et je ne
vois personne. Où peut-il se cacher, ce géant ? Derrière cet arbre qui est en face ? Je regarde bien,
mais il n'y a personne. Alors je décide de retourner dans la parcelle pour engueuler Maximilien
qui vient de me faire une farce. Juste au moment
où je tourne le dos, j'entends quelqu'un qui siffle

trois fois depuis la parcelle du père de Jerry le Parisien.

C'est Lounès. Il n'a pas supporté qu'on ne se voie pas depuis quelques jours maintenant.

— C'est donc toi le géant qui fait peur à Maximilien ! Pourquoi tu n'entres pas dans la parcelle ?

— C'est mieux de discuter dehors, comme ça on voit très bien les avions passer.

Nous nous dirigeons vers la rivière Tchinouka. Il faut descendre la rue comme si on allait au quartier Voungou. Dans ce nouveau quartier, au lieu de construire des maisons en dur, les gens construisent des maisons en planches. Ils disent que plus tard, quand ils auront beaucoup d'argent, ils casseront ces maisons en planches pour construire des maisons en dur. C'est des mensonges car si on a l'argent on ne tourne pas en rond, on construit directement sa maison en dur et on n'en parle plus. Tout le monde appelle ces habitations « maisons en attendant ».

La rivière Tchinouka coupe en deux le quartier Savon où il y a la maison de mon père et ce quartier Voungou où il espère un jour acheter une autre parcelle. Il y a quelques jeunes qui pêchent au bord de la rivière. Je me demande ce qu'ils trouvent là-dedans parce qu'il y a plus de saletés que de poissons dans ces eaux. Les gens jettent leurs ordures dedans, ils font caca dedans, parfois ils balancent aussi de vieux meubles ou de vieux matelas dedans. Personne ne leur dit : Ne faites pas ça parce que c'est pas normal qu'on se comporte comme si on est encore dans la préhistoire où l'homme hésitait entre rester un singe ou devenir un être qui marche avec deux membres et qui parle avec de vrais sons.

Nous nous sommes étendus dans l'herbe et nous entendons l'eau qui coule près de nos pieds.

— J'ai demandé à mon professeur la signification de *saligaud* et *alter ego*, me dit Lounès.

— Mais il n'y a pas école cette semaine! Tu l'as rencontré où?

— Il est venu dans l'atelier de mon père pour récupérer sa veste.

— Alors?

— Le *saligaud* c'est quelqu'un qui n'est pas bien, c'est quelqu'un qui se comporte mal alors qu'un *alter ego* c'est comme si toi tu étais moi et que moi j'étais toi. Si on est des *alter ego* on peut tout se dire, ce que tu dis c'est comme si c'est moi qui pouvais le dire, et ce que je dis c'est comme si c'est toi qui pouvais le dire.

— Donc l'arbre du chanteur à moustache c'est...

— Oui, c'est son *alter ego*. Ce chanteur regrette d'avoir laissé son arbre comme quelqu'un qui est méchant alors que cet arbre c'est son ami.

Après un moment de silence, il poursuit :

— Tu sais ce que le professeur a raconté à mon père? Tu vas rigoler! Il lui a dit de m'acheter un dictionnaire, comme ça je trouverai les explications de tous les mots qui existent en français.

— Et monsieur Mutombo va te l'acheter?

— Non, il a dit que le dictionnaire c'est pour les tricheurs, que quand lui il était à l'école il ne regardait pas les explications dans le dictionnaire...

Un avion est en train de passer, Lounès me demande :

— Devine dans quel pays cet avion va atterrir.

— En Iran. La capitale de l'Iran c'est Téhéran...

Il est étonné. D'habitude je ne réponds pas aussi vite.

— Comment tu as fait pour trouver ça ?

— Le Chah... C'est l'ancien président de l'Iran que l'ayatollah Khomeyni veut juger et il est malade en Égypte. En plus les étudiants iraniens veulent qu'on le renvoie en Iran et ils ont pris les Américains en otage dans une cave de l'ambassade à Téhéran. C'est ça l'extradition. Or si on renvoie le Chah là-bas on risque de le tuer !

Je regarde le visage de Lounès pendant longtemps sans un mot.

— Pourquoi tu me regardes comme ça ? J'ai un bouton sur le visage ou quoi ?

— Non. Mais ces petits poils, là sous ton menton... Est-ce que c'est la barbe ? Tu as mis la mousse de la bière sur ton menton ?

Il se touche le menton.

— Ça se voit donc de loin qu'il y a des poils ?

— Un peu.

— C'est pas la mousse de la bière, c'est des poils qui poussent.

— Il faut vite couper ça sinon on va croire que tu es déjà vieux !

— Non, mon père dit que si je les coupe maintenant il y en aura de plus gros qui vont pousser à la place et ces poils seront durs.

Il ferme les yeux. Je sais qu'il est en train de réfléchir. Je sens qu'il va me sortir quelque chose de grave. C'est peut-être pour ça qu'il est venu me voir.

Je pense à ce qui peut être grave, je ne vois pas.

Mais il ne faut pas que je le dérange, je dois le laisser se concentrer.

Il ouvre enfin les yeux :

— Michel, je t'ai toujours dit des choses, or toi tu m'as caché un truc très grave, donc tu m'as presque menti...

— Moi je t'ai menti, moi ?

— J'étais chez notre tante, j'ai vu Caroline, elle m'a dit que Mabélé a failli te casser la gueule et toi tu as fui comme un lâche au lieu de te battre comme un courageux. Si moi je ne suis pas au courant, comment je peux t'aider ? Pourquoi tu ne viens pas avec moi au club de karaté de maître John ?

J'ai envie de lui avouer que moi je n'aime pas faire les pompes parce qu'on transpire et après on a très mal. Et puis le karaté on l'oublie quand il y a la bagarre parce que l'autre qui va se battre avec toi il ne va pas attendre que tu fasses tes katas supérieurs et que tu décolles comme Bruce Lee.

C'est comme si Lounès avait lu dans ma tête puisqu'il me dit :

— Si tu veux on peut tous les deux donner une bonne correction à Mabélé. Pendant que moi je décolle toi tu l'attrapes par les bras et quand je reviens au sol je le frappe jusqu'à ce qu'il va saigner et...

— Non, il ira rapporter ça à Caroline. Ta sœur va encore l'aimer et me détester.

Lounès se relève d'un coup on dirait qu'il est surpris que je réponde comme ça.

— Mais oui, tu as raison !

Les garçons qui pêchent sur l'autre rive nous lancent des pierres. Ils croient que s'ils n'attrapent pas de poissons c'est parce que nous bavardons trop fort et que les poissons nous entendent. On baisse la voix, et comme on se tait maintenant on a presque envie de dormir. On va rester là pendant au moins une heure à attendre que les avions passent.

Je secoue Lounès qui s'était endormi et lui rappelle qu'il faut que je rentre car j'ai peur qu'on me cherche partout, surtout que Maximilien pense qu'un géant est en train de faire la bagarre avec moi. Il est capable de dire ça à la maison, et la famille entière va aller à ma recherche.

Lounès me raccompagne devant notre parcelle. Maximilien est resté tout ce temps debout au même endroit, au milieu de la parcelle, comme un poteau. Il court appeler Marius dans la maison principale.

Voilà Marius qui arrive devant nous avec un bâton. Maximilien est caché derrière lui comme un chiot qui a peur et il s'égosille en montrant du doigt Lounès :

— C'est lui ! C'est lui ! C'est lui le géant Tarzan qui veut taper notre Michel !

Marius pince les oreilles de Maximilien et retourne dans la maison où il était peut-être en train de recompter ses économies pour voyager un jour en Europe et devenir un grand footballeur comme Marius Trésor ou un grand Sapeur comme Jerry le Parisien.

Lounès vient de partir, Maximilien sanglote dans un coin de la parcelle et parle toujours du géant Tarzan.

Il vient vers moi, me prend dans ses bras et murmure :

— Tu sais, moi je voulais bien te défendre contre le géant-là, mais je suis encore trop petit. Quand je serai grand, je te jure que je te défendrai contre les méchants de ce quartier.

Il y a trois filles qui se disputent dans le studio de Yaya Gaston. Geneviève me prend par la main et me dit :

— Tu ne dois pas entendre ces choses-là, allons faire un tour dehors.

Moi c'est ce que j'attendais depuis qu'elle était arrivée et s'était assise dans un coin.

Il fait nuit dehors. Dans la rue on croise les vieilles mamans qui vendent des beignets, des poissons salés ou du maïs. On entend la musique du bar Joli Soir et les bruits des gens qui boivent et dansent à l'intérieur. Parfois j'ai envie d'aller voir comment on danse ou comment on boit là-dedans. Je ne suis pas encore très grand de taille, on risque de m'écraser parce qu'on ne va pas savoir que moi Michel je suis là. En plus, si la mousse de la bière tombe sur mon menton, je vais avoir de petits poils comme ceux de Lounès et on va croire que je suis un vieux alors que c'est pas vrai.

On arrive sous un lampadaire de l'avenue Félix-Éboué. Il y a des gens assis ici et là, et je vois même un homme et une femme qui s'embrassent sur la bouche et se touchent partout on dirait qu'ils n'ont pas de chambre chez eux pour faire ça. Si j'étais eux, j'aurais vraiment honte pendant au moins un an.

Geneviève s'arrête, ouvre son sac, fouille à l'intérieur et sort quelque chose :

— Je sais que demain tu retournes chez ta maman au quartier Trois-Cents, j'ai un petit cadeau pour toi.

Elle me tend un paquet. C'est pas tous les jours que je reçois autre chose qu'un camion, un râteau et une pelle en plastique pour jouer à l'agriculteur.

J'ouvre l'emballage et je découvre enfin le cadeau.

— C'est un livre ?

— Oui, *Le Petit Prince*. C'est le premier livre que mon père m'a offert quand j'ai eu mon certificat d'études primaires et je sais que toi aussi tu auras bientôt ce diplôme.

On entre dans le magasin et je choisis deux bonbons glacés. Je lui donne l'un des deux, elle refuse. Je le garde dans ma poche en pensant à Maximilien qui sera très content lorsque je vais lui offrir ça.

Sur le chemin du retour, on repasse devant les lampadaires. L'homme et la femme qui s'embrassaient ne sont plus au même endroit. Ils sont un peu plus loin, là où la lumière n'éclaire pas bien. C'est vraiment des idiots, et si un serpent les mord dans la nuit comment ils vont faire ?

Geneviève me parle à voix basse on dirait qu'elle souhaite que je garde ses paroles comme notre secret à nous deux :

— J'aime ton grand frère, il ne le sait pas car il est aveugle. Il est beau, il est fort, il peut séduire toutes les femmes du quartier. Je ne suis rien en face de lui, or je suis tout pour lui parce que je l'aime de tout mon cœur. D'ailleurs il est le seul homme que j'aie connu dans ma vie et je ne veux pas connaître un autre tant qu'il ne me repoussera pas pour vivre avec une de ces filles qui viennent se chamailler chez lui. Moi je suis prête à attendre cent ans, l'amour ne connaît pas de temps. Mais je suis blessée, très blessée et je soigne mes blessures avec le silence. Quand je te parle, c'est aussi à lui que je parle. Est-ce que j'ai tort? Est-ce que j'ai raison? Je n'en sais rien, Michel. Yaya Gaston n'est plus un enfant comme toi. Son innocence est désormais salie par son orgueil et sa coquetterie.

On retrouve Yaya Gaston tout seul dans son studio. Il nous apprend qu'il a chassé toutes les filles de chez lui parce qu'il en avait marre qu'elles se disputent. Or moi je voulais qu'il dise autre chose. Qu'il dise qu'il a chassé ces autres filles pour qu'on reste avec Geneviève. C'est sans doute ce que Geneviève attendait aussi puisqu'on s'est regardés tous les deux et elle a baissé ensuite les yeux avant d'aller ranger le désordre que ces filles ont laissé. Elle m'a mis un matelas par terre et a sorti le drap et l'oreiller qu'on cache toujours sous le lit de mon grand frère. Elle a éteint la lampe-tempête, a allumé une bougie tout près de ma tête et a ensuite rejoint Yaya Gaston dans le lit. Je n'ai pas sommeil, j'ai calé mon dos contre le mur pour lire le petit livre qu'elle m'a offert. Et je commence à murmurer les premières lignes on dirait que c'est une prière :

*J'ai vécu seul, sans personne avec qui parler véritablement, jusqu'à une panne dans le désert du Sahara, il y a six ans. Quelque chose s'était cassé dans mon moteur, et comme je n'avais avec moi ni mécanicien, ni passagers, je me préparai à essayer de réussir, tout seul, une réparation difficile. C'était pour moi une question de vie ou de mort...*

Plus je lis ce livre, plus un mot me revient et résonne dans ma tête : *désert.* J'essaie d'imaginer à quoi ressemble un désert car on a des forêts en pagaille chez nous. Le nom *Sahara* me fait aussi rêver. Même pour le prononcer c'est dur, il ne faut pas oublier l'*h.* On dirait que ce lieu est loin du monde et que les personnes qui vivent là-bas ne savent pas que nous autres on existe, que quelqu'un dans cette maison est en train de lire une histoire qui se passe chez eux. Comment moi je peux imaginer un endroit que je n'ai jamais vu ? Alors le Sahara pour moi c'est maintenant le désert, rien que le désert. Et je me demande qu'est-ce que le petit homme bizarre qui est dans ce livre est allé chercher là-bas au lieu de venir chez nous où il aurait vu beaucoup de choses et rencontré beaucoup de gens. Il aurait pu vivre avec moi. On aurait pu se promener dans les rues et les avenues de nos quartiers ou au bord de la rivière Tchinouka avec Lounès. Au quartier Trois-Cents ce petit homme aurait été surpris de voir comment nous on joue, comment nous on court et comment parfois on fait des bêtises. Mais peut-être que le désert c'est un endroit magique et merveilleux. Peut-être que c'est là-bas que les gens vivent avec une forêt dans leur imagination. Et cette forêt-là est toujours verte. Peut-être que dans le désert il y a plus de place pour vivre et que c'est là aussi qu'on réalise qu'on a de la chance d'être né dans un pays où il y a beaucoup d'arbres, beaucoup de rivières, beaucoup de fleuves et même un océan comme chez nous. En même temps j'ai peur que le désert soit l'endroit où les morts du monde entier vont attendre le jour où Dieu va dire : Toi tu vas au Paradis, toi tu vas en Enfer. Moi j'ai pas envie d'aller au Sahara. Je ne pense qu'à une chose : revoir maman Pauline demain.

Mes parents s'engueulent une fois de plus. Et comme d'habitude, depuis ma chambre, je les entends. Maman Pauline sanglote, elle pense que le docteur blanc qu'ils ont vu n'est pas efficace parce qu'elle n'est toujours pas enceinte jusqu'à ce jour. Mon père la calme, lui répond qu'il faut de la patience, que les bébés on ne les commande pas, qu'ils ne sont jamais pressés, qu'ils viennent quand on ne pense pas à eux chaque jour.

Ma mère parle très fort, elle veut arrêter son commerce. Elle revient sur les enfants de maman Martine, et sur ceux de la famille Mutombo.

Mon père élève la voix :

— Y en a marre que tu reviennes chaque fois sur les autres enfants ! Est-ce que c'est Martine qui fait qu'on n'a pas d'enfants toi et moi, hein ? Est-ce que Michel n'est pas un enfant, hein ? Ses sœurs et ses frères l'aiment, ils n'ont jamais dit un seul jour que le petit n'était pas leur frère, qu'est-ce que tu as à raconter des choses comme ça alors que nous cherchons comment sortir de cette situation, hein ?

— Je vais arrêter le commerce ! Tant pis ! Pourquoi je vais travailler toute ma vie si je n'ai pas d'enfants? C'est pour qui que je travaille?

— Parfait! Alors arrête-moi ce commerce et qu'on n'en parle plus! Peut-être que c'est après ça qu'on aura des enfants!

Maman Pauline n'a pas supporté ces paroles de mon père. Je l'entends casser les choses dans la chambre. Je me dis: J'espère qu'Arthur qui les regarde et les écoute n'est pas très déçu de tout ce spectacle.

Je m'assois sur le lit pendant quelques minutes. Il faut que je fasse quelque chose. Je ne vais pas les laisser se chamailler toute la nuit.

Je me lève, j'écarte la moustiquaire et j'avance vers le salon. Ils m'ont entendu et c'est papa Roger qui ouvre à moitié la porte de leur chambre:

— Va dormir, mon petit, tout va bien, on discute un peu avec ta mère, il n'y a rien de grave, elle me raconte comment les choses se passent pour son commerce.

Je regagne ma chambre, je me cache sous les draps. Je ne veux plus voir ce qu'il y a autour de moi. Ma chambre c'est comme un cercueil trop grand pour mon petit corps, je me dis. Or j'étouffe là-dedans. Si c'est comme ça, je repartirai dans la planète d'où je viens. Dans mon monde à moi je serai tranquille, je cultiverai des roses. Je les arroserai chaque matin avec de l'eau aussi verte que la rivière qui est dans les yeux de Geneviève. Sur ces roses, les gouttes d'eau seront des diamants qui brilleront au soleil. Je serai un jardinier heureux car ce que je planterai, même dans le désert, ne fera que pousser. Je me promènerai dans mon champ de roses, et même les papillons seront tout roses. Je vivrai dans un monde plein d'enfants qui rient, qui jouent, et ces enfants n'auront pas de mère, ils n'auront pas de père. Nous serons tous des enfants parce que c'est comme ça que Dieu nous aura créés, et c'est Dieu notre Père. Il nous dira : Les enfants, ne faites pas de bruit, je dors. On va se taire car Dieu dans son sommeil prépare toujours de bonnes choses pour les enfants. Mais jamais Il n'élèvera la voix pour nous le dire. Jamais Il ne nous fouettera parce qu'Il ne peut pas fouetter ceux qu'Il a créés à son image. Et nous vivrons tranquilles loin des adultes qui ont des problèmes qui ne nous regardent pas. Je serai le grand frère de ces enfants. Je marcherai devant pour les protéger. Et si quelqu'un nous attaque, mes muscles vont grossir, ma poitrine aussi, ma taille va dépasser deux mètres, mon coup de poing va être aussi gros qu'une montagne.

Mon père s'est calmé et ma mère l'écoute. Je sors de mes draps comme tout à l'heure et j'avance vers le mur. Je veux savoir ce qu'ils sont en train de se dire car lorsque les adultes disent les mauvaises choses contre quelqu'un ils baissent souvent la voix. Je me dis : S'ils parlent tout bas c'est peut-être qu'ils sont en train de comploter quelque chose contre moi.

— On va essayer une autre solution.

— Laquelle encore ? lui répond ma mère.

— Il y a un féticheur qui vient de s'installer dans le quartier Voungou, juste sur l'autre rive de la Tchinouka. Tout le monde dit du bien de lui. Il a guéri la stérilité de la femme du chef du quartier.

Il a même fait parler un enfant de dix ans qui n'avait pas prononcé un seul mot depuis sa naissance.

— Comment qu'il s'appelle, ce féticheur ?

— Sukissa Tembé. Il vient du nord du pays et il paraît qu'il était le féticheur personnel du président de la République. Si le Président et sa femme ont maintenant un enfant c'est grâce à lui, Sukissa Tembé

— Les gens pensent pourtant que l'enfant en question c'est en fait le neveu du Président et que...

— Pauline, écoute-moi bien, laisse les gens parler ! C'est des jaloux, et les jaloux vont maigrir ! Les mauvaises langues existeront toujours ici-bas. Parfois ce sont des gens que nous aidons, et c'est pour cacher leurs malheurs qu'ils agissent en fourbes, en hypocrites et en cyniques. Ce qui compte c'est que le Président et sa femme ont maintenant un enfant et c'est grâce à ce féticheur, point barre ! On ira le voir ce samedi !

— On est encore lundi, samedi c'est trop loin !

— Je sais, mais il faut prendre un rendez-vous.

— Quoi ? Les féticheurs aussi veulent maintenant des rendez-vous comme les docteurs blancs ?

— Tout le quartier le consulte, même ceux qui cherchent du travail et ceux qui veulent que leurs enfants réussissent aux examens scolaires. Sans compter ceux qui ont d'autres maladies comme la diarrhée chronique, les règles douloureuses, etc. C'est un long travail qu'il va faire pour nous, et il faut que je prenne rendez-vous pour toute une demi-journée au moins.

Maman Pauline ne pleure plus. Cette solution l'a rassurée. Mais moi je me dis : C'est quoi encore cette histoire ? Est-ce qu'un féticheur est capable d'attraper les enfants qui foncent directement au Ciel sans passer par la Terre ? Est-ce qu'un féticheur est plus fort que Dieu ?

J'ai peur pour maman Pauline. Je sens que c'est une autre déception qui risque de lui arriver. Je ne veux pas qu'elle soit déçue une fois de plus, qu'elle pleure encore les semaines et le mois à venir si aucun enfant n'entre dans son ventre qui n'a plus été habité depuis que je suis venu au monde.


Dehors il y a des chiens qui aboient. Je n'aime pas trop ça. On dit que si les chiens aboient la nuit c'est qu'il y a des mauvais esprits qui passent dans le quartier et que certains de ces esprits se rendent au marché pour vendre les âmes de ceux qui vont bientôt mourir. La nuit on croit qu'il n'y a personne dans un marché alors que les mauvais esprits sont là avec leur marchandise et attendent les clients jusqu'à quatre heures du matin avant de retourner au cimetière. Si ces mauvais esprits ont entendu ce que se disaient mes parents, ils feront tout pour qu'aucun bébé ne vienne chez nous.

Sous mon drap je récite une prière que j'adresse à Ma Sœur-Étoile et à Ma Sœur-Sans-Nom :

*À toi Ma Sœur-Étoile*
*À toi Ma Sœur-Sans-Nom*
*Faites que maman Pauline ne pleure plus*
*Faites que papa Roger ne se décourage pas*
*Faites que les mauvais esprits n'entendent pas ce que ma*
*    mère et mon père se disent*
*Faites que le féticheur Sukissa Tembé réussisse avec mes*

*parents ce qu'il a réussi avec le président de la République et sa femme*

*Faites qu'un bébé arrive enfin dans cette maison*

*Faites aussi que le chah d'Iran ne meure pas, qu'il guérisse de son cancer et que l'ayatollah Khomeyni arrête de l'embêter tout le temps*

*Faites qu'aucun pays au monde n'accepte l'extradition du Chah*

Cet après-midi, je suis seul dans la chambre de mes parents. Maman Pauline est allée avec madame Mutombo au quartier Rex où une de leurs copines a perdu son père. Elle reviendra certainement très tard et ça tombe bien que papa Roger dorme aujourd'hui chez maman Martine.

Les livres de mon père sont là devant moi. Il y a le visage d'Arthur. Il me sourit, alors je peux continuer puisqu'il m'encourage.

Je suis à genoux et j'ai entre les mains un livre. Le titre c'est *Fais-moi des choses* et celui qui l'a écrit s'appelle San-Antonio. Un drôle de nom on dirait un surnom.

Je regarde un deuxième livre : *Vol au-dessus d'un lit de cocu*. San-Antonio encore.

Je prends un troisième livre : *Chérie, passe-moi tes microbes*. San-Antonio encore.

Un quatrième livre : *Mets ton doigt où j'ai mon doigt*. San-Antonio encore.

Le cinquième livre est toujours de ce San-Antonio : *Ma langue de Chah*. Là je sursaute presque : ce San-Antonio a donc parlé du Chah lui aussi ? S'il a parlé du Chah, c'est que cet écrivain est un homme gentil. Derrière *Ma langue de Chah* on a écrit un résumé, mais je crois que c'est lui-même San-Antonio qui parle car il dit «je» :

*Pour tout vous dire, je rêvais depuis longtemps d'aller en Iran. Mais pas dans ces conditions ! Au $XX^e$ siècle, être obligé de se battre au sabre, c'est surprenant, non ? Mais, croyez-moi, votre San-Antonio se révèle vite un as de cette discipline et les sbires qui se sont frottés à lui, s'ils n'étaient pas déjà des eunuques, ne sont pas près de mettre Casanova en péril. Quant à Bérurier au pays des Mille et Une Nuits (des mille et un z'ennuis, plutôt), c'est pas racontable en page 4 de couverture. Sachez qu'il y a plusieurs façons de donner sa langue au chat. La donner au chah n'est pas la plus facile, vous allez voir !*

Mais pourquoi il explique qu'il y a plusieurs façons de donner sa langue au chat, et que la donner au Chah c'est difficile ? Est-ce qu'il faut rire ou être triste ? Qu'est-ce que le Chah lui a fait ? Et puis, si je comprends bien, on dirait que ce San-Antonio a décidé d'aller se battre en Iran. Là je ne suis plus du tout d'accord avec lui. Je repose donc le livre sur le lit.

Je ne sais pas pourquoi mes yeux ne quittent pas la couverture de *Vol au-dessus d'un lit de cocu*. Peut-être parce qu'on voit l'image d'un oiseau. J'aime les oiseaux car ils peuvent être à la fois sur Terre et dans le Ciel. Les oiseaux voient des forêts comme les nôtres ou des déserts comme celui du Sahara qui est dans *Le Petit Prince*. Ils voyagent beaucoup et ils chantent pour qu'il fasse toujours beau sur Terre. Un oiseau c'est gentil, ça ne fait de mal à personne. Un oiseau n'ira pas se battre en Iran comme San-Antonio.

Je lis également ce qui est écrit derrière *Vol au-dessus d'un lit de cocu* :

*Et bon, dans çui-là, y'a Arthur Rubinyol, le fameux virtuose, qui vient sonner à l'Agence. Alors ça effervescente tout azimut, on déroule le grand tapis rouge, en signe d'alléluia. Ben heureusement qu'il était rouge, le tapis ! Comme ça, le raisin se voyait moins ! Et puis y'a le rabbin Machin, pardon, Moshé, qui se fait éventrer d'entrée de jeu. Sans causer de la Ricaine que j'ai levée dans l'avion et qui se met à tirlipoter le Vieux ! Si tu ajoutes à ces plaisanteries notre équipée finnoise au cours de laquelle Béru s'est respiré la mégère du bûcheron, t'auras compris qu'il s'en passe des bizarres dans cet opuscule ! Et tout ça à cause d'un vieux cocu vindicatif ! Tu parles d'une corne d'abondance.*

San-Antonio écrit en français impoli, je me dis. On dirait qu'il faut rire à un endroit car si tu ne ris pas c'est que tu ne comprends pas l'humour, donc tu n'es pas intelligent. Et puis qui est cet Arthur Rubinyol dont il parle dans son livre et qui est un «fameux virtuose» ? Est-ce que ce n'est pas par hasard pour se moquer de mon Arthur à moi qui ne lui a rien fait ?

Je me dis aussi : Comment se fait-il que dans cette chambre il y ait à la fois des livres qui parlent du Chah et d'Arthur, des gens que je connais un peu ? Est-ce que papa Roger le sait au moins ?

Je laisse *Vol au-dessus d'un lit de cocu* pour lire ce qui est écrit derrière les couvertures des autres livres de San-Antonio. Mais je ne veux pas tout bouger, je vais regarder au dos des livres puisque papa Roger les a tellement bien rangés qu'on peut lire les titres.

Dans cette bibliothèque il n'y a donc que des livres de San-Antonio en dehors de celui d'Arthur. Est-ce que San-Antonio c'est l'écrivain qui a le plus écrit au monde ? Qu'est-ce qu'Arthur vient chercher ici, lui qui est posé juste au-dessus de ces livres ? Je pense alors : San-Antonio doit être très connu, plus connu que Marcel Pagnol, plus connu qu'Arthur, plus connu que le chah d'Iran.

Je range les cinq livres. J'essaie de bien me rappeler comment ils étaient mis avant, mais je m'embrouille tout à coup. Est-ce que *Chérie, passe-moi tes microbes* était au-dessus de *Mets ton doigt où j'ai mon doigt* ou en dessous de *Fais-moi des choses* ? Je ne sais plus.

Et puis, tant pis, j'ai déposé *Une saison en enfer* sur *Ma langue de Chah*. Parce que le Chah dont parle San-Antonio doit être le même Chah qui est actuellement malade en Égypte. Parce que je trouve qu'il faut qu'Arthur sache aussi que le chah d'Iran ne va pas très bien, que son cancer empire alors que le criminel Idi Amin Dada est en train de nager tranquillement dans sa villa en Arabie Saoudite.

Le président de la France s'appelle Valéry Giscard d'Estaing. Pendant que le journaliste Roger Guy Folly parle, mon père m'écrit le nom de ce président sur un bout de papier. Les noms des Français sont trop compliqués, on ne les écrit jamais comme on les entend. Or les Français croient que c'est nos noms à nous qui sont trop compliqués. Est-ce que c'est normal, ça ?

Roger Guy Folly nous informe que Valéry Giscard d'Estaing a des ennuis très graves et qu'il risque de ne plus être président de la République pour la seconde fois. C'est presque fini pour lui, il est cuit. Moi je me dis : Il est sans doute malade, il a eu un accident, le pauvre. Or il n'est pas malade et il n'a pas eu d'accident. Son problème c'est une histoire de diamants qu'il a reçus du président-dictateur de la République centrafricaine. Et ce dictateur, d'après mon père, est aussi méchant qu'Idi Amin Dada de l'Ouganda.

Pendant que Roger Guy Folly raconte comment le président des Français est critiqué par tout le monde en France, papa Roger me dit sans regarder vers maman Pauline que cette histoire est très compliquée à comprendre parce que lorsque Giscard d'Estaing a reçu les diamants du dictateur Bokassa moi j'étais encore tout petit, et lui Giscard d'Estaing il n'était pas encore chef d'État mais ministre d'un autre président français qui s'appelle Georges Pompidou. Selon mon père, Pompidou était un homme bien et intelligent et qu'il ne fallait pas avoir peur de lui, même s'il avait beaucoup de sourcils comme le président des Russes Leonid Ilitch Brejnev. Giscard d'Estaing était alors le ministre des Finances de ce Pompidou.

Comme papa Roger constate que je ne le suis pas bien, que je me gratte la tête à cause des pensées qui se mélangent dans mon esprit, il me précise qu'un ministre des Finances c'est celui qui s'occupe de l'argent d'un pays, mais il est bien surveillé par l'État alors que chez nous un ministre des Finances c'est celui qui vole l'argent du pays ou qui aide le Président et les membres du gouvernement à le cacher dans les banques de la Suisse. Chez nous l'État ne peut pas surveiller cet argent parce que chacun pique dans la caisse, depuis le sommet jusqu'à la base, et tout le monde accuse tout le monde. Comme tout le monde ne peut pas aller en prison, alors on laisse tomber et on continue à piquer l'argent de l'État.

Ce président de la République centrafricaine qui vient d'être chassé de son pays a un joli nom. C'est moins compliqué que les noms des Français : il s'appelle Jean Bédel Bokassa. Mais si tu ne veux pas qu'il te coupe la tête, il faut l'appeler l'empereur Jean Bédel Bokassa I^er. C'est lui-même qui avait décidé qu'il allait être empereur, et il avait fait une grande fête pour ça avec beaucoup de chefs des pays étrangers qui étaient venus l'applaudir chez lui et reconnaître qu'il était devenu empereur. Bien avant ses malheurs d'aujourd'hui il était un très grand ami de la France et la France l'a maintenant lâché comme un chien qui a des puces ou de la rage. Oui, il était un serviteur de la France puisqu'il avait combattu avec les soldats français pendant la Deuxième Guerre mondiale, et c'est les Français qui l'avaient formé comme militaire et lui avaient donné une belle médaille parce qu'il avait toujours répondu présent partout où les Français se battaient, que ce soit en Indochine ou en Algérie. Dans l'armée française l'empereur Jean Bédel Bokassa I$^{er}$ était arrivé jusqu'au grade de capitaine avant de rentrer chez lui en Centrafrique où il avait profité de la pagaille qui régnait là-bas après un coup d'État de certains militaires contre le président, son cousin David Dacko, pour devenir lui-même président. Normalement, ce coup d'État c'étaient les autres militaires qui le faisaient contre son cousin Dacko, mais malin comme il est, Bokassa a vite retourné les choses, a pris la situation en main et, à la fin, c'est lui qui s'est retrouvé président de la République alors que ce n'était pas lui qui avait calculé ce coup d'État au début. Donc il a fait un coup d'État dans un coup d'État, dit mon père. Or, en devenant désormais président, il venait quand même de renverser son propre cousin. C'est pour ça que papa Roger me rappelle que nos ennemis les plus méchants sont parfois dans notre propre famille. Si moi je deviens président de la République, c'est sûr que je vais me méfier de tonton René, je vais plutôt faire confiance à Lounès que je nommerai Premier ministre.

Il paraît que l'empereur Jean Bédel Bokassa I<sup>er</sup> a beaucoup pleuré quand le général de Gaulle qui dirigeait la France avant Georges Pompidou est mort. De Gaulle était grand comme deux hommes et demi de chez nous ou cinq Pygmées et demi du Gabon. D'après papa Roger, le Congo l'aimait bien parce que quand les Allemands avaient décidé d'habiter de force en France le général de Gaulle est venu chez nous à Brazzaville pour annoncer que la France n'est plus dans la France, que la capitale de la France ce n'est plus Paris avec sa tour Eiffel, c'est maintenant Brazzaville la capitale de la France libre. Donc, tous les Français étaient devenus des Congolais comme nous. Et d'ailleurs, en ce temps-là, c'était mieux d'être un Congolais qu'un Français complice des Allemands et commandé par le dictateur Adolf Hitler et sa moustache qui faisait peur. Nous on a donc laissé les Français venir chez nous sans problème. On se disait : Si les Blancs courent se cacher jusqu'ici à Brazzaville c'est que chez eux là-bas en Europe ça chauffe, c'est que les Allemands et leur chef Adolf Hitler ne leur font pas de cadeau.

Papa Roger se souvient aussi que l'année où le géant de Gaulle est mort, dans notre pays c'était comme si notre propre président était mort. De Gaulle et nous c'était une longue histoire parce que quand il est venu ici et qu'il a repris l'avion pour repartir en Europe, notre prophète André Grenar Matsoua a disparu lui aussi. Et jusqu'à présent beaucoup de gens de la tribu Kongo pensent que ce prophète n'est pas mort, qu'il reviendra un jour avec le général de Gaulle à l'aéroport de Brazzaville. C'est pour ça qu'il y a toujours du monde en train d'attendre le retour du Général et de notre prophète à l'aéroport de Maya-Maya, à Brazzaville. Pour nous le général de Gaulle n'est pas mort, les Français nous mentent. Notre prophète Matsoua n'est pas mort, les Français le cachent quelque part avec le général de Gaulle. Les deux finiront par revenir tôt ou tard au Congo.

Mais voilà encore que papa Roger nous embrouille les esprits au moment où il nous apprend que le général de Gaulle est vraiment mort pour de bon et qu'il a été enterré dans un coin de la France qu'on appelle Colombey-les-Deux-Églises.

Dès que maman Pauline qui soulevait son verre a entendu ce nom bizarre de Colombey-les-Deux-Églises, elle a sursauté de sa chaise et sa bière a failli sortir de ses narines :

— Comment on peut enterrer quelqu'un de très important comme ça dans une église ? Et comment ils ont fait pour l'enterrer dans deux églises ?


Il paraît que le jour où le général de Gaulle est mort le dictateur Jean Bédel Bokassa I$^{er}$ a pleuré comme si c'était son papa Roger à lui qui était mort. Il prétendait que c'était son papa qui venait de partir au Ciel et qui l'avait laissé seul sur Terre. Et il avait tellement pleuré son père de Gaulle que même les Africains se sont tous demandé : Et si c'était vrai ? Or ça ne pouvait pas être possible parce que Bokassa I$^{er}$ est noir comme le derrière de nos marmites. Et puis un Blanc très célèbre comme de Gaulle ne pouvait pas avoir un enfant noir. C'est impossible même dans un cauchemar. Mais l'empereur Bokassa I^er s'en foutait des commérages, il était alors allé aux funérailles du Général, et c'est là qu'il avait croisé le ministre français des Finances Valéry Giscard d'Estaing qui avait, comme par coïncidence, de la famille en Centrafrique. Cette famille aimait bien chasser les animaux de nos forêts pour s'amuser alors que ces animaux sont les esprits de nos ancêtres, ils n'ont jamais fait du mal à personne. Nos animaux sont très gentils, ils font des petits bébés pour qu'il y ait toujours de la vie dans la brousse et pour que les petits Africains qui naissent voient de leurs propres yeux c'est quoi un lion, c'est quoi un éléphant, c'est quoi un zèbre ou c'est quoi un écureuil. Les Blancs de la famille de Giscard faisaient leur jeu de chasse avec ces animaux et ils les tuaient juste pour rigoler un peu et prendre des photos. Et ils collaient les têtes des animaux contre leurs murs pour se vanter devant les gens : Moi j'ai fait la chasse en Afrique, j'ai tué ce lion, j'ai tué ce léopard et j'ai aussi tué cet éléphant.

Chaque fois que le ministre des Finances Giscard d'Estaing se rendait dans sa famille en Centrafrique, il passait dire un petit bonjour au dictateur Bokassa I^er maintenant qu'ils s'étaient connus aux funérailles du général de Gaulle.

Papa Roger nous rappelle aussi que Giscard d'Estaing était venu rendre visite à Bokassa I^er qui lui avait fait visiter son joli palais et qui lui avait donné de jolis cadeaux, y compris un cadeau qui avait des diamants tout autour. Bokassa I^er qui était toujours gentil avec ses invités avait encore donné des diamants à Giscard le jour où celui-ci était venu le voir dans son château en France. Et puis paraît-il aussi qu'il y avait eu d'autres cadeaux, c'est pour ça que mon père dit que l'affaire-là est si compliquée qu'on ne sait pas si c'est Bokassa I$^{er}$ qui exagère, qui ment, qui dit n'importe quoi parce qu'il est en colère contre la France depuis son exil. Ou alors c'est Valéry Giscard d'Estaing qui veut cacher d'autres diamants et prouver à tout le monde qu'on ne lui avait pas offert de vrais diamants mais de la pacotille.

Donc aujourd'hui entre Giscard d'Estaing et Bokassa I$^{er}$ c'est la guerre mondiale. Depuis son pays d'exil Bokassa I$^{er}$ doit se dire : Giscard, moi je t'ai donné des cadeaux, des diamants, pourquoi tu as attaqué mon régime pour remettre au pouvoir mon cousin David Dacko que j'ai déjà renversé par un coup d'État, hein ?

Oui, Bokassa I$^{er}$ est vraiment très fâché depuis qu'il a été chassé de la République centrafricaine et qu'il vit désormais chez les Ivoiriens. Il croit que la France l'a trahi, il veut se venger, il veut faire tomber le président Giscard d'Estaing. Et comme on ne parle plus que de cette affaire de diamants à la radio et dans les journaux, papa Roger ne voit pas comment les Français vont voter pour Giscard d'Estaing. On l'enverra à la retraite même s'il est encore trop jeune pour ça. C'est Bokassa I$^{er}$ qui va être content depuis la Côte d'Ivoire.

Juste au moment où Roger Guy Folly a fini de parler et que papa Roger a éteint la radio, je me dis que Bokassa I$^{er}$ ne va pas mourir d'un cancer. Non, il n'aimait pas son pays comme le Chah. Le cancer c'est pour les gens qui aiment leur pays ou qui font l'aventure comme Arthur. Et puis, pour son exil, Bokassa I$^{er}$ n'avait qu'à choisir l'Égypte au lieu de la Côte d'Ivoire. Quand on est en exil ou en aventure, si on ne passe pas par l'Égypte c'est qu'on n'est pas un type bien, c'est qu'on ne compte pas dans le monde. Et moi je n'aime pas du tout ce Bokassa I$^{er}$. Donc je veux absolument que les Français votent encore pour Giscard d'Estaing. Qu'il reste président à vie. Comme ça, Bokassa I$^{er}$ va aller se faire voir ailleurs.

J'entre dans ma chambre, je mets la moustiquaire. Je ne fais que penser à Valéry Giscard d'Estaing. Je m'endors enfin avec les dernières paroles que j'envoie à Ma Sœur-Étoile et à Ma Sœur-Sans-Nom :

*Faites que Giscard d'Estaing soit encore et toujours président de la République française*
*Faites que cette histoire de diamants ne pousse pas les Français à voter pour un autre président que lui*
*Giscard oyez ! Giscard oyez ! Giscard oyez !*

Si Caroline croit que je vais lui demander pardon, elle se trompe vraiment. C'est elle qui a voulu qu'on divorce, c'est pas du tout moi. Pourquoi je vais alors aller vers elle, hein ? Comme je ne lui parle pas, comme elle ne me parle pas et que monsieur Mutombo ne trouve pas ça normal, il se retourne vers Longombé et Mokobé et leur demande :

— Qu'est-ce qu'ils ont ces deux petits amoureux ?

Caroline pique une colère et hurle qu'on n'est pas amoureux, qu'on n'est pas mariés, qu'on ne s'est jamais mariés, que son mari est un grand joueur de football qui porte le numéro 11, qui marque beaucoup de buts et qui lit les livres de Marcel Pagnol. Elle sort de l'atelier de son père en courant.

Moi je suis ici parce que j'ai rapporté le pantalon mohair de papa Roger. Il est tout neuf, mais il est trop long, donc il faut qu'on le coupe de quelques centimètres sinon mon père va marcher en balayant la poussière comme certains papas que je croise dans le quartier. J'en vois qui plient leur pantalon eux-mêmes et à chaque fois le pantalon redevient long, il faut le replier devant tout le monde alors que tu ne peux pas marcher en te disant que tu dois faire attention que ton pantalon ne se déplie pas. Est-ce que lorsqu'on marche dans la rue on pense à son pantalon ou à ses chaussures ? On pense plutôt à autre chose, à l'endroit où on va et à comment on va faire pour ne pas arriver en retard.

Dès que je suis entré dans l'atelier avec le pantalon de mon père sur l'épaule droite, j'ai trouvé Caroline assise près de monsieur Mutombo et j'ai failli faire demi-tour pour revenir plus tard. Je suis quand même entré parce qu'au fond là-bas les deux apprentis m'avaient déjà vu.

Longombé avait hurlé :

— Tiens, voici le petit Michel !

Mokobé avait ajouté :

— C'est sûr que c'est encore pour une chemise déchirée par son ami !

Je n'ai pas salué Caroline parce que dans son regard elle m'avertissait presque : Si tu me salues, je vais te faire honte devant les grandes personnes.

Les apprentis étaient en train de lui coudre une robe rouge avec des fleurs vertes.


Monsieur Mutombo me dit :

— Va donc voir ce que fait ta femme dehors, il ne faut jamais laisser son épouse dans le chagrin, quelqu'un d'autre peut la consoler et l'épouser, tu n'auras plus que tes yeux pour pleurer.

Je sors de l'atelier. En face il y a un petit terrain de football. Caroline est assise par terre et me regarde m'avancer vers elle. Au moment où elle se lève pour s'éloigner, je lui lance :

— Attends, ne t'en va pas, je dois te dire quelque chose...

— Non, c'est fini, on est divorcés depuis longtemps.

Je me calme et lui réponds :

— Je sais bien, mais on peut au moins discuter et je...

— Non, je veux pas discuter avec toi sinon je vais encore t'aimer et je vais avoir mal au cœur tout le temps !

Elle dessine maintenant des choses par terre avec un petit roseau. Je regarde de près son dessin.

— C'est quoi, ça ?

— Tu ne vois pas que c'est une rose ? C'est Mabélé qui m'a appris à la dessiner et il dessine très bien lui-même. Il m'a dit que je suis une rose, donc je suis en train de me dessiner.

Le nom de Mabélé m'énerve. Je perds mon calme et j'attaque :

— Est-ce que Mabélé sait qui est Arthur Rimbaud ?

— C'est qui celui-là encore ?

— C'est un écrivain. Il a beaucoup de cheveux qui poussent grâce à l'hiver...

— Est-ce qu'il est plus célèbre que Marcel Pagnol ? Est-ce qu'il a quatre châteaux et...

— Non, Arthur n'a pas tout ça, c'est pas important pour lui.

— S'il n'a pas de châteaux, c'est qu'il n'est pas célèbre et riche !

— Mais il voyageait beaucoup, donc il pouvait voir les châteaux du monde entier !

— Et ses châteaux à lui alors?

— Il les construisait dans son cœur. Et moi je te garderai aussi dans mes châteaux qui sont dans mon cœur, là où personne ne viendra te faire du mal...

Elle relève la tête et me regarde enfin. On dirait qu'elle va avoir une fourmi dans son œil.

— Où tu as appris à dire des choses de ce genre comme les grandes personnes quand elles baratinent les femmes?

— C'est grâce à Arthur.

— Ah bon? Parce que tu l'as rencontré?

— Oui.

— Où ça?

— Dans la chambre de mes parents. En plus, quand je le fixe, il me sourit et me parle.

Un avion passe. Je ne peux pas demander à Caroline de deviner dans quel pays il va atterrir. Ça c'est notre jeu avec son frère.

Je regarde donc seul l'avion et je me dis : Il va atterrir en Égypte. La capitale de l'Égypte c'est Le Caire. Je ne veux pas que l'avion aille atterrir en Arabie Saoudite où il y a Idi Amin Dada qui nage dans sa piscine et fait la boxe avec ses domestiques. Je ne veux pas que l'avion aille atterrir en Côte d'Ivoire où l'empereur Jean Bédel Bokassa Ier raconte n'importe quoi sur Valéry Giscard d'Estaing qui veut être encore président de la République française.

Pendant que je pense à l'Égypte, Caroline me prend la main gauche et me supplie :

— Est-ce que moi aussi je peux rencontrer ton ami Arthur qui a des châteaux dans son cœur?

— Bien sûr, et il sera très content! Mais il faut

que tu viennes à la maison parce que mon père va se fâcher si je sors avec Arthur dans la rue. Et si mon père se fâche, Arthur ne va plus me sourire jusqu'à ma mort.

Elle vient d'effacer la rose qu'elle a dessinée par terre et m'a pris par la main. Nous revenons vers l'atelier de son père. Sa voix est de plus en plus douce :

— Tu sais, Mabélé n'est pourtant pas très fort à la bagarre... Pourquoi tu as fui quand tu l'as croisé dans le magasin de Diadhiou ? Est-ce que si on nous attaque un jour dans la rue tu vas aussi t'enfuir comme ça et me laisser seule avec les bandits ?

Je n'ai pas répondu. Parce que je ne veux plus entendre parler de ce nom de Mabélé.


Monsieur Mutombo est étonné de me voir arriver avec Caroline. Longombé et Mokobé veulent rigoler, mais ils bloquent leurs rires. Ils se disent que monsieur Mutombo risque de les engueuler. Longombé fait semblant d'éternuer, puis il éclate de rire à la fin, de même que Mokobé et monsieur Mutombo. Comme ils ne font plus que rire tous les trois, Caroline et moi on se met aussi à rire. C'est moi, comme d'habitude, qui ris le plus fort et qui me tiens les côtes. Plus je ris comme ça, plus les autres n'arrêtent plus de rire. Je tombe par terre, je ris. Je me relève, je ris. Je m'appuie contre le mur, je ris. Je m'appuie sur la table où on coupe les tissus, je ris. Je ris, je ris, je ris et soudain, nous sommes surpris, il fait tout noir dans l'atelier. Le crâne de monsieur Mutombo n'éclaire plus rien. Je me retourne et je vois la mère de Longombé qui barre la porte. Comme à chaque fois, elle ne peut entrer ni de face ni de profil. J'ai réussi juste à temps à ne plus rire. D'ailleurs plus personne ne rit dans l'atelier. Longombé se lève, va vers sa maman et ils sortent discuter à quelques mètres de l'atelier. J'avance pour les épier. J'aperçois Longombé qui donne de l'argent à sa mère. Trop tard, elle m'a vu et me menace de loin :

— Toi le fils de Pauline Kengué, je t'aurai un jour ! Pourquoi tu ris dès que tu es en face de moi ? Est-ce que c'est parce que je suis grosse, hein ? Est-ce que tu sais si toi-même tu grossiras quand tu seras grand ?

Elle s'en va à toute vitesse. Elle soulève de la poussière lorsqu'elle se déplace. Les gens qui la dépassent se retournent comme s'ils avaient vu un extraterrestre. Elle les insulte alors qu'ils n'ont rien dit contre elle. Moi je me demande : Pourquoi le papa de Longombé ne vient jamais demander de l'argent à son fils ? Est-ce que son père a abandonné sa mère ? Est-ce qu'il a au moins un père adoptif, ce Longombé ? J'ai pitié de lui qui travaille dur et nourrit sa mère pendant que moi je suis là à rigoler comme un idiot. Est-ce que si quelqu'un se moque de cette façon de maman Pauline je vais être content ? Non, je chercherais à lui lancer des pierres sur le visage.

Donc je suis triste d'avoir ri la dernière fois, de n'avoir pas compris que la maman de Longombé est une brave dame, qu'elle est aussi brave que maman Pauline ou maman Martine.

Longombé regagne l'atelier et me regarde avec des yeux rouges de crocodile en colère. Monsieur Mutombo lui dit de vite s'occuper du pantalon de mon père. Moi je pense : Ça y est, il va gaspiller ce pantalon ! Il va faire exprès de le couper très court, et quand mon père va le porter il va ressembler au lièvre qui porte un pantalon dans les *Contes de la brousse et de la forêt* qu'on nous lisait au cours préparatoire.

La maison de tonton René est la plus jolie de la rue Comapon. Comme elle est très belle et qu'on la voit briller de loin, mon oncle a peur que les prolétaires qui ont des maisons en planches tout autour entrent n'importe quand dans sa propriété et lui volent sa richesse. C'est pour ça que la parcelle est bien clôturée en dur avec des fils barbelés au-dessus. Celui qui se dit : Je vais aller voler dans la maison de monsieur René parce qu'il est riche, il va se blesser avec les fils barbelés, il va saigner et crier comme les bébés lorsqu'ils arrivent dans ce monde, eux qui savent déjà qu'ils vont avoir des problèmes graves dans la vie et qu'ils auraient mieux fait de rester dans le ventre de leur maman ou d'aller au Ciel sans passer par la Terre comme Ma Sœur-Étoile et Ma Sœur-Sans-Nom. En plus, il n'y a pas que les fils barbelés qui protègent la parcelle de tonton René, il y a aussi un grand portail en fer. C'est par là que tout le monde doit entrer. L'autre grand portail en fer qui est derrière la maison, c'est l'entrée du garage que mon oncle ouvre avec une télécommande.

Quand tu viens chez tonton René, tu sonnes d'abord, tu attends dans la rue, puis le boy vient te guetter depuis un petit trou tellement bien caché que tu ne peux pas imaginer que quelqu'un te voie. Si tu es suspect, si tu ressembles à un voyou du Grand Marché, le boy ne t'ouvrira pas. Si tu insistes à rester devant la porte de la parcelle, il t'envoie Miguel qui est, d'après mon oncle, le plus méchant des chiens du quartier, voire de la ville, et pourquoi pas du Congo et du monde entier. Lorsque Miguel est énervé, il cherche à mordre sa propre silhouette. S'il est méchant comme ça, c'est parce que chaque matin le boy lui fait boire de l'alcool de maïs. Et dès qu'il a avalé un verre entier de cet alcool il reste tranquille quelques secondes, puis il tourne en rond, cherche sa queue, mais il ne peut pas la trouver parce que quand il se retourne à gauche pour la mordre la queue se retrouve à droite, et quand il se retourne à droite la queue se retrouve à gauche. Alors ça l'énerve de ne pas l'attraper, donc il aboie, il roule par terre. Le boy le calme, lui met une chaîne autour du cou et l'attache au pied du corossolier qui est dans la cour. Miguel va continuer à aboyer, il est si en colère que la bave ne fait que couler de sa gueule.

Devant le portail de tonton René c'est écrit en gros caractères :

ATTENTION CHIEN TRÈS MÉCHANT
24 H/24 ET 7 J/7

En lisant « 24 h/24 et 7 j/7 » je me dis : Finalement, à quel moment Miguel n'est pas « très méchant » ? Est-ce qu'il dort, ce chien-là ? Et je fais un calcul mental : Sachant que l'année c'est 365 jours — mais ça dépend, parfois c'est 366 —, le jour c'est 24 heures, l'heure c'est 60 minutes, la minute c'est 60 secondes, la seconde c'est 60 tierces, qui peut calculer en secondes le temps de méchanceté d'un chien qui a été « très méchant » 24 h/24 et 7 j/7 pendant cinq ans et demi ?

Je suis donc devant l'entrée de la maison de tonton René. À Noël, mon oncle m'oblige à passer chez lui avec mon camion, ma pelle et mon râteau en plastique qu'il m'a offerts quelques jours avant. Je joue surtout avec Kevin qui a onze ans et Sébastien qui a neuf ans. On ne peut pas jouer avec Edwige qui a quinze ans et qui ne fait que nous blâmer lorsqu'on court partout dans la maison ou qu'on monte sur les fauteuils de son père sans enlever les chaussures.

Moi je ne voulais pas venir chez tonton René aujourd'hui, mais maman Pauline a dit que son frère ne serait pas content si je n'allais pas chez lui, qu'il croirait que nous sommes contre lui parce qu'il est plus riche que nous. Et puis je porte quand même son nom de famille. Maman Pauline m'a d'abord dit d'aller me doucher, de bien frotter les aisselles, les fesses et là où on fait pipi. Je n'aime pas quand elle dit ça. Est-ce que quelqu'un de normal peut se doucher sans laver ses aisselles, ses fesses et là où il fait pipi ? Si quelqu'un ne lave pas ces parties, pourquoi donc il se douche ?

— Quand tu étais bébé et que je te lavais ces parties, tu pleurais beaucoup, elle m'a rappelé.

J'ai bien frotté ces parties. Après c'est elle qui m'a choisi un caleçon bleu, un coupé noir, une belle chemise blanche, un nœud papillon noir et des sandales en caoutchouc. Elle a mis dans un sac mon camion, ma pelle et mon râteau en plastique.

Il était presque midi et il faisait déjà très chaud même à l'ombre. Alors qu'on était devant la porte de notre parcelle, maman Pauline m'a prévenu :

— Ne te perds pas en route. Tu suis l'avenue de l'Indépendance, tu tournes à droite, puis tu continues jusqu'au quartier Savon et tu prends la rue Comapon. Fais attention aux voitures et ne traverse la rue que quand il y a une grande personne qui est aussi en train de traverser. Tu te mets juste derrière elle. Sois sage, ne te chamaille pas avec Kevin et Sébastien. Je t'attends à la maison ce soir, ton père sera là.

Moi j'ai failli lui demander pourquoi elle m'explique où se trouve la maison de tonton René alors que je sais aller là-bas. Je n'ai rien dit, j'ai commencé à marcher le long de l'avenue de l'Indépendance.

J'avais un peu peur quand je suis arrivé devant le portail de tonton René. En fait je me demandais : Est-ce que Miguel est bien attaché au pied du corossolier ? Si je me suis demandé ça, c'est parce que lorsque j'ai connu ce chien il était un tout petit bébé de rien du tout, mais mon oncle prétend que l'âge des chiens et celui des hommes ne sont pas du tout identiques. La jeunesse des chiens n'est pas longue, ils vieillissent plus vite par rapport à nous autres les êtres humains. Quand le chien a six mois, s'il était un homme il aurait dix ans. Quand le chien a un an, s'il était un homme il aurait quinze ans. Quand le chien a cinq ans, s'il était un homme il aurait trente-six ans. Or Miguel a cinq ans et demi. S'il était un être humain il aurait donc aujourd'hui quarante-six ans et serait un vieux par rapport à moi alors que je l'ai vu tout petit, que parfois c'est moi qui lui donnais du lait, et lui il aimait bien ça. C'est pas normal que lorsque je viens chez tonton René il se mette à aboyer comme si moi Michel j'étais un mauvais esprit, comme si je venais voler la richesse de mon oncle.

Le boy a vu que c'est moi qui sonne et il m'ouvre. Il me regarde des pieds à la tête on dirait qu'il se demande : Mais qu'est-ce qu'il a caché dans son sac, ce petit Michel qui est ridicule avec son nœud papillon ?

Miguel aboie derrière la maison, mais il est bien attaché. C'est Kevin que je vois en premier, tout maigre comme un roseau avec sa petite tête posée sur un long cou on dirait une girafe qui ne mange pas beaucoup. Il est debout devant la porte de la maison et Sébastien est juste derrière lui. On se dit bonjour en se serrant la main. J'entre dans le salon, je remarque qu'ils ont sorti leurs jouets. Kevin a reçu une bicyclette. Sébastien a reçu une voiture qui marche avec des piles et il m'explique qu'il peut jouer avec ça sans la toucher. Moi je ne le crois pas. Il me montre une machine qui commande sa voiture, c'est tout petit avec plusieurs boutons :

— Ce bouton, c'est pour démarrer. Celui-là, c'est pour aller tout droit. Celui-là, c'est pour tourner à gauche. Celui-là, c'est pour tourner à droite. Celui-là, c'est pour faire marche arrière. Celui-là, c'est pour le demi-tour. Et celui-là, c'est pour s'arrêter et éteindre le moteur, mais il faut appuyer deux fois sinon la voiture ne va pas comprendre ce que toi tu veux qu'elle fasse. Tiens, essaie donc de l'allumer et tu vas voir ce qui va se passer.

Au moment où je veux appuyer sur le bouton de démarrage, quelqu'un hurle derrière nous :

— STOP ! STOP ! STOP !

C'est Edwige qui vient de sortir de la douche. Elle a encore les cheveux mouillés. Je la trouve très grande, mais avec des boutons partout sur le visage comme si elle avait reçu des balles perdues pendant la guerre mondiale. La dernière fois que je l'ai vue, elle n'avait pas ça. Bon, c'est vrai que je ne l'ai pas vue depuis longtemps.

— Qu'est-ce que vous faites ? Papa a dit de ne pas toucher aux cadeaux maintenant ! Vous faites n'importe quoi. Qui a d'ailleurs ouvert ces cadeaux, hein ? Rangez-moi tout ça ! Et puis arrêtez de sauter dans le fauteuil avec vos chaussures !

Sébastien n'est pas d'accord avec sa sœur. Il continue à me tendre la machine qui commande sa voiture. Moi je ne sais plus s'il faut que je prenne ça ou pas. Edwige a disparu dans sa chambre, elle revient avec une chicotte en liane. Sébastien court ranger son cadeau près de la cheminée et s'enfuit dehors. Comme Miguel entend qu'on court dans la parcelle, il se met à aboyer de plus en plus fort. Il aboie tellement fort qu'on n'entend même pas la voiture qui entre dans le garage. C'est tonton René qui vient d'arriver avec sa femme, tantine Marie-Thérèse.

On est à table. Ce que je déteste chez tonton René c'est qu'on mange presque en silence. On n'entend que le bruit des cuillères et des fourchettes et il faut bien fermer la bouche quand on mâche la nourriture. C'est pas tout : on ne doit regarder que dans sa propre assiette. Si tu regardes trop dans l'assiette de l'autre, tonton René t'envoie un bon coup de pied sous la table avec ses souliers pointus on dirait une sagaie. Son coup de pied fait très mal pendant des jours et des nuits. Je l'ai reçu plusieurs fois au tibia, parfois ça touchait aussi ma cheville et je voyais des étoiles qui brillaient en plein jour. S'il te frappe, d'abord tu n'as pas mal pendant quelques secondes, tu es même très étonné et très content de ne rien sentir. Puis, tout à coup, alors que tu croyais que c'était fini pour de bon, la douleur monte jusqu'au ventre, ça bouge ton intestin grêle, ton pancréas, et ton cœur fait des petits bonds de bébé kangourou qui s'agite dans la poche de sa maman. Là tu vomis sur place parce que comment tu peux encore avaler un bon morceau de viande pendant que la douleur est en train de monter depuis la cheville ou le tibia jusqu'au ventre, hein ?

Le problème c'est que moi lorsque je mange j'épie les assiettes des autres pour savoir au moins si je dois manger plus vite qu'eux et les rattraper ou alors si je dois freiner ma façon de manger quand j'ai une avance sur tout le monde. Or ça tonton René ne le supporte pas. Il dit que c'est un comportement d'enfant de capitaliste qui sait déjà accumuler les richesses et appauvrir les condamnés de la Terre. Il croit que si je regarde dans les assiettes de Kevin et de Sébastien, qui sont les plus grands gourmands de la Terre, c'est que j'envie leurs morceaux de viande. Même dans les films des Russes qui passent au cinéma Rex ou au cinéma Roy, les gens ne mangent pas comme mes cousins-là mangent. Dans les films russes au moins on fait semblant de manger, en tout cas c'est ce que Lounès m'a expliqué. Lorsque les Russes mangent dans un film c'est toujours un trucage. Ce n'est pas de la vraie nourriture comme dans les films français parce que les Français, eux, ils mangent en vrai. En plus, ils parlent en mangeant alors que c'est impoli de se comporter en sauvages puisque normalement c'est eux les Blancs.

Sur le mur la photo de Lénine n'est pas droite. Celle de Karl Marx non plus. C'est peut-être le vent qui fait ça quand on ouvre la porte d'entrée. Engels est triste car la lumière du jour ne tombe pas sur lui. L'immortel Marien Ngouabi aussi est triste, peut-être parce que sa photo est la plus petite des quatre. On dirait que ses favoris ont encore poussé depuis la dernière fois où j'ai mangé ici.

Il n'y a plus la photo de Victor Hugo. Je ne peux pas demander à tonton René, les enfants ne parlent pas à table, sauf si une grande personne leur pose une question.

— Michel, tu n'as rien remarqué sur le mur en face de toi?

C'est tonton René qui me pose la question.

Je lève la tête, je fais semblant de réfléchir en remuant ma fourchette et je murmure :

— Non, je n'ai rien remarqué.

— Comment ça ? Lève bien la tête !

Alors je dis :

— Il n'y a plus la photo de monsieur Victor Hugo...

Tantine Marie-Thérèse me regarde d'un air méchant. Elle m'apprend que lorsqu'une personne est morte on ne l'appelle plus « monsieur » parce qu'elle n'est plus là pour nous obliger à la respecter. Or pour moi tous ces gens en photo sont vivants. Ils me regardent manger depuis que j'étais tout petit. Donc ce sont des messieurs.

Tonton René est satisfait de ma réponse :

— Bravo ! Bravo ! Bravo mon neveu ! Et dire que tes cousins ne l'avaient pas remarqué !

Et nous mangeons chacun le nez dans son assiette. J'essaie de suivre le rythme. Quand ils mangent vite, je mange vite. Quand ils ralentissent, je ralentis. Quand ils font une pause, je fais une pause.

Edwige est à ma gauche, Kevin à ma droite. En face il y a tantine Marie-Thérèse et Sébastien. Tonton René est comme un président parce que depuis sa place il peut nous surveiller sans tourner la tête ou se pencher. Kevin et Sébastien mangent comme des cochons, on dirait qu'ils font la course et tantine Marie-Thérèse n'est pas du tout d'accord, elle veut qu'ils ralentissent un peu.

Mon oncle revient sur Victor Hugo qui a perdu sa place au mur :

— Michel, tu sais pourquoi j'ai enlevé la photo de Victor Hugo ?

Je fais non de la tête.

Il fixe le mur et commence :

— Pendant longtemps j'ai aimé ce poète français qui était accroché là. Victor Hugo a du génie, il représente à lui tout seul le XIXᵉ siècle, voire notre siècle. Je peux même dire que c'est le seul poète que j'aime comme j'aime Karl Marx, Engels, Lénine et l'immortel Marien Ngouabi. Mais je vais vous montrer à tous quelque chose de grave, de très grave, qui m'a poussé à enlever sa photo de ce mur.

Il arrête de manger, se lève et va dans la chambre. Nous on ne comprend plus rien. Qu'est-ce qui est grave? Pourquoi il est contre le pauvre Victor Hugo qui ne lui a rien fait et qui a même écrit beaucoup de récitations? On se demande tous : Est-ce qu'on arrête aussi de manger ou on continue sans tonton René alors qu'il y a une affaire grave dans cette maison?

Tantine Marie-Thérèse nous fait signe de nous arrêter. Edwige et moi on cesse de manger, mais mes deux cousins continuent. Tantine Marie-Thérèse leur crie dessus :

— J'ai dit STOP!!!

Sébastien avait eu le temps de fourrer une grosse aile de poulet dans sa bouche, donc il mâche toujours.

Voilà tonton René qui est de retour. Il a entre les mains un bout de papier très froissé qu'il vient de déplier.

— J'ai photocopié le discours de Victor Hugo sur l'Afrique. Il l'a prononcé au cours d'un banquet qu'il présidait en 1879. Il y avait près de lui Victor Schœlcher, qui est à l'origine de la fin de l'esclavage. Et vous savez ce que Victor Hugo a dit ce jour-là?

Il met ses lunettes de docteur qui va faire une

piqûre à un enfant et commence à lire comme les membres du PCT lisent quand ils font un discours :

— « *Quelle terre que cette Afrique ! L'Asie a son histoire, l'Amérique a son histoire, l'Australie elle-même a son histoire ; l'Afrique n'a pas d'histoire.* »

Il reprend son souffle on dirait qu'il vient de faire une course à la nage qu'il a gagnée devant le dictateur Idi Amin Dada. Mais on voit qu'il saute des choses dans sa lecture, qu'il choisit ce qu'il veut nous lire. Pourquoi donc il ne nous lit pas tout pour que nous on continue à manger notre poulet tranquillement ? Quand il respire, on a l'impression que c'est un buffle qui a échappé aux chasseurs blancs. Pourquoi il ne savait pas ça avant de coller la photo de Victor Hugo sur son mur ? Et puis, quand on ne te lit qu'un petit morceau de quelque chose et qu'on ne te lit pas la suite, comment tu vas faire pour coller ce morceau à l'ensemble et bien comprendre ce qu'on a vraiment dit ?

Le voilà qui repart :

— « *Versez votre trop-plein dans cette Afrique, et du même coup résolvez vos questions sociales, changez vos prolétaires en propriétaires. Allez, faites ! faites des routes, faites des ports, faites des villes ; croissez, cultivez, colonisez, multipliez ; et que, sur cette terre, de plus en plus dégagée des prêtres et des princes, l'Esprit divin s'affirme par la paix et l'Esprit humain par la liberté !* »

— Ça suffit comme ça, René, les enfants sont là pour manger et fêter Noël, pas pour écouter ces choses qui ne les regardent pas ! Et qu'est-ce qui se passera si un jour tu découvres aussi que tes camarades Marx, Engels et Lénine ont dit des choses mauvaises sur l'Afrique, hein ?

Tantine Marie-Thérèse est la seule personne au monde qui peut parler comme ça à tonton René. Je ne sais pas comment elle fait alors qu'elle n'est pas une grosse femme comme la maman de Longombé ou même madame Mutombo. Elle est toute mince et pas grande, sa voix c'est comme la voix d'une petite fille qui a peur des garçons. C'est impossible qu'elle parle comme ça à mon oncle et que mon oncle arrête de lire son papier sur Victor Hugo. Elle doit avoir un secret pour parler de cette manière sans que mon oncle s'énerve.

Tonton René replie son papier, regarde vers là où il y avait encore la photo de Victor Hugo. Il ne reste plus qu'un espace carré. Dans le carré c'est un peu plus clair que le reste du mur. On peut deviner qu'il y avait une photo là.

— De toute façon, dit-il, demain le boy repeindra ce mur et on ne saura plus que Victor Hugo habitait dans ma maison. Je mettrai au même endroit la photo d'Hô Chi Minh ou de Che Guevara.

Tonton René ne s'est pas mis en colère quand il a vu que les jouets avaient déjà été sortis de leur emballage. Moi je croyais qu'il allait nous blâmer car c'est souvent lui qui nous dit de déchirer les emballages de nos cadeaux. Même si je reçois le même cadeau chaque année, je sors mon paquet de mon sac, je déchire l'emballage et je fais semblant d'être heureux. C'est pour ça qu'aujourd'hui, comme je n'ai pas montré que j'étais heureux, il me demande :

— Tu aimes ton camion, ta pelle et ton râteau ?

Je ne réponds pas et je regarde plutôt la voiture de Sébastien. Tonton René a compris ce que je pense et ajoute :

— Si tu obtiens ton certificat d'études primaires cette année, tu auras aussi une voiture comme celle de Sébastien. Mais il faut que tu sois parmi les cinq premiers de tout notre pays !

Est-ce que Sébastien a son certificat, lui ? Non, il est plus petit que moi. Alors pourquoi donc il a cette voiture avant son certificat et que moi je dois attendre d'obtenir ce diplôme ?


On joue dehors, derrière la maison. Edwige est dans sa chambre en train d'écouter de la musique avec le magnétophone que tonton René lui a offert. Il ne faut pas que je dévoile que nous on a une radiocassette et qu'on l'a eue avant Edwige. Ça c'est notre secret à la maison. Papa Roger a bien dit qu'il faut qu'on reste modestes. Nous on peut écouter Roger Guy Folly qui nous parle le soir depuis l'Amérique. Or le magnétophone d'Edwige c'est pour mettre seulement des cassettes dedans et écouter de la musique. C'est tout. En plus, Edwige n'a pas la cassette du chanteur à moustache qui pleure son *alter ego* du matin jusqu'au soir. Pourquoi je vais être impressionné par son cadeau ?

Miguel nous guette de loin. Il est fatigué de rester attaché au pied du corossolier. Il se repose, un œil fermé, l'autre à moitié ouvert. J'ai pitié de lui parce qu'il n'a pas reçu de cadeau de Noël. On l'oublie tout le temps alors que c'est lui qui protège la richesse de tonton René. J'ai envie de lui donner mon râteau ou ma pelle. Le problème c'est que si je lui donne ça il risque d'aboyer parce que les chiens ne peuvent pas être des agriculteurs, ils ne sont pas au courant que c'est par l'agriculture que notre pays va se développer. Avec leurs pattes ils ne peuvent pas attraper une pelle ou un râteau. Ils ne peuvent pas savoir qu'on met toujours la charrue derrière les bœufs. Donc ça ne sert à rien que je donne ma pelle ou mon râteau à Miguel.

J'ai aussi pitié de Miguel parce que chaque année qui passe, chaque jour qui passe, chaque heure qui passe, chaque seconde qui passe et chaque tierce qui passe le fait vieillir plus que nous autres les êtres humains. C'est injuste. Et il me regarde avec le seul œil qui est un peu ouvert comme s'il avait compris ce que j'étais en train d'imaginer. Oui, il sait ce qui est dans mon cœur. C'est possible parce que les chiens voient des choses invisibles comme les fantômes et les mauvais esprits que nous les hommes on ne peut pas voir en chair et en os. Les chiens peuvent lire de A à Z dans les pensées des hommes. C'est pas parce qu'ils ne parlent pas clairement notre langue qu'on doit les prendre pour des idiots avec une queue et des puces partout sur leur corps. Et d'ailleurs, est-ce que nous on est capables de bien parler leur langue à eux qui est plus compliquée que la nôtre ?

En tout cas c'est la première fois que je vois Miguel aussi calme. Ça veut donc dire qu'il n'est pas toujours très méchant 24 h/24 et 7 j/7. Il faut qu'on change la plaque qui est dehors et qu'on mette une autre plaque où il y a l'heure exacte de la journée où Miguel n'est pas très méchant. Mais si on met ça sur une plaque peut-être que les voyous du Grand Marché vont se dire : On va aller voler la richesse de monsieur René pendant que son chien n'est pas très méchant. Maintenant je sais que cette plaque sur le portail c'est du mensonge, c'est juste pour faire peur aux voyous.

J'envie la voiture de Sébastien. Il me l'a fait essayer, et moi j'ai pensé : C'est quand même bien d'avoir ça, d'avoir une voiture qui t'obéit de loin dès que tu appuies sur un bouton alors que les vraies voitures il faut les conduire et tenir le volant sinon tu vas cogner contre les autres automobiles. Puisque je ne fais que rêver de cette voiture, je n'ai plus envie de jouer avec mon camion, ma pelle et mon râteau. J'en ai marre d'être un agriculteur. J'en ai vraiment marre. Je pense à Lounès. Qu'est-ce qu'il a reçu comme cadeau ? Je pense à Caroline. Qu'est-ce qu'elle a reçu, elle ? Oui, je veux une voiture qui m'obéit de loin. Je l'aurai un jour...

À la fin de la journée, tonton René a dit à son boy de me raccompagner à la maison. En chemin je ne vois plus les voitures qui passent. Les gens que nous croisons, je ne les regarde pas. C'est comme des ombres que je dépasse. Mes pensées sont loin, très loin. Je pense à Ma Sœur-Étoile et à Ma Sœur-Sans-Nom. Est-ce qu'elles ont reçu des cadeaux là-haut ?

*Faites que je réussisse à mon certificat d'études primaires cette année et que tonton René m'offre une voiture qui va m'obéir de loin, une voiture qui va me suivre partout*

*Je vais mettre mes petits rêves dans le coffre de cette voiture pour les promener jusqu'à quand j'aurai vingt ans et que Miguel aura plus de cent ans. Il va mourir peut-être, mais il va ressusciter en petit chien tout blanc que j'offrirai à Caroline*

Un jour il faudra que je demande à papa Roger pourquoi dans les informations qu'on écoute à la radio il n'y a que de mauvaises nouvelles. On dirait que c'est toujours la fin du monde, que le soir si on allume la radio tout peut arriver. Même si ça se passe loin de nous, même si on ne prononce pas les noms des gens de notre quartier, c'est des mauvaises nouvelles pour nous aussi. Je n'ai jamais entendu Roger Guy Folly rire ou nous faire rire. Maintenant j'ai très peur chaque fois que j'entends ce journaliste annoncer : « *Il est vingt et une heures en Temps universel, et vous écoutez La Voix de l'Amérique. Tout de suite, les informations du soir avec votre serviteur Roger Guy Folly...* »

Il y a un grand bandit en France qui s'appelle Jacques Mesrine et qu'on vient de tuer. On l'avait mis en prison pour qu'il y reste pendant vingt ans, mais quelqu'un l'a aidé à s'enfuir comme dans les aventures de Lucky Luke où les Dalton savent comment s'échapper de la prison jusqu'à ce que Lucky Luke les rattrape encore et que nous on puisse lire les épisodes suivants. Or, si les Dalton s'échappent pour de bon, comment on va lire d'autres aventures de Lucky Luke ? Qu'est-ce que Lucky Luke va faire sans les Dalton ? Il va tourner en rond dans le désert avec son chien Rantanplan et chasser les petits animaux qui se cachent au pied des cactus.

Pour Jacques Mesrine l'aventure est désormais finie, surtout qu'il s'était attaqué à la fille d'un juge et l'avait gardée avec lui comme otage comme ces étudiants iraniens qui avaient pris en otage les Américains et les avaient enfermés dans une cave. Il paraît que Mesrine on le recherchait partout, on ne le trouvait jamais. Certains disaient qu'il était à tel endroit, mais quand on arrivait à cet endroit-là il était déjà parti depuis longtemps. D'autres disaient qu'il était maintenant à un autre endroit bien identifié, et on se rendait vite à cet endroit bien identifié, Mesrine était déjà loin.

Voilà que les policiers l'ont tué. On l'a coincé comme on coince les rats palmistes dans notre brousse. On encercle tous les trous et les rats ne peuvent plus sortir que par un seul trou où on les attend.

Roger Guy Folly raconte que Mesrine s'était enfui dans sa voiture et c'est dedans que les policiers l'ont abattu. Sa femme qui était aussi dedans a été blessée. Maintenant en France les gens peuvent respirer un peu parce que Mesrine était leur ennemi le plus dangereux. Selon papa Roger, ce Mesrine était plus fort et plus intelligent que notre célèbre bandit à nous qu'on appelait Angoualima et qui avait six doigts à chaque main, quatre yeux, quatre oreilles, deux zizis. Angoualima coupait la tête des gens ou volait chez les Blancs du centre-ville. Or il n'avait pas de voiture pour s'enfuir comme Mesrine et être abattu dedans avec une femme. C'est pour ça qu'on ne l'a pas abattu de la même façon que Mesrine. On ne sait pas comment il est mort, notre Angoualima. Qui sait s'il est vraiment mort ? C'est bizarre que j'apprenne cette histoire de Mesrine au moment où on entend de plus en plus reparler d'Angoualima dans nos rues et que certaines personnes affirment qu'un voyou au nom de Grégoire Nakobomayo est en train de suivre les traces de notre ennemi public numéro un à nous. Le problème c'est que Grégoire Nakobomayo est maladroit, il rate ses crimes et fait rire la police de notre ville.

Depuis la mort de Jacques Mesrine, les voyous du Grand Marché copient ce nom et refusent qu'on les surnomme Angoualima comme avant. Quand tu passes dans la rue, tu peux lire sur les murs des maisons abandonnées ce nom de Mesrine et la phrase : « *Je vendrai chèrement ma peau.* » Je ne sais pas ce que ça veut dire et pourquoi nos bandits veulent vendre leur peau chèrement alors qu'il n'y aura personne pour l'acheter et même personne pour la prendre gratuitement. Nos bandits veulent être des Mesrine mais ils n'ont pas de voitures et ils n'ont pas de femmes pour fuir avec elles et être abattus par la police. Donc on finit par les attraper vivants et on les ramène au poste de police, on les tabasse bien comme il faut avant de les relâcher parce qu'on n'a pas beaucoup de place dans nos prisons.

Ce qui me fait le plus mal ce n'est pas cette histoire de Jacques Mesrine. Je suis plutôt triste parce que Roger Guy Folly a aussi parlé d'une nouvelle loi en France qui dit qu'on peut refuser que les enfants naissent. L'enfant qui est déjà dans le ventre croit qu'il va venir au monde, mais on va à l'hôpital, et paf, le docteur le fait sortir de force et on le jette à la poubelle. Le mot que Roger Guy Folly utilise pour ça c'est *l'avortement*. Le journaliste rappelle qu'autrefois on le faisait en cachette et il y avait beaucoup de femmes qui mouraient avec leur enfant. Les gens qui faisaient l'avortement étaient vus comme des assassins et on les emprisonnait.

Lorsque Guy Folly a parlé de l'avortement et expliqué la nouvelle loi en France défendue par une femme qui s'appelle Simone Veil, le visage de maman Pauline a changé. Elle a écouté pendant un moment sans un mot, puis elle a quitté la table et est allée dans la chambre. Papa Roger a tout de suite cherché une autre station de radio et est tombé sur Radio-Congo, où les journalistes parlaient de la «Journée de l'arbre» que vient de décider notre président de la République. Tout le monde doit désormais planter un arbre quelque part et la police va passer dans chaque quartier, dans chaque parcelle pour vérifier que l'ordre du Président est respecté. Ceux qui ne vont pas planter un arbre vont avoir une amende, et s'ils sont des membres du Parti congolais du travail on va leur retirer leur carte. Tant pis pour eux, ils ne seront plus au premier rang pendant les défilés de notre fête nationale.

Mes parents me demandent d'une seule voix :

— Michel, qu'est-ce que tu veux qu'on t'offre ?

Je suis très étonné parce qu'à Noël ils m'avaient déjà offert plusieurs sacs de billes et un château en pièces détachées que je n'arrive toujours pas à rassembler jusqu'à maintenant. Je les soupçonne de me cacher quelque chose, ou alors ils vont m'annoncer une très mauvaise nouvelle.

Papa Roger ajoute :

— On ira au centre-ville toi et moi, rien que tous les deux ! Et on mangera des pommes ! Après, tu choisiras le cadeau que tu veux.

— N'importe quel cadeau, on s'en fout du prix ! complète ma mère.

— Oui, n'importe quel cadeau, on veut que tu sois heureux. En plus tu viendras me voir à mon travail, je vais te présenter à ma patronne madame Ginette, tu vas aussi croiser monsieur Montoir qui nous a offert la radiocassette.

— Et c'est pas tout, Michel : tu viendras aussi un jour avec moi jusqu'en brousse et à Brazzaville. Tu prendras le train pour la première fois !

Je n'ai plus envie de manger. Il y a trop de

bonnes nouvelles au même moment. Et puis ce n'est pas comme ça qu'ils me parlent d'habitude. On dirait que c'est d'autres gens qui sont en face de moi ce soir. Ils sourient, mais je sens que leur sourire cache quelque chose d'autre. Et quand je les regarde bien dans les yeux, ils baissent leur regard car ils savent que moi Michel je peux lire ce qu'il y a dans la tête de quelqu'un. Quand ils me donnent un cadeau ils ne me demandent jamais mon avis, ils le choisissent eux-mêmes. Parfois je m'énerve, mais je finis par l'accepter parce qu'ils ne vont pas aller le rendre dans le magasin. Maman Pauline prétendait chaque fois que ses voyages pour son commerce étaient dangereux à cause de la brousse et des voyous de Brazzaville. Que moi j'étais trop petit pour la suivre jusque là-bas. Alors elle y va toute seule et avant chaque voyage elle me gronde parce que j'insiste que je veux moi aussi aller à Brazzaville. Est-ce que j'ai grandi pour aller désormais avec elle ?

Au fond, qu'est-ce que je vais perdre si j'accepte ce qu'ils veulent me donner ?

— Je veux bien une voiture comme celle de Sébastien ! je leur dis.

Ils sont surpris. Ils se regardent et veulent rigoler. Pourtant moi je suis sérieux, je n'ai pas envie de rire. Si je ris, ça sera comme dans l'atelier de monsieur Mutombo, je ne vais plus m'arrêter, je vais me tenir les côtes, je vais tomber par terre.

Mon père n'est pas d'accord :

— Une voiture comme celle de ton cousin ! C'est vraiment tout ce que tu veux ? Réfléchis bien, prends ton temps, finis de manger et dis-nous ce que tu veux.

On continue à manger, moi je fais semblant, ils le savent puisque je ne guette plus le gros morceau de viande de bœuf qui est dans l'assiette de mon père. Il vient d'ailleurs de le déposer dans mon assiette et moi je mets du temps avant de le manger.

Je vois qu'ils se font des signes des yeux. Mon père a même fait un signe du pied à ma mère sous la table, et son pied m'a un peu touché aussi.

— Qu'est-ce que vous me cachez ?

Mon père me répond :

— Oh, Michel, on ne te cache rien ! On ne t'a jamais rien caché, tu le sais bien. On veut te faire plaisir, c'est tout.

Ma mère me demande :

— Je t'ajoute un peu de haricots et de viande ?

Je fais non de la tête même si la viande de bœuf aux haricots c'est mon plat préféré. J'aime comment elle prépare ça. Elle prend son temps, lave bien la viande, commence à bouillir les haricots depuis le matin et les laisse reposer jusqu'en fin de matinée. Vers midi, je sens déjà l'odeur de ce plat, j'ai faim, je ne peux plus attendre, et c'est elle qui me dit :

— Encore plus que cinq minutes.

Mais ces cinq minutes c'est comme cinq siècles et demi. Et quand le plat est là je mange comme si demain il n'y aura plus rien à manger dans tout le pays. Or aujourd'hui elle n'en revient pas puisque je ne veux pas qu'elle me resserve.

— C'était pas bon alors ? J'ai mal préparé ?

— Je n'ai plus faim. Je mangerai le reste demain.

— Non, demain on te prépare un autre bon plat.

Mon père est impatient :

— Alors qu'est-ce qu'on va vraiment t'offrir, Michel ?

— Une voiture comme celle de Sébastien.

— Mais qu'est-ce qu'elle a de spécial cette voiture ?

— C'est la meilleure voiture du monde. Si tu appuies sur un bouton, elle démarre toute seule. Et tu peux aussi tourner à gauche ou à droite si tu appuies sur d'autres boutons.

Ma mère veut que je change d'avis :

— Et un vélo, hein ? C'est mieux quand même un vélo pour ton âge ! Tu vas pédaler, les gens vont te voir, ils vont être contents et...

— Je ne sais pas comment pédaler quand on est sur un vélo. Je vais tomber chaque fois.

— Lounès peut t'apprendre ! J'étais chez eux, et j'ai beaucoup parlé avec madame Mutombo aujourd'hui.

Dès que j'ai entendu ça, j'ai pensé : Si maman Pauline est passée chez la famille Mutombo, c'est que Lounès est au courant de ce que mes parents me cachent.

— Je veux une voiture comme celle de Sébastien, pas un vélo.

— Bon, d'accord, on va t'offrir deux voitures et des vêtements neufs, dit papa Roger qui se lève pour aller prendre la radiocassette dans la chambre.


Je n'arrive pas à fermer les yeux. Je respire mal à cause de la moustiquaire. Elle empêche Ma Sœur-Étoile et Ma Sœur-Sans-Nom de bien voir mon visage, il faut que je l'enlève ce soir.

Je me lève, j'écarte la moustiquaire et me remets

dans le lit. L'armée de moustiques vient aussitôt m'attaquer. Je ne sens plus rien quand ils me piquent de partout.

Au moment où je ferme les yeux, j'entends derrière le mur où se trouvent mes parents, comme dans un rêve, mon père qui demande à ma mère :

— Pauline, tu penses que Michel a deviné ce qui se passe ?

— Non, je ne crois pas. Il ne peut pas deviner ça, il est encore un enfant pour comprendre ces choses.

Mère Teresa est la mère de tous les pauvres. Elle aide les enfants qui n'ont pas de famille et qui traînent dans les rues de l'Inde là-bas, surtout dans une ville qu'on appelle Calcutta, mais elle veut aussi aider les pauvres du monde entier pour que les gens soient heureux sur cette Terre. Elle travaille beaucoup. Comme elle a des globules blancs, elle ira au Paradis où Dieu l'attend pour la féliciter devant les anges qui vont tous l'applaudir. Elle aide également les gens qui sont malades ou qui vont mourir. Roger Guy Folly dit qu'on lui a donné le prix Nobel de la paix aujourd'hui. Le prix Nobel de la paix est un cadeau qu'on donne aux gens qui n'aiment pas qu'on fasse du mal. On le donne à ceux qui ont fait quelque chose d'important pour l'humanité.

Le journaliste américain récite les noms d'autres personnes qui ont déjà eu ce prix Nobel de la paix avant Mère Teresa, et là je constate qu'il y a dans cette liste le nom du président de l'Égypte, Anouar el-Sadate. Je suis trop content pour ça. Anouar el-Sadate a eu ce prix avec un autre monsieur qui s'appelle Menahem Begin et qui est d'Israël, le pays qui s'était fâché contre le président-dictateur ougandais Idi Amin Dada. Roger Guy Folly dit aussi que c'était alors un grand événement car Anouar el-Sadate est arabe, Menahem Begin est juif, et ces deux grandes personnes font tout pour que les Arabes et les Juifs arrêtent de se détester et de se bagarrer.

J'ai envie de demander à papa Roger pourquoi on n'a pas encore donné le prix Nobel de la paix à notre président de la République puisqu'il a combattu les ennemis de la Révolution et a retrouvé le tank que les Français nous avaient donné. Mais je me tais, peut-être que le journaliste a oublié son nom.


D'après Roger Guy Folly, quand Mère Teresa a accepté le prix Nobel de la paix au nom des pauvres de la Terre elle a dit que l'avortement c'est ça qui va tuer notre monde. Alors je comprends pourquoi maman Pauline ne fait plus que parler de cette femme comme si elle était un membre de notre famille. Mère Teresa par-ci, Mère Teresa par-là. Maman Pauline pense que cette femme a raison et que la France a tort, elle qui a voté la loi pour fermer la porte aux enfants. Mon père lui explique que cette histoire d'avortement est très compliquée, qu'il y a des fois où il vaut mieux ne pas laisser un enfant venir au monde si c'est pour qu'il vienne souffrir pour rien.

— Pauline, on ne peut pas par exemple garder dans son ventre le fruit d'un violeur ! L'avortement c'est aussi la liberté de la femme ! De toute façon, si on interdit l'avortement, les gens vont le faire en cachette. Alors, qu'est-ce qu'on préfère : des médecins qui s'en occupent bien ou des charlatans qui font n'importe quoi au risque de tuer aussi la mère, hein ?

Maman Pauline pense que l'avortement c'est un crime, qu'on n'a qu'à donner aux mères comme elle les enfants qu'on veut jeter à la poubelle.

Et les voilà qui se disputent. Ma mère ne veut plus rien entendre :

— On arrête cette discussion ! Toi, tu veux toujours avoir raison !

Moi je sais que c'est très difficile qu'elle soit d'accord avec papa Roger sur ce sujet tant qu'elle n'aura pas un autre enfant que moi. Pour elle on doit tuer le violeur, garder l'enfant et ne pas lui avouer que son père était un méchant avec beaucoup de globules rouges.

Roger Guy-Folly continue de parler de la vie de Mère Teresa qui envoie des religieuses même dans les pays musulmans où c'est pas la Bible qu'on lit mais le Coran. Papa Roger change de station de radio et on entend sur Radio-Congo le discours du président de la République qui se félicite de la Journée de l'arbre et qui annonce qu'il aura un autre plan qui va s'appeler «Une école, un champ». Chaque école devra avoir un champ. Si une école n'a pas de champ on va la fermer. Tant pis pour les élèves et les maîtres. Notre président félicite Mère Teresa pour son prix Nobel. Le journaliste de chez nous dit à la fin du discours du Président :

— Nous espérons que le jury du Nobel de la paix pensera un jour à l'action révolutionnaire et exceptionnelle de notre guide de la Révolution. Il semblerait que cette année son nom ait été cité comme possible lauréat. Ces rumeurs étaient sérieuses, notre guide a d'ailleurs officiellement confirmé avoir reçu un coup de fil de la Suède. Mais l'impérialisme et ses valets locaux ont tout fait pour priver le Congo entier et les prolétaires de tous les pays d'une si prestigieuse distinction qui aurait fait avancer l'installation d'une paix durable sur la Terre. Quoi qu'il en soit, notre guide peut compter sur notre indéfectible amour qui vaut bien tous les prix Nobel !

Cet avion qui passe va atterrir au Caire, en Égypte. Nous sommes assis au bord de la Tchinouka. Lounès sait que s'il me pose la question sur l'endroit où va atterrir cet avion je vais encore lui parler de l'Égypte et du Chah qui est malade là-bas. Il me dit plutôt :

— Tes parents vont t'acheter beaucoup de cadeaux.

Là je recule des fesses, très surpris :

— Comment tu le sais, toi ?

— Ta mère a croisé ma mère chez un féticheur qui...

Je le coupe :

— Je vois, c'est donc le féticheur Sukissa Tembé qui est derrière tout ça !

— Tu le connais alors ?

— Non, je ne le connais pas, mais quand ma mère et mon père parlaient dans leur chambre moi j'écoutais tout. Et ils ont prononcé le nom de ce féticheur.

— Eh bien, ton père et ta mère sont déjà allés le voir. Ma mère était aussi là-bas pour soigner sa maladie des poumons. Et tu sais ce que le féticheur a expliqué à tes parents? J'ai pas cru moi-même quand j'ai entendu ma mère raconter ça à mon père : le féticheur a interrogé ses fétiches et ces fétiches ont dit que si ta mère ne peut pas avoir un autre enfant c'est à cause de toi.

— MOI MICHEL?

— Oui, toi. D'après ces fétiches, tu es un enfant le jour et une grande personne la nuit, avec des cheveux blancs, et quand il fait noir tu sors de ton lit pour aller retrouver d'autres vieux qui n'aiment pas ta mère et qui complotent contre elle.

— Et toi tu crois ça? Ce féticheur est un menteur!

— Il pense que tu vas être très jaloux, très malheureux et tu pourras même te suicider si tes parents ont un autre enfant.

Lounès parle avec calme. Donc ça signifie que lui aussi croit ce que ce sorcier a dit.

— Oui, tu vas être jaloux et malheureux si tu as des sœurs et des frères. C'est pour ça que tu as bien fermé le ventre de maman Pauline. Quand les enfants veulent venir, ils trouvent la porte fermée et ils meurent juste devant cette porte. Or la clé qui ouvre le ventre de ta maman c'est toi qui l'as avec toi.

— C'est pas vrai! C'est pas vrai!

— Le féticheur a donc dit à tes parents qu'ils doivent te faire beaucoup de cadeaux, tout ce que tu veux comme cadeaux et te demander pardon jusqu'à ce que tu leur donnes la clé qui ouvrira le ventre de ta mère. Sans cette clé le féticheur ne peut rien faire pour maman Pauline, et elle n'aura jamais d'autre enfant jusqu'à sa mort.

— Je ne veux plus de leurs cadeaux!

— Il faut les prendre, Michel.

— NON !!!

— Est-ce que tu es content quand ta mère est malheureuse comme ça avec un seul enfant ? Si tu meurs avant elle, qu'est-ce qu'elle va devenir ? Est-ce que tu as déjà réfléchi à ça ?

Un autre avion passe.

— Où va atterrir cet avion ? me demande Lounès.

— À Calcutta, en Inde.

— Ah bon ? Pas en Égypte ?

— Non, il va en Inde. Il y a là-bas une femme qui s'appelle Mère Teresa et qui aime les pauvres, les enfants abandonnés. Elle a eu un grand cadeau pour ça : le prix Nobel de la paix.

Lounès me paraît triste tout à coup. Quand je le regarde je sens qu'il m'aime, qu'il veut m'aider, qu'il veut aider aussi mes parents. Il me parle très lentement on dirait qu'il me supplie de faire quelque chose :

— Michel, écoute-moi et dis-moi où tu as caché cette clé. Je n'en parlerai à personne d'autre, crois-moi.

— J'ai pas de clé, moi.

— Tu l'as puisque c'est toi qui as fermé le ventre de ta mère le jour de ta naissance.

— J'ai pas de clé !

— Michel, ce sorcier-là ne peut pas mentir, il était le féticheur du président de la République.

— Alors il vient de mentir pour la première fois !

— Écoute, donne-moi cette clé et je vais la donner à ma maman qui la donnera à ta maman.

Comme il insiste trop, comme je ne sais plus ce que je vais répondre, j'accepte tout :

— D'accord, je te la donnerai.

— C'est vrai ?

— Oui. Je l'ai cachée quelque part, ce sorcier a raison.

Je suis dans la chambre de mes parents. Arthur me sourit. J'ai envie de lui parler, de lui dire que tout m'énerve. Mais je lui dis plutôt que je n'aime pas le vélo, que je ne sais pas pédaler, que je risque de tomber et de me blesser. Je lui dis aussi que je préfère une voiture comme celle de Sébastien, une voiture qui va m'obéir de loin. Je tournerai à gauche, je tournerai à droite, puis j'irai tout droit avant de faire demi-tour. Si je croise des gens qui n'ont pas de voitures et qui marchent à pied en plein soleil, je les prendrai dans la mienne pour les ramener chez eux. Non, je ne vais pas faire un accident de route parce que je vais conduire doucement et je vais m'arrêter quand il y aura un stop ou quand il y aura des personnes qui traversent la rue, surtout les vieilles et les enfants. Les autres ils n'auront qu'à faire attention car c'est moi qui aurai la priorité, et si je les écrase, tant pis pour eux.

Je dis encore à Arthur que je n'ai pas de clé, que ce n'est pas moi qui ai fermé le ventre de ma mère. J'essaie de me souvenir, je ne vois rien, je ne vois pas de clé. Si je l'avais cachée quelque part, c'est sûr que je m'en souviendrais. Pourquoi on m'accuse donc, moi, hein ?

J'ai l'impression qu'Arthur me répond : Michel, calme-toi, laisse-les parler et accepte que c'est toi qui as fermé le ventre de ta mère, accepte que tu as la clé avec toi, et si on continue à t'embêter du matin jusqu'au soir, prends tes affaires et va te reposer en Égypte pour aider le chah d'Iran à guérir de son cancer. Il sera content de faire ta connaissance. Oui, dis à ceux qui te montrent du doigt que tu possèdes cette clé, que tu l'as cachée quelque part. Qu'est-ce que cela te coûte, hein ? Tu rendras encore plus malheureuse ta mère si tu n'écoutes pas ton ami Lounès.

— Qu'est-ce que je dois faire alors ? je demande à Arthur à haute voix.

Il me sourit encore et semble me dire tout bas : Va chercher n'importe quelle clé dans une des poubelles de cette ville, et tu en trouveras forcément. Donne-la à Lounès qui la donnera à sa mère et sa mère la donnera à maman Pauline. Après tu pourras t'en aller en Égypte. Je te donnerai quelques adresses de mes amis dans ce pays, tu ne seras pas seul là-bas.

— Arthur, c'est quoi « la main à plume » ?

Il ne répond plus on dirait qu'il n'aime pas que je lui parle de son livre. Il veut simplement m'aider.

— Et c'est quoi « la main à charrue » ? Combien d'argent tu as laissé en Égypte ?

Il ne va plus me répondre. Il ne sourit plus. Sur la couverture du livre il n'est plus qu'une image alors que tout à l'heure il était presque un être humain comme moi et je pouvais entendre son cœur qui battait.

Quand je suis arrivé ce matin chez maman Martine, papa Roger était déjà parti au centre-ville. Il travaille même les samedis parce que ce jour-là il y a beaucoup de monde qui arrive à l'hôtel. La veille, ma mère avait discuté avec maman Martine. Elle lui avait dit qu'elle allait en brousse, puis à Brazzaville pour quatre jours. Et elle avait laissé un peu d'argent à maman Martine qui avait d'abord refusé. Comme ma mère insistait, maman Martine avait fini par prendre cet argent :

— On va préparer un plat de viande de bœuf aux haricots.

Maman Pauline m'a caressé les cheveux. Lorsqu'elle m'a pris dans ses bras, j'ai cru que j'allais m'envoler. Puis elle m'a relâché et m'a regardé avec des larmes aux yeux. Elle s'est retournée, je l'ai vue s'éloigner, entrer dans un taxi et me saluer de loin. Je savais qu'elle pensait à la clé de son ventre. Mais elle ne savait pas que j'étais maintenant au courant de ça et que j'avais déjà commencé mes recherches dans les poubelles du quartier comme me l'avait conseillé Arthur. Et moi je ne voulais surtout pas qu'elle le sache. Je n'ai rien trouvé pour l'instant, je continuerai à chercher et je lui trouverai cette clé avant son retour si possible. Après j'irai me reposer en Égypte, je suis trop fatigué.

Yaya Gaston me dit :

— Geneviève viendra ce soir et il n'y aura pas d'autres filles qu'elle.

Je suis tellement content que j'ai envie de beaucoup rire, mais si je ris il va me demander pourquoi je ris comme ça. Alors je fais comme si c'était normal que Geneviève vienne ce soir et qu'elle soit la seule fille à venir. Je sais que Geneviève a parlé à Yaya Gaston qui est désormais au courant que je n'aime pas les autres filles qui font du bruit et discutent de choses que même nous les enfants on trouve sans importance.

Je pense à ce que je vais dire à Geneviève quand elle sera là. C'est sûr que je lui parlerai de cette histoire de clé du ventre de ma mère. Je lui raconterai l'histoire du fou que j'ai croisé quand j'ai débuté mes recherches. Elle saura alors que je me suis promené partout dans le quartier Trois-Cents, que je n'ai pas trouvé une seule clé par terre. Dans les poubelles que j'ai retournées il n'y avait que des pointes, des verres cassés, des carcasses de chiens morts avec des asticots qui bougeaient dans leurs yeux, de vieilles marmites avec de la nourriture qui pourrissait dedans, des bouteilles remplies d'urine et beaucoup d'autres choses encore. Pas de clé. Et si je volais une clé dans la boutique d'un des Libanais ou d'un Sénégalais du quartier ? Non, je ne pouvais pas rapporter une clé neuve à Lounès. En principe une clé qu'on a cachée depuis très long-temps doit être un peu vieille, avec de la rouille ici et là. Quand je suis tombé sur une vieille serrure dans une poubelle qui se trouve vers le quartier Savon, je me suis dit : S'il y a une serrure dans cette poubelle c'est que la clé ne peut pas être très loin, elle se trouve aussi dans cette poubelle. Je retournais donc les ordures avec un morceau de bois. Je fouillais avec la colère dans le ventre et je répétais :

— Y a une clé cachée dans ces ordures, je vais la trouver ! Je vais la trouver ! Je vais la trouver !

Comme je fouillais en parlant tout seul, un fou qui cherchait de la nourriture à quelques mètres de moi a éclaté de rire. Il a dit que le monde avait beaucoup changé, qu'aujourd'hui les gens deviennent fous depuis l'enfance. De son temps c'étaient les grandes personnes qui étaient folles, pas les enfants.

— Depuis quand tu es fou, mon petit ? il m'a demandé.

J'ai failli m'enfuir.

— N'aie pas peur, je ne mange pas encore les gens, mais ça ne va pas tarder si je ne trouve rien dans les poubelles de cette ville.

Je lui ai répondu que je n'étais pas un fou comme lui, que moi je cherchais la clé du ventre de ma mère, que je suis un garçon normal qui va à l'école des Trois-Martyrs, que je suis un élève moyen, très assidu, et que peut-être j'aurai bientôt mon certificat d'études et que j'irai au collège des Trois-Glorieuses. Là-bas je rejoindrai Lounès, je vais gabarer dans le Train ouvrier comme Jean-Paul Belmondo dans *Peur sur la ville*.

Il a encore ri et a roulé dans les ordures on dirait

un enfant qui joue dans le sable de la Côte sauvage.

— Mon petit, tu n'es pas fou et tu fouilles dans la poubelle avec moi qui suis un fou?

Je ne sais pas ce qui m'a pris, j'ai dit d'une petite voix :

— Toi tu n'es pas méchant, sinon tu allais me chasser de ta poubelle. Donc tu es fou, mais pas beaucoup, seulement un tout petit peu. Peut-être d'ailleurs que tu n'es pas vraiment fou et que c'est les gens qui croient que tu es fou.

Il s'est arrêté de fouiller, son visage est devenu sombre. Je regardais de près ses grosses lèvres roses bouger, ses yeux rouges comme deux piments, ses mâchoires carrées et cette petite moustache avec quelques poils blancs.

Il s'est rapproché de moi :

— Je vais t'aider, mon petit. À deux on finira par trouver cette clé!

On a fouillé ensemble. On se parlait comme si on était des amis de l'école.

Il s'est avancé vers moi :

— Toi tu fouilles à gauche, moi je fouille à droite.

Pendant qu'on fouillait, il ne cessait de me demander :

— Tu as trouvé?

Moi je faisais non de la tête.

— Mon petit, je ne suis pas fou. Ce sont les gens qui me prennent pour un fou. Moi je suis un philosophe, et j'ai un bac en lettres et philosophie. Est-ce que tu sais ce qu'est un philosophe?

— Non.

— Je vais te le dire... Un philosophe c'est

quelqu'un qui a beaucoup d'idées que les autres n'ont pas pu avoir. C'est pour ça que ces imbéciles qui passent dans la rue me prennent pour un fou. Si j'étais en Europe, les gens recopieraient mes paroles et les enseigneraient à l'école des petits Blancs.

Il a arrêté de fouiller et a levé la tête vers le ciel. Comme il avait des larmes qui coulaient, moi aussi j'ai senti une fourmi dans l'œil.

Il a pris une grosse voix et a commencé :

— Dans ce quartier on m'appelle Petit-Piment, sans doute à cause de mes yeux rouges. Comment tu t'appelles, toi ?

— Michel...

— Mon petit Michel, aujourd'hui j'ai envie de parler, écoute-moi sans m'interrompre, ça fait long-temps que je n'ai pas eu quelqu'un en face de moi qui me regarde comme une vraie personne et qui estime que je ne suis pas du tout taré. Toi tu cherches une clé pour ouvrir une porte, moi je la cherche pour sortir de là où on m'a enfermé depuis des années. Peut-être que c'est la même clé qui va nous délivrer toi et moi. Quand j'étais un enfant comme toi, j'aimais bien les histoires que me racontait mon grand-père. Et de toutes ces histoires, il y en a une que je n'oublie jamais. C'est celle-là que j'ai envie de te raconter pour t'apprendre à res-pecter la vie, qu'elle vienne des hommes, des ani-maux ou des éléments de la nature.

Il ne fouillait plus, il s'est assis, a posé ses lon-gues mains sur ses jambes. Moi aussi je me suis arrêté, j'ai posé mes petites mains sur mes jambes.

— Mon petit Michel, j'ai toujours eu l'impression que les animaux me regardent d'un air étrange, qu'ils savent que je suis un des descendants de leur maître : mon grand-père Massengo. Enfant, je souriais lorsque grand-père m'enseignait que tel mouton était un de nos parents, telle chèvre était ma tante maternelle ou tel pigeon n'était autre que mon grand frère disparu par noyade dans le fleuve Moukoukoulou. Je prenais ces paroles pour les délires d'un vieillard coupé du monde et raccroché à ses croyances ancestrales. Comment un animal pouvait être le double d'un être humain ? En ce temps-là, grand-père Massengo m'avait averti : « Petit-fils, tu peux jouer avec n'importe quelle bête de ce village, mais pas avec ce coq solitaire qui passe devant nous. Je ne te dirai rien de plus, mais fais-moi confiance si tu m'aimes vraiment, ne touche jamais à ce coq... » Le double animal de mon grand-père ? C'était ce vieux coq solitaire à la crête en berne. Ce coq était aussi mon grand-père et mon grand-père était aussi ce coq. L'homme et la bête respiraient le même air, souffraient des mêmes douleurs, partageaient les mêmes joies. Les plumes de ce coq solitaire étaient dressées comme les piquants d'un porc-épic. Ses pattes maigres et arquées montraient que l'animal était d'un autre âge, qu'il avait affronté les épreuves de la vie et regardait désormais avec indifférence les saisons qui passaient, les gens qui mouraient, les enfants qui naissaient, les mariages dans le village. Il n'était plus vraiment de notre époque. Ce coq, je le voyais presque partout comme s'il me suivait. Je savais alors que grand-père Massengo n'était pas loin de moi, qu'il m'envoyait chaque fois son double animal pour me protéger contre les méchants de ce monde. Le soir, ce coq dormait sur une patte devant la porte de notre case en terre cuite et ne fermait qu'un seul œil. Le jour, il traînait dans la cour, s'abritait sous les manguiers lorsqu'il faisait chaud ou lorsqu'il pleuvait. Quand il se déplaçait — toujours en se dandinant à cause de son grand âge —, toutes les poules du village poussaient des caquètements en signe de respect. L'animal avait perdu le sens du temps et confondait le jour et la nuit. Il m'était arrivé de le chasser de la parcelle de grand-père à cause de ses excréments qu'il déposait dans la case et qui puaient du matin jusqu'au soir. Aussitôt que je le chassais, il revenait quelques minutes plus tard, me regardait comme s'il se moquait de mon ignorance et de mon idiotie devant le vrai sens des choses. Moi j'étais en colère, je me lançais alors à sa poursuite jusque dans les plantations de manioc et de maïs où il réussissait à me semer. Au moins j'étais sûr qu'il n'était plus dans la parcelle et s'était égaré dans la brousse. Mais lorsque je regagnais le village j'étais étonné de le retrouver déjà devant la porte de la case de mon grand-père, le bec en l'air, les ailes bien droites — c'était sa façon d'être fier, de montrer qu'il n'avait peur de personne dans ce monde. Comment donc avait-il fait pour arriver avant moi au village en quelques minutes seulement ? Était-il plus rapide que moi ? Humilié, une fois j'ai ramassé par terre un morceau de bois afin de l'assommer. J'ai entendu derrière moi une voix grave et enragée : « Mais qu'est-ce que tu fabriques, hein ? » C'était grand-père Massengo qui se tenait devant la porte de la case. Je ne l'avais jamais vu dans une colère aussi rouge. Il m'a fait signe de la tête : « Viens avec moi, petit-fils, je crois qu'il est temps que je te parle enfin de certaines choses avant qu'il ne soit trop tard...» Il m'a pris par la main, nous sommes allés derrière la case, il m'a dit de m'asseoir à même le sol tandis que lui restait debout. Il transpirait tout d'un coup, le souffle coupé comme s'il avait échappé à quelque chose de très grave. «Petit-fils, tu voulais me tuer avec ton morceau de bois, c'est ça?» Moi j'ai répondu : «Non, c'est le coq solitaire que je voulais frapper, pas toi.» Il a caressé sa bar-bichette grise, a soupiré : «C'est la même chose ! Si tu frappes ce coq, c'est que tu me frappes moi aussi. Tu le comprendras un jour quand tu seras grand, mais serai-je encore là?...» À partir de ce jour-là, je n'ai plus mené la guerre à ce coq. Je le laissais me suivre partout, déposer ses excréments dans la case. Parfois je le nourrissais et il aimait bien ça car, à la fin, il venait se frotter contre moi pour me remercier, moi je lui caressais la crête jusqu'à ce qu'il ferme les yeux et s'endorme, mais d'un œil seulement. Je m'endormais à ses côtés, j'étais l'enfant le plus heureux de la Terre. Chaque fois que je traitais avec respect ce coq, la chance me souriait tellement que lorsque j'allais à la pêche je ramenais plus de poissons que mes camarades. À l'école du village mes résultats étaient les plus brillants, j'étais le meilleur élève de la région, pre-mier au certificat d'études primaires. Il me suffisait de penser à ce coq pour que tout ce qui paraissait compliqué aux autres élèves devienne pour moi aussi clair que l'eau de roche. Or ce monde est plein de gens cupides, de gens affamés, d'hypo-crites, de cyniques, et si grand-père Massengo n'est plus de ce monde c'est à cause de ces gens-là. Paix à son âme. Oui, il est mort à cause de la gourmandise de mon oncle Loubaki. Celui-ci, qui vivait à quelques centaines de mètres de grand-père, avait tenu à manger ce coq solitaire. Chaque fin d'année, la famille se rassemblait et discutait de ce qu'on allait manger le jour de la fête du nouvel an. On devait choisir un coq dans le poulailler de grand-père, le plus grand poulailler du village. Jusque-là, le coq solitaire avait survécu car il était si intelligent qu'il comprenait notre langage et écoutait aux portes pour savoir ce que complotaient les êtres humains. À la fin du mois de décembre de cette année de malheur où le coq allait quitter ce monde, mon oncle Loubaki a dit au reste de la famille : « Il faut qu'on mange ce coq solitaire, il est trop vieux et ne nous sert plus à rien. En plus il pue et donne des maladies à toute la volaille du village ! » Mon grand-père, qui était présent à cette réunion, n'a pas réagi devant ces paroles. Le coq, lui, avait tout entendu. Il a disparu en douce avant le lever du jour et n'est revenu que vers le 5 janvier. Entretemps, le jour de l'an, on avait choisi un autre coq... Puis l'année suivante tonton Loubaki a eu l'idée de jouer un tour fatal au coq solitaire. Grand-père Massengo n'avait pas assisté à cette réunion familiale où mon oncle a déclaré en présence du coq solitaire qui tournait en rond afin de nous écouter : « Pour le nouvel an, finalement, on ne mangera pas ce coq, il est trop vieux, il pue, on va le laisser mourir de vieillesse, pourquoi gâcher notre fête avec une ordure de cette espèce alors qu'on a d'autres coqs et d'autres poules dans le poulailler de grand-père ? Ce coq solitaire est le plus laid des animaux de la Terre. Le manger c'est lui faire honneur. Donc on mangera plutôt les deux poules que nous avons achetées l'année dernière au marché de Mouyondzi.» Tout le monde a rigolé. On a applaudi cette décision. Puisque le coq solitaire était maintenant certain d'échapper une fois de plus à la marmite du nouvel an, il n'a pas quitté le village le soir du 31 décembre. Le 1er janvier, à six heures du matin, tonton Loubaki en personne l'a attrapé devant la porte de grand-père et lui a tranché la gorge d'un coup sec. La fête a été longue et joyeuse. On a constaté que seul grand-père s'ennuyait dans son coin. Il nous paraissait bien loin de notre joie, et il commençait à parler tout seul de choses que personne ne pouvait comprendre. On a bu à sa santé, à sa longue vie, à ce qu'il avait fait pour toute la famille et pour tout le village. On lui a souhaité de vivre aussi longtemps que les prophètes de la Bible. Il nous a remerciés à plusieurs reprises. Il a accepté tous les cadeaux que la famille lui donnait. Mais quand il disait merci il versait des larmes. Je le voyais qui les essuyait en se retournant pour que personne ne s'en rende compte. À la fin de la journée, le vieil homme s'est retiré dans sa chambre et murmurait : «Je pensais que vous m'aimiez dans cette famille, mais je me suis trompé toute ma vie. Je vous souhaite une bonne fête à tous, et j'espère que cette viande de coq vous a plu.» Personne ne savait alors qu'il prononçait ses dernières paroles. Le 2 janvier, aux alentours de dix heures du matin, tonton Loubaki est allé frapper chez grand-père car il s'inquiétait de ne pas l'avoir vu devant la porte de sa case, lui qui se levait toujours à six heures du matin. Il l'a trouvé au salon, étendu par terre, les bras en croix. Il y avait autour de lui toutes les plumes du coq solitaire alors qu'on les avait bien enterrées la veille derrière le poulailler comme à chaque fois qu'on tuait une volaille dans la famille... C'est depuis ce jour, petit Michel, que dans notre famille nous n'avons plus mangé de coq. Et même lorsque j'ai très faim et que je trouve une cuisse de volaille dans une des poubelles de cette ville, eh bien je ne la mange pas sinon je risque de revoir le visage de ce vieil homme qui était l'homme que j'aimais le plus au monde. Je crois que c'est cette histoire qui m'a peut-être mis dans cet état de folie. Quand je dors, je t'assure que je vois des coqs sans tête dans mes rêves, je vois des plumes qui s'envolent avec le vent, et je me mets à les poursuivre très haut dans le ciel jusqu'à ce que je voie le visage de grand-père Massengo à la place du soleil. Et si un coq fait cocorico dans ce quartier je cours vers lui, je m'imagine que je vais à la rencontre de mon grand-père...

Petit-Piment s'était tu depuis un moment. Moi j'ai recommencé à fouiller dans la poubelle même si je sentais une fourmi dans mon œil après cette histoire du coq solitaire. Et puis, tout à coup, très excité, il a crié en roulant un peu plus loin dans les ordures :

— Ça y est ! J'ai la clé ! J'ai la clé ! J'ai la clé !

J'ai foncé vers lui pour voir ça. Et là, j'ai été vite déçu :

— Petit-Piment, ça c'est pas une clé pour ouvrir une porte, elle est trop petite.

— C'est quoi alors cette clé ?

— C'est une clé pour ouvrir les boîtes de sardines sans têtes qu'on fabrique au Maroc.

— Oui, mais tu m'avais dit une clé, tu n'avais pas précisé laquelle !

Il l'a gardée dans sa poche, et on a fouillé encore pendant au moins une heure. Les gens qui nous voyaient s'imaginaient que moi j'étais son enfant. Mes habits étaient sales on dirait un mécanicien qui répare un moteur d'une vieille voiture. Des asticots rampaient sur mes bras, et Petit-Piment venait me les enlever pour les manger comme on mange des arachides grillées.

— Tant que c'est pas du poulet, je peux les manger !

Moi ça me donnait envie de vomir, et lui ça le faisait rire comme un enfant. Puisque j'ai compris qu'il aimait ce jeu et qu'on risquait de passer des heures dans cette poubelle, je me suis levé :

— Je dois rentrer, sinon mes parents vont se fâcher.

— Non, Michel, fouillons encore, la clé est là, on va la trouver, crois-moi.

On ne trouvait toujours pas de clé même en fouillant dans les nouvelles ordures que les gens venaient déposer en nous guettant de loin.

Alors que le soleil se couchait derrière le quartier, loin là-bas, Petit-Piment s'est mis debout et a secoué ses fesses avec sa main droite :

— Tu peux partir, petit. Je viens de passer le plus bel après-midi de ma vie. Je vais continuer à chercher cette clé pour toi. Si je la trouve, je te la garde.

Il a montré du doigt la direction du cimetière du quartier Voungou :

— J'habite là-bas. Oui, juste à la porte du cimetière. La nuit il n'y a pas de bruit, je dors tranquille et je discute avec ceux qui sont partis. Eux ils ne me regardent pas comme les vivants me regardent. Ils me disent tout de cette ville...

— Tu parles vraiment aux morts ?

— Bien sûr !

— Donc tu as déjà vu mes deux sœurs ?

— Comment elles s'appellent ?

— Ma Sœur-Étoile et Ma Sœur-Sans-Nom...

— Il me faut de vrais noms, je vois tellement de gens passer, tu sais.

— Je ne connais pas leur vrai nom, je les appelle comme ça.

— Alors demande leur nom à ta maman et reviens me voir n'importe quand.

Je me suis levé moi aussi. J'ai secoué mes fesses avec ma main droite comme Petit-Piment. Je lui ai dit au revoir alors qu'il me regardait partir. Il pensait certainement que je ne reviendrai plus le voir.

Je viens de raconter à Geneviève mon histoire avec Petit-Piment.

— Tu as vraiment une clé que tu as cachée quelque part? me demande-t-elle.

— Non.

— Alors trouve n'importe quelle clé! Je peux t'aider, j'ai une vieille clé qui...

— Non, Petit-Piment va me la trouver, il parle avec les gens qu'on ne voit pas. Et ça sera une vraie clé pour ouvrir le ventre de ma mère.

— Fais attention, cet homme est d'abord un fou.

On marche dans la rue depuis quelques minutes. On va arriver chez le Libanais où elle m'achètera des bonbons glacés.

Je la regarde :

— La rivière de tes yeux n'est plus verte comme avant, et il n'y a plus de diamants qui brillent sur les bords...

— C'est parce qu'il fait nuit.

— Les diamants brillent aussi la nuit.

— Je sais, mais parfois ils se reposent parce qu'ils ont trop brillé toute la journée. Demain, tu verras, la rivière sera encore verte, et les diamants brilleront sur les bords.

— Et ils brilleront pour moi, rien que pour moi ?
Elle sourit :

— Oui, ils brilleront pour toi. Rien que pour toi. Mais il faut que tu regardes surtout la rivière et les diamants qui brillent dans les yeux de Caroline. Est-ce que tu lui as parlé ?

— Oui

— Alors ?

— On n'est plus divorcés, on s'est remariés.

— C'est une bonne nouvelle !

— Je lui ai dit que dans mon cœur il y a des châteaux plus grands, plus beaux que les châteaux de Marcel Pagnol. Et j'ai aussi dit que je veux qu'elle entre dans les châteaux qui sont dans mon cœur comme ça je vais la protéger.

— Tu as bien parlé ! Si ton frère Yaya Gaston pouvait parler de cette façon, je crois que je serais la femme la plus heureuse de la Terre...

— Je vais lui demander de te parler comme j'ai parlé à Caroline ! Je vais lui écrire mon baratin sur un papier, comme ça il va te le lire quand je ne serai pas là parce que si je suis là il aura honte de moi.

— Non, on ne force pas les choses en amour, il faut que ça vienne du cœur. Yaya Gaston est incapable de parler comme tu as parlé, il n'est plus innocent depuis longtemps.

Nous voici devant le magasin du Libanais. Je ne bouge pas de la porte.

— Tu ne veux pas entrer dans le magasin ?

— Je veux d'abord te poser une question...

— Tu sais que je t'écoute toujours !

— Je veux savoir la vérité, j'ai pas envie d'avoir mal au cœur tout le temps.

— Pose donc ta question, je lève la main droite et je jure de dire la vérité, toute la vérité, rien que la vérité.

— Est-ce que je suis ton Petit Prince noir?

— Je vois que tu as fini de lire *Le Petit Prince*! Bien sûr que tu es mon Petit Prince noir! Allez, viens, on prend tes bonbons glacés et on rentre.


À peine qu'on est revenus à la maison on entend quelqu'un qui siffle trois fois dehors. Il siffle plusieurs fois, juste en face de la parcelle.

Yaya Gaston nous lance :

— Ça y est, c'est Dassin le petit con de Georgette qui est là. Je l'avais pourtant averti de ne pas siffler ma sœur. Si Georgette sort de cette maison et va le rencontrer, ils vont m'entendre tous les deux !

Dassin continue à siffler. Yaya Gaston vient de se cacher derrière la porte de son studio et guette ce qui va se passer. On entend la porte de la maison qui s'ouvre. Georgette sort. Elle était déjà bien habillée avant les sifflets de Dassin. La voilà qui traverse la cour et se retrouve dans la rue.

Yaya Gaston veut la suivre, Geneviève le retient par la main, mais il la repousse :

— Laisse-moi ! Laisse-moi ! Je vais bien les corriger !

Trop tard, il est déjà dans la cour. Nous aussi on sort du studio car on ne sait pas comment les choses risquent de se passer dehors.

Yaya Gaston court dans la rue comme un voleur.

Georgette, qui l'a vu, s'est enfuie dans une petite rue, derrière le bar Joli Soir.

Dassin ne court pas, il reste debout et prend la position d'un boxeur qui est champion du monde des poids lourds. Il pense qu'il est Mohammed Ali et que Yaya Gaston c'est George Foreman. Il y a des gens qui arrivent de partout parce que mon grand frère et Dassin sont déjà en train de s'insulter.

— Connard! lance Yaya Gaston.

— Espèce d'individu! répond Dassin.

— C'est qui que tu traites « espèce d'individu » ?

— Et toi, c'est qui que tu as traité « connard », hein?

— Le con de ta maman! reprend Yaya Gaston.

— Les couilles de ton père! hurle Dassin.

— Pauvre capitaliste!

— Misérable valet local de l'impérialisme! C'est qui que tu traites « pauvre capitaliste », c'est moi?

— Et toi, c'est qui que tu traites « misérable valet local de l'impérialisme », c'est moi?

Geneviève tire Yaya Gaston par la chemise, mais quelqu'un dans la foule vient de hurler : *Ali boma yé! Ali boma yé! Ali boma yé!* Et tout le monde reprend : *Ali boma yé! Ali boma yé! Ali boma yé!* On ne peut plus éviter la bagarre.

Yaya Gaston dit :

— C'est moi Ali parce que je suis le plus beau, et c'est toi Foreman car tu es laid comme un pou!

Dassin répond :

— Ah non, c'est moi Ali, et c'est toi Foreman!

— Comment ça c'est toi Ali, un connard comme toi?

— Et toi tu crois que tu peux être Ali avec ton visage de figue écrasée par un éléphant?

Yaya Gaston enlève sa chemise parce qu'elle vient de France et il ne veut pas que Dassin la déchire par jalousie. Il lance la chemise vers nous et c'est Geneviève qui l'attrape avant qu'elle ne tombe par terre sinon les gens vont la ramasser et s'enfuir avec.

Tout le quartier est dehors. *Ali boma yé! Ali boma yé! Ali boma yé!* Il faut que je fasse quelque chose, il y a peut-être dans cette foule des individus qui sont contre Yaya Gaston parce qu'il travaille au port, parce qu'il est beau, parce qu'il a une chemise qui vient de France, et surtout parce qu'il a une gourmette en or.

Je m'échappe de Geneviève, j'arrive au milieu du cercle et je pousse Dassin dans le dos. Comme il ne s'attendait pas à ça, le voilà qui tombe par terre. Yaya Gaston en profite et saute sur lui. Il frappe, il frappe encore, il frappe toujours. Les gens sont excités et hurlent à chaque coup. Quand il frappe le visage de Dassin, moi je donne à ce vilain des coups de pied dans le ventre. Il crie, appelle sa maman au secours. Alors que je m'apprête à mordre le tibia de Dassin comme un chien méchant, je sens quelqu'un qui me tire par la chemise. Je me retourne pour le frapper, mais je m'arrête net car c'est Geneviève.

Elle me menace :

— Michel, si tu n'arrêtes pas, tu ne vas plus être mon Petit Prince noir !

Moi je veux rester son Petit Prince noir. J'arrête donc de frapper. Yaya Gaston et Dassin roulent dans la poussière. Dassin aussi envoie de bons coups de poing à la figure de mon grand frère. Quand ça l'atteint, c'est comme si c'était moi.

On entend de loin le bruit des sirènes et tout le monde s'éparpille. En moins de cinq minutes il n'y a plus de bagarre dans la rue. Les policiers cherchent les bagarreurs mais ils ne les trouvent pas.

Nous on est déjà dans le studio de Yaya Gaston. Papa Roger est là aussi et il engueule mon grand frère. Il avait su qu'il y avait une bagarre dehors, or il ignorait que c'était Yaya Gaston qui se battait. Donc il avait dit à mes frères et sœurs :

— Rentrez dans la maison et fermez toutes les portes et toutes les fenêtres ! Personne ne sort ! Ce sont des voyous qui se battent dans la rue, ils n'ont qu'à s'entre-tuer, c'est pas notre problème !

Geneviève soigne Yaya Gaston, qui est blessé au-dessus de l'œil. Il lui demande :

— Où est ma chemise Yves Saint Laurent ?

Je lui montre sa chemise Yves Saint Laurent pendant que papa Roger gueule dehors.

Yaya Gaston se tourne vers moi :

— C'est magnifique ce que tu as fait, Michel, je suis fier de toi.

Ses paroles me font chaud au cœur. La fourmi entre directement dans mon œil et je commence à pleurer parce que Yaya Gaston pouvait aller à l'hôpital et mourir pour rien. Comme je pleure trop, Geneviève m'entraîne dans la cour. Elle a le visage bien fermé quand elle me dit :

— Si j'entends encore un jour que tu t'es battu ou que tu es entré dans une bagarre dans ce quartier, tu ne seras plus mon Petit Prince noir. Et si tu n'es plus mon Petit Prince noir, tu ne verras plus la rivière verte de mes yeux, et les diamants qui sont sur les bords ne brilleront plus pour toi.

Maman Martine demande à Maximilien d'aller acheter du lait chez le Sénégalais Bassène. Au moment où il allait filer comme une flèche, elle le tire par la chemise :

— Eh, attends un peu ! C'est quoi ton problème ? Quand on te commande quelque chose tu ne réfléchis même pas, tu cours comme un mouton ! Et tu reviendras encore me dire : «C'est quoi déjà que je dois acheter ? Où je dois aller l'acheter ?» Tu vas aller chez Bassène avec ton grand frère Michel sinon tu risques de perdre tout l'argent ou alors tu reviendras à la maison demain soir !

Nous voilà tous les deux dans la rue. Maximilien veut courir, je lui demande de marcher, pas de courir.

Il n'est pas content :

— Je veux courir, laisse-moi courir !

— Mais pourquoi tu cours chaque fois ?

— Parce que si je ne cours pas les gourmands de ce quartier vont finir tout le lait du magasin, et nous on ne va pas avoir de lait ce matin, on va mourir de faim.

Je le retiens par la chemise comme a fait maman Martine, et je ne le lâche plus. Le bar Joli Soir n'est pas loin de la maison. On entend souvent la musique de midi jusqu'à six heures du matin quand il ferme. Devant l'entrée je lis une affiche avec de grosses lettres on dirait que c'est pour les myopes :

DE 18 H À L'AUBE, PAPA WEMBA EN CONCERT
AVEC SON GROUPE VIVA LA MUSICA
DU VILLAGE MOLOKAI.
TARIF DAMES : 600 FRANCS CFA.
TARIF MESSIEURS : 1000 FRANCS CFA.

Je me dis : Les enfants n'ont pas le droit de venir dans ce concert puisqu'on n'a pas mis un tarif pour eux. Or moi j'ai entendu parler de Papa Wemba qui a formé son orchestre il y a deux ans. Quand on passe devant les bars du quartier on l'entend chanter et nous aussi on chante sans comprendre ce qu'on raconte dans la chanson. Et lorsqu'il chante avec son musicien Koffi Olomidé il y a des filles qui pleurent parce que quand ces deux chanteurs mélangent leurs belles voix on ne peut passer devant un bar sans s'arrêter pour écouter.

On arrive devant le magasin de Bassène. On prend dix litres de lait et Bassène nous a rendu la monnaie que Maximilien a cachée dans sa poche. Il court déjà, je n'ai pas pu attraper sa chemise. Je crie après lui. Trop tard, il est déjà loin et, dans sa course, sa chemise se soulève avec le vent.

Je repasse devant le Joli Soir et je relis l'affiche. Pourquoi le tarif des hommes est plus cher que celui des femmes ? C'est pas bien car il y aura trop de femmes là-dedans et pas beaucoup d'hommes.

Le patron de ce bar n'est vraiment pas intelligent de faire des choses pareilles.

Bon, au moins je sais que je n'ai pas rêvé : Papa Wemba sera bien en concert au Joli Soir à partir de dix-huit heures. J'ai envie de voir ça mais je n'ai pas encore vingt ans.


On prend le petit déjeuner dans la cour. On a formé un grand cercle et il y a une tasse devant chacun de nous. C'est maman Martine qui verse du lait, elle ne veut pas nous laisser le faire sinon on va tout finir alors qu'il faut en garder un peu pour demain. Dans ce grand cercle il ne manque que papa Roger et Yaya Gaston. Ils sont allés très tôt ce dimanche matin au port pour acheter les sardines qu'on mangera à midi. Georgette ne parle plus beaucoup depuis que son Dassin s'est battu avec notre grand frère. Je me souviens que papa Roger avait calmé Yaya Gaston et Georgette. Le lendemain de cette bagarre il avait dit à notre grand frère :

— C'est normal qu'à son âge Georgette fréquente les garçons.

Il avait ensuite dit à notre sœur :

— Ma fille, tu n'es pas obligée de faire voir tes histoires d'hommes à ta famille, la ville est grande, vous pouvez aller vous siffler comme vous voulez dans d'autres quartiers, même dans l'herbe qui est vers l'aéroport !

Et voilà, l'affaire était réglée, il n'y aura plus de bagarres dans le quartier entre Yaya Gaston et Dassin.

Geneviève est restée prendre le petit déjeuner avec nous. C'est maman Martine qui l'avait retenue, au moment où elle allait rentrer chez ses parents :

— Reste manger avec nous, ma fille.

Elle a d'abord dit non une fois, puis deux fois, puis trois fois, puis elle a accepté de rester. Elle voulait balayer la cour, laver les assiettes et sortir la poubelle dans la rue. Maman Martine lui a arraché le balai de la main :

— Non, Georgette va le faire, ça lui apprendra de laisser ses hommes venir la siffler devant cette parcelle. Elle lavera les assiettes, et elle sortira aussi la poubelle.

Comme on est assis côte à côte, Maximilien m'envoie de petits coups de coude. J'ai compris qu'il veut manger mon pain. Or maman Martine a dit que tout le monde ne mangera qu'une moitié. Mais lui, la moitié c'est peu pour lui.

Pendant que maman Martine regarde ailleurs, Maximilien me chuchote à l'oreille :

— Michel, si tu me donnes ton pain je vais t'aider et tu seras content toute ta vie.

— Non, non, non ! Tu n'auras pas mon pain !

— Alors tant pis pour toi, ce soir tu ne vas pas voir le concert de Papa Wemba avec moi.

— Quoi ? Toi-là qui es plus petit que moi tu peux aller au concert de Papa Wemba ?

— J'irai à ce concert, c'est moi qui te le dis.

Je sens que c'est du baratin, il veut m'embrouiller. Je le pousse un peu et je hausse la voix :

— Menteur ! Si toi tu peux voir ce concert, alors moi je peux aussi, je suis plus grand que toi !

— Chut! Ne parle pas fort comme ça, maman va entendre notre complot.

— Comment tu vas faire?

— Je connais quelqu'un.

— Et il habite où, ce quelqu'un?

— Donne-moi d'abord ton pain.

— Non, j'ai faim moi aussi!

— Bon, on fait moitié-moitié : on coupe ton pain en deux, mais tu me donnes la grosse part parce que c'est grâce à moi que tu vas voir Papa Wemba ce soir.

Je m'écarte de lui et je mange petit à petit mon pain. Il me regarde comme un chien qui calcule l'os que son maître est en train de broyer. J'arrive presque au milieu de mon bout de pain, mais je pense au fond de moi : Et si Maximilien a raison?

Au moment où je décide de lui tendre le reste de mon pain, maman Martine me surprend.

— Qu'est-ce que tu fais, Michel?

— Il n'a plus faim, lui répond Maximilien.

— Toi le gourmand, tais-toi, c'est pas à toi que je pose la question! C'est à Michel de répondre lui-même!

Maximilien me fait un clin d'œil, moi je viens à son secours :

— Oui, maman, je n'ai plus faim et je veux donner mon morceau à Maximilien. C'est pas lui qui me l'a demandé.

Mon petit frère avale le bout de pain en quelques secondes et me souffle :

— Merci! Vraiment merci! On va voir Papa Wemba toi et moi ce soir!

Il est dix-sept heures trente. Maximilien vient vers moi, tout content :

— On y va sinon on sera les derniers dans la ligne.

— Quelle ligne ?

— Ne pose pas de questions, suis-moi.

On sort de la parcelle en cachette et on se dirige vers le Joli Soir. Je me dis : Comment il fera pour qu'on entre dans ce bar de grandes personnes ? Mais lui il marche on dirait un adulte.

On arrive devant le Joli Soir, mais on dépasse le bar.

— On va où ? Tu m'emmènes où ? Le bar est derrière nous !

— Continue à me suivre, tu vas voir.

On prend la rue qui est derrière le bar. Nous voilà dans une parcelle où il y a au moins plus de dix personnes qui ont entre l'âge de Maximilien et mon âge. Ils sont déjà en ligne devant un mur. J'ai mis du temps avant de comprendre que le Joli Soir se trouve juste derrière ce mur qui sent le pipi car c'est là que beaucoup de clients viennent pisser la bière qu'ils ont bue à l'intérieur du bar.

Un garçon qui semble plus âgé que moi, mais qui a à peu près l'âge de Lounès, avance vers Maximilien et lui demande :

— Où est l'argent ?

Maximilien sort des pièces de ses poches et lui dit :

— Tiens, voilà vingt-cinq francs CFA pour mon grand frère, et voilà vingt-cinq francs CFA pour moi, donc ça fait au total cinquante francs CFA.

Le garçon compte l'argent et nous fait un signe de la tête :

— Mettez-vous en ligne comme les autres, vous êtes les onzième et douzième.

On s'aligne, je vois d'autres garçons arriver dans cette parcelle comme des rats qui sortent d'un trou. Ils paient chacun vingt-cinq francs CFA et se mettent derrière nous.

Je m'inquiète déjà :

— Comment on va faire pour entrer dans le bar ?

— Ne sois pas pressé, tu vas voir.

La ligne est maintenant très longue comme celles du cinéma Rex quand il y a un film indien. Un peu plus loin, dans la même parcelle, derrière nous, j'aperçois une grande cour et une maison éclairée avec une lampe Petromax. Sur la terrasse il y a une vieille femme et un vieil homme qui mangent en silence on dirait des fantômes.

— Maximilien, c'est qui ces vieux ?

— Le papa et la maman de Donatien.

— Donatien ?

— C'est le prénom du garçon qui a pris l'argent tout à l'heure.

— Et ses parents ne disent rien de tout ça ?

— Non, Donatien leur remettra l'argent. C'est comme ça quand il y a des concerts au Joli Soir.

— Attends un peu, où tu as trouvé l'argent que tu as donné à ce Donatien ?

Il me répond avec calme :

— Quand on m'envoie acheter des choses chez Amin ou chez Bassène, je dis parfois que j'ai perdu la monnaie qu'on m'a rendue. C'est pas vrai parce que je garde ça dans une caisse que j'ai enterrée derrière la maison. Et quand il y a un concert, je prends l'argent, je paie, et c'est comme ça que je vois tous les concerts. J'ai déjà vu Franco Luambo Makiadi et son groupe le Tout-Puissant Ok Jazz, j'ai vu Tabu Ley et son groupe Afrisa, j'ai vu Lily Madeira le chanteur qui a une bosse et j'ai même vu les orchestres des Cubains et des Angolais !

— Mais pourquoi tu gaspilles cet argent avec les concerts au lieu de t'acheter des bonbons glacés ?

— Parce que moi je veux devenir musicien comme Papa Wemba quand je serai grand. Je veux avoir le succès comme lui. Je veux jouer à la guitare solo parce que c'est la guitare qu'on entend le plus. Or si je ne mange que les bonbons glacés et si je ne vois pas les concerts je ne vais jamais devenir musicien.

Derrière le mur on entend les guitares, les drums et des voix qui hurlent : « Micro 1, test », « Micro 2, test », « Micro 3, test ».

La ligne s'agite, on se chamaille, Donatien calme tout le monde :

— Le concert n'a pas encore commencé, arrêtez de bouger comme ça sinon je vous rends l'argent et vous sortez de la ligne et de ma parcelle !


Le concert vient de débuter. Donatien court vers le mur du Joli Soir et écarte le garçon qui est le premier de la ligne. Il enlève un contreplaqué collé à ce mur, et là je découvre qu'il y a un petit trou entre deux briques.

— C'est grâce à ce trou qu'on va voir Papa Wemba, me dit Maximilien.

— Quoi ? C'est un tout petit trou !

— Oui, mais on peut quand même voir ce qui se passe dans le bar ! Il faut regarder avec un seul œil et tu verras très bien, crois-moi. Si un œil est fatigué, tu vois avec l'autre œil.

Il colle sa bouche dans mon oreille et me souffle :

— Tu as vu ces dix garçons qui sont en ligne devant nous ? Eh bien, ils vont rater Papa Wemba !

— Ah bon ?

— C'est des nouveaux, ces garçons, et ça se sent. Ils ne savent pas que le chef d'orchestre n'arrive jamais le premier, il sera là plus tard parce que lui c'est le musicien le plus important. Donc ces garçons ne vont voir que les autres musiciens de Papa Wemba parce que, après dix minutes, Donatien va leur demander qu'ils laissent la place aux autres. Et nous, comme on est onzième et douzième, on va arriver devant le trou au moment où Papa Wemba va prendre le micro pour chanter !

Ce Maximilien est vraiment très intelligent ! Comment il sait ces choses alors que quand on le commande à la maison il joue à l'idiot, et nous tous on se moque de lui ? Quand je pense encore qu'il prenait Lounès pour un géant qui venait me boxer, je ne comprends plus rien. Plus rien du tout.


Après plus d'une heure et demie à rester comme ça dans la ligne, Donatien vient nous faire signe. C'est notre tour d'aller vers le trou.

Maximilien me conseille :

— Tu as dix minutes, moi j'ai dix minutes, ça fait au total vingt minutes pour nous deux. Mais on va diviser ces vingt minutes par quatre : toi tu regardes cinq minutes, moi je regarde cinq minutes, comme ça chacun va regarder quatre fois. Et quand tu regardes, tu me racontes ce qui se passe, moi aussi quand je regarde je te raconte ce qui se passe, on est d'accord ?

— D'accord.

— Alors vas-y toi d'abord.

Je me courbe. Même si le trou est petit, on peut bien voir ce qui se passe dans le bar car Papa Wemba est juste en face de moi et son orchestre est derrière lui.

J'explique à Maximilien ce que je vois. Je lui dis que Papa Wemba est arrivé, qu'il est habillé en cuir noir des pieds à la tête, qu'il vient de prendre le micro, qu'il chante en fermant les yeux et qu'il transpire déjà de partout. Des couples dansent très collés et très serrés. Ils bougent d'un bout à l'autre de la piste. Quand ils dansent en face de moi, je les vois. Mais quand ils vont à gauche ou à droite je ne les vois plus, même si je tourne bien l'œil comme un caméléon. Parfois il y a des couples qui me gênent parce qu'ils dansent trop près de mon œil. Le derrière de la femme est tellement énorme qu'on dirait que c'est un deuxième mur qui est en face de moi. Je dois trouver un long fil de fer et piquer le gros derrière de cette femme qui m'empêche de bien voir Papa Wemba. D'un autre côté, je ne veux pas le piquer parce que ce derrière en question bouge au rythme de la musique et ça me donne envie de danser. Lorsque le batteur frappe très fort son instrument, le derrière de la femme rebondit comme une graine de maïs dans une poêle avec de l'huile chaude. Et moi j'ai envie de rigoler, je ne savais pas qu'on pouvait danser comme une graine de maïs jetée dans une huile brûlante. Il y a un homme au fond là-bas qui serre trop fort une femme en jupe très courte. Il a mis sa tête au milieu des seins de cette femme et a fermé ses yeux on dirait un bébé qui a fini de boire son biberon et qui dort profondément. Chaque fois que la femme respire, la tête de l'homme bouge au rythme de la musique et je me mets moi aussi à danser, à imaginer que c'est moi qui ai posé ma tête entre les seins de cette femme en jupe très courte, que j'ai fermé les yeux et que je dors pro-fondément sur la poitrine de cette femme comme un bébé qui a fini de boire son biberon. Or cette femme-là peut être ma mère, donc il ne faut pas que je pense à des choses de ce genre. Je dois plu-tôt imaginer que cette femme-là est une fille de mon âge. Alors je pense à la poitrine de Caroline. Mais Caroline n'a pas encore des seins comme ceux de cette femme, elle les aura peut-être de cette taille-là quand elle aura vingt ans.

Papa Wemba chante maintenant avec un musi-cien que je ne connais pas bien. J'ai vu sa photo quelque part. C'est qui déjà, lui?

— C'est Koffi Olomidé, il habite en France, me dit Maximilien, comme s'il avait deviné que j'allais lui poser cette question.

Après mes cinq minutes, Maximilien me rem-place, il me décrit tout. Il me parle de la guitare basse, de la guitare d'accompagnement et de la gui-tare solo. Il dit que la grosse voix qu'on entend et qui domine la voix des autres musiciens c'est celle du chanteur Espérant Kisangani alias «Djenga K». Maximilien voudrait chanter comme lui et jouer de la guitare solo mieux que Rigo Star et Bongo Wendé, les deux guitaristes de Papa Wemba. À quel moment il a appris ces noms que moi qui suis plus grand que lui je ne connais pas? En plus il danse quand il me parle, et il danse bien, tout ça sans enlever son œil du trou. Sa tête balance à droite, son derrière va vers la gauche, et il fait les mêmes mouvements dans le sens contraire. Il écarte sa jambe droite, la remue dès que le batteur frappe plusieurs fois. Il refait le même mouvement avec le pied gauche, puis il agite les bras comme pour imiter un oiseau qui est dans le ciel. Et quand il danse comme ça, toute la ligne derrière nous se met à danser avec lui et à imiter chacun de ses mouvements.

Je me retourne pour voir comment les autres garçons dansent. C'est là que je constate qu'il y a aussi des filles qui sont arrivées avec des jupes très courtes, des cheveux bien tressés, du rouge à lèvres, des chaussures avec des semelles pointues comme les talons-dames des grandes personnes. Elles sont arrivées avec des garçons bien habillés qui dansent avec elles en posant leur tête sur leur poitrine alors qu'elles n'ont pas les gros seins des femmes qui dansent dans le bar.

Toutes les cinq minutes Maximilien et moi on ne fait que se remplacer. Quand c'est moi qui regarde dans le trou, Maximilien me hurle à l'oreille :

— Faut pas rester sans bouger, faut aussi danser sinon les gens vont croire que tu ne sais pas danser, et ils vont se moquer de nous! Bouge! Balance la tête vers la droite et le corps vers la gauche! Imagine que tu es un dindon et que ce dindon est en train de danser! C'est ça la nouvelle danse qu'on appelle *Coucou dindon*.

Donc j'essaie de danser en imaginant que je suis

un dindon. Maximilien ricane parce qu'il voit que je ne sais pas danser le *Coucou dindon*. Moi je balance la tête de haut en bas et de bas en haut :

— Michel, tu dois faire le dindon, pas le margouillat, *Coucou margouillat* c'était la danse de l'année dernière ! C'est maintenant démodé !

Les autres garçons boudent un peu parce qu'on a été plus intelligents qu'eux en divisant nos vingt minutes par quatre. Chaque fois que mon frère et moi on change de tour, ils hurlent tous :

— Complot ! Complot ! Complot ! Tricheurs ! Tricheurs ! Tricheurs !

Donatien regarde sa montre et s'avance pour nous écarter du mur :

— Vous deux-là c'est maintenant fini, dégagez, il faut laisser la place aux autres !

Maximilien me prend la main :

— Rentrons, on a tout vu. De toute façon après ça va être la pagaille car les musiciens seront trop fatigués, ils auront bien fumé leur chanvre et ils vont jouer n'importe quoi.


Nos parents sont très fâchés, même Yaya Gaston qui a encore une plaie au-dessus de l'œil depuis sa bagarre.

Maman Martine nous dit :

— Vous étiez où, hein ? Est-ce que vous savez qu'il y a des bandits du Grand Marché qui viennent dans ce quartier le jour des concerts ?

On regarde par terre, et elle ajoute :

— Comme vous avez disparu, nous on a fini toute la nourriture, vous n'allez rien manger ce soir ! Ça vous apprendra !

Maximilien me murmure à l'oreille :

— N'aie pas peur, j'avais prévu ça. On va prendre l'argent qui reste dans ma caisse, on va acheter de gros beignets et de la bouillie que maman Mfoa vend dans la rue en face du bar Le Crédit a voyagé qui est ouvert 24 h/24 et 7 j/7. Crois-moi, sa bouillie est tellement bonne qu'on ne va pas regretter les sardines que les autres ont mangées ce soir alors qu'on avait déjà mangé ça à midi !

Ce matin mon grand frère Marius et ma petite sœur Mbombie se préparent pour aller au centre-ville. Ils vont faire des vaccinations contre le tétanos et la maladie du sommeil. Jusque-là, les deux ont toujours dit : Non, on ne va pas les faire, ces vaccinations. Mais cette fois ils ne peuvent plus refuser : un garçon est mort hier dans le quartier à cause de la maladie du sommeil, et le soir papa Roger avait rappelé à tout le monde :

— Demain matin, celles et ceux qui ne sont pas encore vaccinés doivent aller chez les Chinois de l'hôpital Congo-Malembé ! Quand je reviendrai du travail, je vais vérifier sur vos bras la trace des piqûres. Vous allez aussi vous faire vacciner contre le tétanos.

Alors que Marius et Mbombie traversent la cour, maman Martine leur dit :

— Attendez, emmenez aussi la petite Félicienne chez les Chinois.

Moi je me dis : Qu'on l'emmène, je ne veux pas qu'elle pisse encore sur moi lorsque je la prends dans mes bras. Quand les Chinois vont la piquer à l'hôpital, elle va tellement crier qu'on va l'entendre dans toute la ville.

Comme Maximilien, Ginette et moi on a déjà fait nos vaccinations l'an passé, on reste donc à la maison. On aide maman Martine à balayer la cour, à faire la vaisselle, à sortir la grande poubelle qui est derrière la maison et à la mettre dans la rue en attendant que le camion de la Voirie passe. Parfois, ce camion oublie de passer pendant au moins un mois. C'est pour ça qu'il y a des tas d'ordures au milieu de certaines rues que les voitures sont obligées de contourner.


Maximilien court comme un fou. Il arrive devant moi, le front en sueur.

— Respire, je lui dis.

— Non, je ne vais pas respirer! C'est trop grave!

— Qu'est-ce qui est trop grave?

Il regarde vers la rue :

— Tu ne vois pas ce qui se passe dehors? Regarde bien qui est devant la parcelle en face de nous! C'est lui, c'est le géant Tarzan qui voulait faire la bagarre avec toi. Il est encore là, je ne veux pas que tu te battes avec lui! Il est plus fort, il est trop géant de taille! Je vais lui donner mon argent pour qu'il te laisse tranquille.

— Respire, Maximilien. C'est mon ami, il s'appelle Lounès et il vient me voir parce que ça fait plusieurs jours qu'on ne s'est pas vus. Il n'est pas géant, il est grand de taille comme grand frère Marius.

— Oui, mais il veut la bagarre et...

— Non, il vient me voir.

Je le laisse là, je sors de la parcelle. Je rejoins Lounès et on marche jusqu'au bord de la rivière Tchinouka.

Il n'y a pas de pêcheurs aujourd'hui, la rivière est calme. On entend à peine deux ou trois oiseaux cachés dans les arbres.

— C'est pas normal, les avions ne passent plus depuis quelques jours, me dit Lounès.

— Ils prennent peut-être d'autres routes parce qu'on les regarde trop. Ou alors ils se cachent dans les nuages.

Il change tout à coup de sujet :

— Tu as trouvé la clé du ventre de ta mère ?

— Non.

— Il faut vraiment la trouver.

— Je la cherche toujours, je vais la trouver.

— Donc c'est toi qui as fermé ce ventre ?

— ...

— Où tu as mis cette clé ?

— C'est Petit-Piment qui me la garde et...

— C'est qui Petit-Piment ?

— Quelqu'un qui parle avec des gens qu'on ne voit pas. On a fouillé ensemble la clé parce qu'il l'a perdue dans une poubelle et...

— Quand quelqu'un fouille dans les poubelles, on l'appelle un vagabond. Est-ce que par hasard ce Petit-Piment ne serait pas un fou ?

— Ah non, c'est un philosophe, c'est lui qui invente les idées que les autres n'arrivent pas à avoir. C'est comme ça que tous les philosophes font.

— C'est un fou comme les fous Athéna et La Mangue, un point c'est tout.

— Non, lui c'est un philosophe !

— Allons le voir ensemble pour qu'il te rende cette clé !

— Je ne peux pas aujourd'hui...

— Pourquoi pas ?

— À midi je dois accompagner maman Martine au quartier Bloc 55, et après je dois retourner chez nous avec mon père, maman Pauline revient de Brazzaville.

Voilà enfin un avion qui passe, mais très loin dans le ciel. D'habitude on a l'impression que les avions passent à quelques centimètres des toits des maisons du quartier, et on entend les chiens aboyer pendant que les petits enfants courent dans les bras de leur maman.

Je dis à Lounès :

— Cet avion est bizarre, tu ne trouves pas ?

— Pourquoi ?

— On dirait que le devant est trop incliné comme s'il allait nous tomber dessus.

— C'est parce qu'on est couchés, c'est tout.

— Non, quelque chose de grave va arriver, je le sens. C'est pas normal que depuis qu'on est là il n'y ait eu qu'un seul avion dans le ciel, et en plus on dirait qu'il est pressé d'aller atterrir quelque part.

— D'après toi, il va atterrir où ?

— En Égypte. La capitale de l'Égypte c'est Le Caire.

Le chah d'Iran est mort. En Égypte.

Papa Roger est en colère on dirait que c'est un membre de notre famille qui n'est plus de ce monde. Comme maman Pauline est encore fatiguée à cause de son long voyage et qu'elle ne l'écoute pas, mon père se tourne vers moi et m'explique comment ce grand homme va manquer au monde entier. Or tout ce qu'il raconte je le sais déjà. Mais comme il est triste parce que c'est quand même quelqu'un qu'il aime qui a disparu, alors il me parle une fois de plus de l'Égypte, d'Anouar el-Sadate et de son prix Nobel de la paix avec Menahem Begin, du Maroc, du roi Hassan II, du Mexique, des îles de Bahamas, du Panamá, etc. Chaque fois qu'il parle d'un de ces pays, moi j'imagine un avion qui passe dans le ciel de notre ville et je me dis : La capitale de l'Égypte c'est Le Caire, la capitale du Maroc c'est Rabat, la capitale du Mexique c'est Mexico, la capitale des Bahamas c'est Nassau, la capitale du Panamá c'est Panamá, etc.

Le Chah a trop longtemps souffert du cancer, répète papa Roger.

— Il n'avait plus de pays, et ne plus avoir de

pays c'est avoir le cancer du pays natal qu'aucun médecin ne peut soigner ne fût-ce que pour rallonger la vie du malade. Lorsqu'on n'a plus de pays on oublie la différence entre le jour et la nuit, on vit avec les images qu'on a laissées derrière soi, et si on n'est pas en bonne santé la maladie s'aggrave. Oui, c'est ce genre de cancer qui a achevé le Chah.

Alors qu'il continue à me raconter tout ça, moi je revois le visage d'Arthur. Je voudrais lui annoncer la mauvaise nouvelle, mais je me rappelle que je n'entre jamais dans la chambre de mes parents quand ils sont là. Sauf si mon père me dit : Michel, tu vas me chercher mon portefeuille dans la chambre, je l'ai déposé sur mes livres. Sauf si ma mère me dit : Michel, tu vas me chercher la paire de chaussures rouges qui est sous le lit. Rapporte aussi mes boucles d'oreilles que j'ai déposées sur les livres de ton père. Là je peux entrer dans leur chambre. Et quand j'entre là-dedans je mets beaucoup de temps parce que j'essaie de vite regarder le visage d'Arthur. Parfois c'est moi qui rapporte la radiocassette au salon, et si j'oublie la cassette du chanteur à moustache, papa Roger me dit : Michel, il n'y a pas la cassette de Georges Brassens dans l'appareil, va vite la chercher. Là je suis très content parce que je sais que je vais voir pour la deuxième fois, et dans le même soir, le doux visage d'Arthur et son sourire d'ange. Mais si un soir on ne m'envoie pas dans cette chambre je ne me sens pas bien, je n'ai pas envie de rire même si mon père fait des blagues sur les gens qu'ils ont rencontrés avec monsieur Mutombo dans les bars du quartier. Pourtant c'est des blagues qui font rire ma mère, mais ça ne me fait plus rire de ce rire fort qui me prend chaque fois que je suis dans l'atelier de monsieur Mutombo et que la mère de Longombé se pointe devant la porte pour demander de l'argent à son fils. Et je dors mal, je ne fais que penser à Arthur. En me couchant je raconte tout à Ma Sœur-Étoile et à Ma Sœur-Sans-Nom. Je ne sens plus les moustiques qui me piquent, je ne les entends plus car ils piquent mon corps, pas mon esprit qui est déjà sorti de la maison pour aller vers un autre monde. Et puis ils n'ont qu'à me piquer, je suis vacciné contre le paludisme, je ne vais pas mourir de cette maladie.

On a enterré le Chah en Égypte, pas en Iran. C'est encore les Égyptiens qui ont fait des funérailles honorables alors que ce n'est pas leur président à eux. Aucun autre chef d'État dans le monde entier n'a eu le courage de venir voir pour la dernière fois le corps. Et moi je me demande encore une fois si l'ayatollah Khomeyni n'est pas devenu l'homme le plus puissant de la Terre car il fait peur aux présidents des autres pays.

Roger Guy Folly a dit que le président des Américains qui s'appelle Richard Nixon s'est rendu aux funérailles du Chah et qu'il a critiqué les présidents du monde entier parce qu'ils n'ont pas été courageux de venir eux aussi sur place. Tout ça c'est de la fumée dans l'herbe. C'est des paroles dans la tempête. Pourquoi on a attendu que quelqu'un meure pour faire des discours de ce genre ? Richard Nixon m'énerve donc. C'est bien avant qu'il aurait fallu qu'il aide le Chah et critique ces présidents du monde entier au lieu de faire son grand numéro. Tonton René dit souvent des gens qui interviennent trop tard qu'ils font le médecin après la mort. Les blâmes de Richard Nixon ne vont pas faire que le défunt chah d'Iran soit heureux dans l'autre monde. Je suis sûr que lorsqu'il rencontrera Dieu en personne il donnera les noms de ces présidents qui n'ont pas été capables de prendre leurs responsabilités.

Les cadeaux, j'en ai maintenant en pagaille. C'est comme si j'avais rattrapé les choses que je n'ai pas eues depuis que je suis né. Celui qui voit ça va croire qu'il y a beaucoup d'enfants qui vivent dans notre maison alors que c'est pas vrai. Des sacs de billes. Des soldats en plastique avec des armes compliquées qui fonctionnent avec des piles. Des châteaux de France difficiles à assembler. Des ambulances avec des pompiers habillés en rouge et orange. Des ballons de foot, de rugby et de handball. Un Superman et beaucoup d'autres choses encore que j'oublie parfois et lorsque je les trouve, je me demande : Quand est-ce que mon père et ma mère m'avaient offert ça ?

Je n'ai presque plus de place pour ranger tout ça. Il y a des jours où mes parents ne me disent pas qu'ils ont rapporté des cadeaux, ils les mettent directement sous mon lit, et quand je vais chercher le ballon de foot ou de handball pour jouer avec Lounès et quelques autres garçons du quartier, je les découvre, je crie de joie on dirait quelqu'un qui a déjà eu le certificat d'études primaires alors que non. Est-ce que si je trouve la clé qui ouvre le ventre de ma mère mes parents vont continuer à m'offrir des cadeaux comme maintenant?

Mon jouet préféré c'est bien sûr la voiture qui est comme celle de Sébastien et que mes parents ont achetée il y a quelques jours. Ils m'ont dit que ce n'était pas facile pour eux de la trouver car Noël est passé depuis longtemps. Ils ont cherché dans tous les magasins de la ville, et il ne restait plus qu'une seule voiture de ce genre au Printania.

Le dimanche je me mets dans la cour de notre parcelle pour appuyer sur tous les boutons de commande de ma voiture. Elle va à gauche, elle va à droite, puis elle fait demi-tour, elle continue tout droit et revient jusqu'à mes pieds. Et là j'appuie sur un bouton rouge, elle s'arrête, le moteur s'éteint.

Au départ, mes parents voulaient acheter deux voitures de ce genre, mais je leur ai dit :

— Ah non, attendez d'abord que celle que j'ai tombe en panne. D'ailleurs, si elle tombe en panne, je vais appeler Sébastien, lui il sait comment réparer ça parce que ça fait longtemps qu'il a une voiture comme ça.

Et ils ont ri alors que moi ça ne me faisait pas rire.

Quand je joue avec cette voiture, maman Pauline et papa Roger sont parfois derrière moi on dirait qu'ils veulent redevenir des enfants et jouer avec moi. Ils se mettent à quatre pattes, ils regardent ma voiture rouler jusqu'au bout de la parcelle et revenir à mes pieds. Ils applaudissent, et moi je suis très heureux de voir que ma voiture les intéresse aussi. D'un autre côté, je sais qu'ils sont trop grands de taille pour se mettre encore à genoux et marcher à quatre pattes dans la poussière. Les grandes personnes ne se mettent à genoux que lorsqu'elles prient Dieu. Donc je crois que si mon père et ma mère se mettent à genoux, ce n'est pas parce qu'ils veulent jouer avec moi, ce n'est pas parce qu'ils aiment ma voiture, c'est tout simplement parce qu'ils attendent de moi quelque chose d'autre, cette clé.

Puisqu'ils voient bien que je suis heureux lorsque je joue, ils me demandent :

— Est-ce que ta voiture te plaît, Michel ?

Comme je suis très concentré parce que je ne veux pas que ma voiture aille cogner le manguier ou qu'elle se retrouve dehors où quelqu'un pourrait me la voler, je réponds oui de la tête sans les regarder.

Et c'est papa Roger qui se penche vers moi :

— Michel, il faut maintenant que tu penses aussi à nous. Il faut que tu nous rendes heureux car nous t'aimons et nous ne sommes pas tes ennemis. Jamais nous ne serons tes ennemis ! Nous t'avons déjà donné beaucoup de cadeaux. Dis-toi que tous les enfants de ce quartier, et même de cette ville, n'ont pas ce que tu as aujourd'hui. Maintenant, pense un peu à nous, rends-nous heureux. Est-ce que tu comprends ça ?

Je fais comme si je ne comprenais pas, je continue à jouer. Tant que maman Pauline et papa Roger ne me diront pas clairement que c'est moi la cause de leur malheur, je jouerai à l'idiot qui ne sait rien et qui attend qu'on lui fasse un gros dessin au tableau.

Ce dimanche Lounès et moi on joue avec ma voiture depuis un moment dans un grand terrain de foot du quartier Savon. On ne sent même pas la chaleur de cette fin d'après-midi. C'est lui qui avait dit en venant me siffler devant la parcelle :

— Il faut bien roder ta voiture sinon elle ne roulera jamais très vite. Allons au terrain de foot de Savon, ce dimanche il n'y a pas de match là-bas.

Tous les deux on veut donc voir à quelle vitesse ma voiture est capable de rouler et combien de minutes ou d'heures elle peut tenir. Dès qu'elle démarre, on pousse des cris comme si c'était une course entre deux voitures alors qu'on n'en a qu'une seule. C'est là que je me rends compte que mes parents avaient raison de vouloir m'offrir deux voitures. On aurait fait une vraie course entre Lounès et moi. Je n'ai pas envie de demander à Sébastien de faire la course avec moi sinon il va savoir que j'ai maintenant le même jouet que lui, et il va me jalouser.

La voiture a déjà fait plusieurs allers-retours. On entend tout à coup un bruit bizarre comme si j'avais appuyé sur le bouton d'arrêt.

Je hurle :

— Elle est tombée en panne ! Il faut qu'on la rapporte chez mon cousin !

Et comme je me rappelle qu'il ne faut pas que Sébastien voie cette voiture, j'appuie plusieurs fois sur le bouton de démarrage pour être sûr que ma voiture est vraiment en panne. Elle ne bouge plus. Je suis paniqué, je la soulève et la retourne. C'est peut-être à cause de la poussière. Je souffle donc dessus.

— Ne te fatigue pas, elle n'est pas en panne. Les piles sont mortes, me dit Lounès.

Je cours alors vers le petit sac que j'ai pris avec moi, je range la voiture et je sors le ballon de foot :

— C'est pas grave que la voiture ne marche plus, on va maintenant jouer au foot. Comme on n'est que deux on va tirer des penalties, va te mettre devant les filets là-bas, c'est moi qui commence.

Lounès ne bouge pas. Il reste planté au milieu du terrain comme un poteau et il me regarde.

— Mais pourquoi tu te mets pas devant les filets là-bas ? je lui demande.

— Non, je n'ai pas envie, Michel. Toi et moi on ne fait que jouer comme des idiots ici alors que ta mère souffre. Tu trouves ça normal, toi ? Il faut que tu penses à elle maintenant. Tu dois retrouver cette clé...

Là je m'énerve alors que jamais je ne m'énerve contre lui parce que je sais que si on se bat c'est lui qui va gagner grâce à ses muscles, à sa taille et aux katas supérieurs qu'il apprend dans le club de maître John.

Je retourne ranger mon ballon et je prends mon sac pour quitter le terrain. Il court après moi :

— Attends, Michel. Je veux seulement que maman Pauline ne souffre plus, c'est tout.

On marche très vite sans se parler. On arrive d'abord devant leur parcelle.

— Tu ne viens pas saluer mes parents ?

— Non, un autre jour.

— Viens, tu ne vas pas regretter : Caroline est là...

Je ne réponds pas, je lui tends la main. Il la retient presque pendant une minute et me dit :

— Rentre bien et n'oublie pas de changer les piles de ta voiture puisque c'est ça qui est le plus important pour toi.

Dans mon sommeil je vais désormais très loin. Je ne suis plus le petit Michel qu'on voit dans ce quartier. Je ne suis plus le petit Michel qui marche avec une chemise kaki, un coupé bleu et des sandales en plastique. Je porte des pantalons en Tergal, des vestes en lin, des chemises blanches en coton avec un nœud papillon. Je porte aussi un chapeau comme celui du petit enfant qui est dans le film *The Kid* que Lounès m'a raconté en imitant les gestes de Charlot. Mais moi je suis plus grand que cet enfant qui a été abandonné par sa mère dans une voiture et qui va vivre avec Charlot jusqu'à ce que sa maman devenue riche le récupère et remercie ce père adoptif. Oui, je suis un peu plus grand, je suis comme je voudrais être quand j'aurai vingt ans.

Dans ces rêves j'ai la tête bien haute, les épaules bien droites, on me respecte, on me salue, on enlève le chapeau lorsque je passe dans la rue et je parle d'autres langues que nos langues à nous. Je les parle très bien on dirait que je suis né dans les pays où je me retrouve et où je suis arrivé en quelques secondes de voyage seulement alors qu'il faut un ou deux jours en avion pour arriver jusque là-bas. Si je parle le chinois c'est peut-être parce que dans la journée Lounès et moi on a parlé des Chinois qui ont construit l'hôpital Congo-Malembé dans le quartier Trois-Cents. Si je parle l'arabe c'est peut-être parce que j'ai entendu monsieur Mutombo parler de l'Algérie. Si je parle les langues de l'Inde c'est peut-être parce que Lounès m'a raconté un film indien dans lequel il y a un prince et une princesse qui embêtent un pauvre paysan.

Chaque nuit c'est maintenant la même chose : avant de fermer les yeux, je pense à ces pays lointains. Une fois que le sommeil arrive, je croise les gens de là-bas et nous nous parlons. Eux ils ne me demandent pas d'où je viens car dans les rêves tout le monde est à égalité, c'est pour ça qu'on est capable de parler toutes les langues de la Terre alors que dans la réalité il faut les apprendre pendant des années. Je m'endors avec le sourire parce que je sais que je suis capable de toucher le soleil, la lune et les étoiles. La vie me paraît facile. Mais lorsque je me réveille je suis triste car je suis incapable de prononcer un seul mot des langues que je connaissais pourtant dans mon rêve. J'ai tout oublié, tout a été effacé. Tout me paraît loin, très loin.

— Je suis venu pour voir Arthur le Beau.

Moi je suis un peu jaloux parce que je voulais que Caroline dise que c'est moi qu'elle est venue voir aujourd'hui. Et je regrette de lui avoir parlé d'Arthur. Elle va maintenant trop penser à lui, et elle ne va plus beaucoup me regarder comme avant. Mais quand je pense qu'Arthur n'est qu'une image sur la couverture d'un des livres de mon père, je me sens tranquille parce que c'est pas une image qui peut prendre la femme de quelqu'un. Et puis Arthur est déjà mort.

Pendant qu'on entre dans la maison je me dis qu'il ne faut pas que je lui montre notre radiocassette. Or j'ai quand même envie de la lui montrer. Si elle voit ça, je vais gagner beaucoup de points par rapport à Mabélé qui ne lui a jamais montré un appareil comme ça et qui ne lui parle que des choses qui n'existent pas.

Je sors de la chambre de mes parents avec le livre *Une saison en enfer.* Je l'ai retourné pour cacher à Caroline l'image d'Arthur.

— Ferme les yeux.

Elle a mis une main sur son visage. Ses doigts ne sont pas bien serrés les uns contre les autres, elle peut apercevoir ce que je veux lui montrer.

— Tu triches, ferme les yeux avec les deux mains !

Elle met une main au-dessus de l'autre. Elle ne peut plus rien voir. J'avance vers elle et lui dis à l'oreille :

— Maintenant tu peux ouvrir les yeux, Arthur est là !

Elle reste d'abord sans rien dire un moment, puis elle arrache le livre de mes mains. Elle touche le visage d'Arthur avec son index droit, elle hume le livre on dirait que c'est de la nourriture. Elle passe un autre doigt sur les cheveux d'Arthur et ses yeux. Elle ouvre enfin une page et commence à lire :

*« J'ai horreur de tous les métiers. Maîtres et ouvriers, tous paysans, ignobles. La main à plume vaut la main à charrue. — Quel siècle à mains ! — Je n'aurai jamais ma main. Après, la domesticité mène trop loin. L'honnê- teté de la mendicité me navre. Les criminels dégoûtent comme des châtrés : moi, je suis intact, et ça m'est égal. »*

— C'est quoi « la main à plume » ? C'est quoi « la main à charrue » ? elle me demande.

Je sursaute parce qu'elle se pose les mêmes ques- tions que je m'étais posées la première fois en tou- chant ce livre.

Elle ne lit plus, elle attend mes réponses. Je ne peux pas lui dire que je ne sais pas sinon elle va se moquer de moi et croire que je ne connais pas très bien Arthur.

— En fait la main à plume c'est la main d'un sorcier blanc qui se déguise la nuit en oiseau pour prendre les enfants et les emmener en enfer pendant une saison. C'est pour ça que le titre c'est *Une saison en enfer*.

Elle regarde une fois de plus Arthur comme si elle avait maintenant très peur de lui. Elle pose vite le livre sur la table :

— Et toi tu n'as pas peur que la main à plume t'emmène là-bas en enfer ?

— Non, Arthur va me protéger.

— Et « la main à charrue » alors ?

— C'est la main qui tire la charrue dans un champ, c'est la main de l'agriculteur, et d'après mon oncle il ne faut pas mettre la charrue avant les bœufs.

Est-ce qu'elle a deviné que je ne sais pas de quoi je parle ? J'ai parlé avec calme, sans hésiter sur un seul mot. En tout cas, pendant qu'elle me regarde avec admiration, moi je sens de l'air frais qui entre dans mes poumons. Je sais que je viens de marquer mille points. Que Mabélé n'est plus rien en face de moi. Je suis si heureux que je reprends le livre et file le ranger dans la chambre de mes parents.


Je reviens au salon avec la radiocassette. La cassette est déjà à l'intérieur de l'appareil. J'appuie sur « Play ». Le chanteur à moustache se met à pleurer son arbre. Quand la chanson arrive sur *alter ego* et *saligaud*, je commence à expliquer à Caroline ce que ça signifie, mais elle me fait :

— Chut ! Tais-toi.

Elle écoute et remue la tête. La chanson est finie, j'appuie sur le bouton «RWD», elle recommence.

Caroline se lève :

— Fais-moi danser !

— Ah non, on ne danse pas sur ce genre de chanson et...

— Moi j'ai envie de danser avec toi sur cette musique ! Allez, viens !

Me voilà en face d'elle, mais je laisse un grand espace entre nous deux.

— Tu as peur de moi ? Tu ne sais pas danser ou quoi ? Avance encore et serre-moi bien fort !

Je la serre bien fort, on bouge lentement. Elle a fermé les yeux on dirait qu'elle n'est plus avec moi dans la maison et qu'elle voyage très loin, plus loin que l'Égypte. Moi aussi je ferme les yeux pour voyager dans mes pensées, et je me rappelle le concert que j'ai vu au Joli Soir avec Maximilien. Je revois la jupe très courte de cette femme-là qui dansait, son derrière qui barrait le trou du mur, ses longues jambes, ses gros seins presque dehors. Mon cœur bat très vite maintenant. Je pose ma tête sur la poitrine de Caroline comme un bébé qui a fini de boire son biberon et qui s'endort profondément. Or Caroline n'a pas encore les gros seins de la femme que j'ai vue danser. Je sens quand même de petits seins. J'imagine que dans quelques années ils vont pousser et devenir comme de grosses papayes mûres.

Pendant qu'on danse et que nos deux corps sont devenus comme un seul corps, elle approche sa bouche de mon oreille :

— Michel, tu es toujours mon mari et je veux habiter dans le grand château qui est dans ton cœur.

Ces paroles font battre très vite mon cœur. Je plane comme un cerf-volant dans le ciel. Jamais je ne me suis senti aussi heureux même lorsque je mange le plat de viande de bœuf aux haricots. Je ne veux pas que ce moment s'arrête. Je veux que ça dure jusqu'à la fin du monde. Je sens la main de Caroline qui me touche les cheveux, sa bouche qui se rapproche de mon oreille. Je ferme encore plus les yeux jusqu'au moment où je l'entends me dire de sa petite voix :

— Michel, où est la clé qui ouvre le ventre de maman Pauline ?

J'ouvre les yeux, je cesse de danser et je m'écarte d'elle. Je fonce vers la radiocassette qui est posée sur la table et j'appuie sur le bouton « STOP ». Je sens la colère qui monte en moi, je tremble presque, mais Caroline reste très calme et continue :

— Moi je suis ta femme, et c'est pas Mabélé que j'aime, est-ce que tu comprends ça ? Mais si tu ne donnes pas cette clé à ta mère on va encore divorcer et je vais vivre cette fois-ci pour de bon avec Mabélé.

Elle a arrangé ses cheveux, s'est regardée dans le miroir et a pris son petit sac à main.

Elle est déjà devant la porte lorsqu'elle me dit :

— Si je te parle directement, c'est parce que tu es mon mari. Les mariés ne doivent pas avoir de secrets, ils doivent tout se dire. Et puis j'ai maintenant peur de toi car si tu es capable de cacher la clé qui ouvre le ventre de ta propre mère, c'est sûr que notre premier enfant qu'on aura il risquera aussi de fermer mon ventre à moi et il cachera la clé quelque part comme toi tu as fait. Je n'aurai donc pas les deux enfants que je veux avoir avec toi, je serai une femme malheureuse comme maman Pauline, est-ce que tu me comprends ?

— Tu as trouvé la clé ?

— On se calme, mon petit Michel...

— Je veux cette clé aujourd'hui !

— D'abord on ne dit jamais à quelqu'un «je veux», c'est impoli !

Je m'assois comme lui, le dos contre le mur du cimetière.

— Mon petit Michel, comme la dernière fois tu dois m'écouter sans m'interrompre...

Petit-Piment a allumé une cigarette, je vois son visage disparaître derrière la fumée. Quand il tousse c'est on dirait le moteur d'un vieux camion qui n'arrive pas à démarrer.

Il commence à parler avec sa voix très cassée :

— La dernière fois je t'ai raconté comment mon grand-père Massengo est mort à cause de la cupidité de mon oncle qui avait décidé de tuer le coq solitaire pour la fête du nouvel an. Eh bien, après cet épisode moi j'ai dû quitter le village pour venir vivre ici à Pointe-Noire dans une des parcelles que ce grand-père avait laissées. Je vivais avec mon autre oncle qui est mort quand j'avais vingt-cinq ans. Cet oncle s'appelait Matété, il souffrait de l'amnésie, cette maladie qui fait qu'on finit par perdre la mémoire. Moi l'orphelin de père et de mère je voyais en lui un soutien. Sa mort m'avait foudroyé car nous ne vivions que tous les deux, il n'était pas marié et n'avait pas d'enfants. Comme je m'identifiais trop à lui, j'ai remarqué que j'avais perdu moi aussi la mémoire juste après sa disparition. J'étais alors persuadé que c'était lui qui m'avait transmis son amnésie au lieu de l'emporter au Ciel où ma mère qui s'y trouvait déjà aurait soufflé sur son front et l'aurait ainsi guéri. Mais il paraît que les morts doivent arriver là-haut bien coiffés, bien parfumés, en costume trois pièces pour les hommes, en robe blanche pour les femmes, et surtout en très bonne santé, et c'est pour cela que les maladies restent au cimetière et choisissent plus tard d'habiter dans le corps d'un héritier quand l'âme du défunt entame enfin la montée des escaliers qui mènent vers le Paradis. Cet héritier malheureux c'était moi. Tu me suis toujours, mon petit Michel ?

— Oui, je te suis...

— Comme j'étais devenu amnésique moi aussi, j'oubliais de me rendre à mon poste de travail à la Compagnie maritime où j'étais un cadre, et c'est moi qui embauchais les jeunes diplômés. Seulement voilà, je n'y allais plus du tout, et quand mes collègues de travail, inquiets, venaient frapper à ma porte avec insistance pour me ramener à la raison, moi je leur balançais de l'eau pimentée dans la figure. Je ne les reconnaissais plus et les prenais pour des nains de jardin qui piétinaient mes pauvres petits épinards alors que la seule chose qui me restait désormais c'était justement de cultiver mon jardin dans un coin de cette parcelle que mon oncle avait héritée de mon grand-père et que moi j'avais héritée de mon oncle. Je pouvais tout tolérer, pas qu'on vienne saboter mes pauvres petits épinards à moi que j'arrosais avec bonheur, mes pauvres petits épinards à qui je me confiais lorsque le chagrin m'accablait et que je repensais à ma mère, à mon père, et surtout à tonton Matété qui sans doute n'avait pas encore recouvré sa mémoire au Ciel. Mon existence tournait alors autour de mes pauvres petits épinards : je sautais du lit de bonne heure, je m'assurais qu'il n'y avait pas de nains de jardin qui étaient descendus d'un des camions de la Compagnie maritime, je prenais une pioche, une houe, une pelle, un râteau et un arrosoir que je remplissais d'eau de la Tchinouka. Je travaillais ensuite la terre, je répandais des graines en sifflotant. Des fois je m'asseyais la journée entière au milieu de mon potager dans l'espoir de surprendre mes pauvres petits épinards en train de pousser. Je craignais qu'ils ne sortent de la terre à mon insu. Mon voisin Maloba Pamba-Pamba s'inquiétait, et il est venu un jour vers moi avec un air de pitié : « Petit-Piment, tu es assis dans ton jardin depuis ce matin, et je ne t'ai pas vu imiter une seule fois le geste auguste du semeur ! Qu'est-ce qui se passe ? » J'ai répondu : « Je regarde pousser mes pauvres petits épinards. » Il était étonné : « Tu regardes pousser tes épinards ? » Je me suis presque emporté : « Il y a une chose que je voudrais bien comprendre : pourquoi mes pauvres petits épinards à moi ne poussent que quand j'ai le dos tourné, hein ? Tu ne trouves pas cela inacceptable, toi ? » Il m'a regardé, un peu étonné : « C'est en effet inacceptable, Petit-

Piment. » Moi j'ai ajouté : « C'est pas normal, c'est même de l'ingratitude de la part de ces épinards ! Qui c'est donc qui les arrose, ces pauvres petits épinards, hein ? Qui c'est donc qui prend soin d'eux, hein ? Qui c'est donc qui arrache la mauvaise herbe qui les empêche de pousser, eux, hein ? Ils ne peuvent pas me faire ça à moi ! Je ne quitterai pas ce jardin tant que mes pauvres petits épinards n'auront pas décidé de pousser sous mes yeux ici et maintenant ! » Le voisin Maloba Pamba-Pamba a murmuré : « Mon cher Petit-Piment, je vais être franc avec toi : je crois que tu dois te soigner. Jusqu'à présent, ta situation était grave, maintenant elle est désespérée, très désespérée... »

Petit-Piment s'est arrêté de parler, et quand il me regarde je sais qu'il se demande si je comprends ce qu'il me raconte. Mais comme il m'avait dit de ne pas le couper, moi je me tais. Je fais comme si j'étais en classe et que le maître était en train de nous expliquer une nouvelle leçon. J'ai pourtant envie de dire à Petit-Piment : « Donne-moi la clé, je veux en finir avec ça aujourd'hui et aller en Égypte, et aussi grandir. » Mais il ne faut pas que je lui donne des ordres parce que lui c'est une grande personne même si dans sa tête il y a des choses qui bougent, des billes qui se cognent entre elles, des boulons qui manquent depuis la mort de son oncle. Si j'insiste trop à lui demander la clé sans vouloir l'écouter d'abord, il va s'énerver pour de bon et je rentrerai chez moi les mains vides. Or, si je n'ai pas la clé aujourd'hui, ça veut dire qu'il faudra que j'aille encore fouiller dans les poubelles de la ville demain, après-demain, après après-demain, et peut-être toute ma vie, une vie

que je passerai dans les poubelles de ce quartier.
Je ne veux pas de cette vie-là. Alors je l'écoute, il
finira bien par s'arrêter tôt ou tard.

— Oh que non, mon petit Michel, ce n'était pas
par plaisir que je vagabondais maintenant du côté
de la rivière Tchinouka. C'était à cause de cette
amnésie. J'oubliais de m'arrêter devant ma baraque,
je fonçais vers cette rivière avec la certitude que
j'étais capable de marcher sur l'eau comme Jésus.
Et lorsque je voulais franchir la rivière de notre
quartier, même si je hurlais trois fois « *alea jacta
est !* », j'hésitais un moment parce que, mine de
rien, je n'avais pas le courage d'un général romain
sur le point d'affronter Pompée le Grand. On pouvait perdre la mémoire, mais il y avait la ligne
rouge à ne pas dépasser. Amnésique, oui. Lâche
vivant, oui. Héros mort, ça, non. Je ne prenais
donc pas le risque de marcher sur l'eau, j'hésitais,
je m'imaginais qu'elle était trop froide ou trop pol-
luée par les excréments de certains habitants qui
n'avaient pas de toilettes chez eux et qui prétendaient que faire leurs besoins dans l'eau c'était pas
grave puisque les savants du monde entier avaient
démontré que l'eau qui coulait n'avait pas de
microbes. Mon voisin Maloba Pamba-Pamba me
recherchait dans le quartier pour m'emmener
chez un féticheur. En cela je reconnais qu'il a été
un homme honorable. Mais il n'arrivait jamais
jusqu'à la rivière où je restais des heures à me
demander ce que j'étais venu chercher au cœur de
la nuit, au milieu des chiennes en rut et des bandits du Grand Marché qui se partageaient leur
butin en se menaçant à coups de tournevis. Je parlais tout seul, j'exécutais de grands gestes, je riais

avec des ombres, des personnages qui m'entouraient et, à la fin, je grondais les crapauds qui tous hurlaient leur colère contre moi. L'amnésie avait modifié mon allure. J'allais à gauche, j'allais à droite, et je repassais plusieurs fois au même endroit sans le savoir. Puisque je tournais comme ça en rond tel un escargot pris dans le piège de sa propre bave, eh bien il me fallait inventer un petit truc de rien du tout, un petit truc pas compliqué, un petit truc efficace qui m'éviterait les vertiges : je dessinais une croix lorraine là où j'avais déjà mis les pieds afin de ne pas avoir à repasser là quelques minutes après. Du coup la plupart des ruelles du quartier Trois-Cents, du quartier Savon et du quartier Comapon étaient marquées de dizaines et de dizaines de croix lorraines. Quand je voyais une de ces croix par terre, je m'écriais : «Tiens, tiens, tiens, y a une croix lorraine ici ! Donc je suis déjà passé par ici, il va falloir que je passe ailleurs où il n'y a pas de croix lorraines !» Et je me dirigeais ailleurs, mais les jeunes plaisantins s'amusaient maintenant à mettre des croix lorraines partout. J'en trouvais à des endroits où je n'avais jamais mis les pieds de ma vie. Je me perdais de plus en plus parce que c'était pas évident de distinguer mes propres croix lorraines de celles de ces farceurs qui ajoutaient du génie à leur provocation. J'ai alors arrêté de dessiner ces croix et je passais plutôt mon temps à les effacer quand je ne restais pas dans ma parcelle à cultiver mon jardin. À partir de ce moment-là on a conclu que j'étais vraiment un fou et moi j'ai accepté cela. J'ai oublié que j'avais une maison, j'étais persuadé que les rues et les poubelles de cette ville m'appartenaient, qu'elles étaient ma maison. Et comme elles étaient ma maison j'ai emménagé dans les rues et dans les poubelles... Maintenant je vis ma vie de cette façon, dehors, libre et loin des méchants. Qu'est-ce que tu veux que je fasse, hein? Crier à tout le monde qu'il me reste une lueur de lucidité plus éblouissante que celle des hommes normaux? Non, je n'ai plus le temps, je suis épuisé, je ne veux plus rien entendre de quelqu'un. J'aime ma vie, je vais attendre mon dernier jour pour prendre l'escalier qui m'emmènera jusque là-haut...

Il lève la tête et montre le ciel. Moi aussi je lève la tête mais je ne vois pas d'escalier qui mène là-haut. Il baisse la tête et me tend alors une vieille clé. Je suis si excité que je l'arrache de ses mains.

Au moment où je me lève pour partir, il me dit :

— Tu t'en vas donc pour toujours? Je ne te reverrai plus?

Je ne l'entends plus, je cours déjà. Je me sens libre, je respire moi aussi. J'ai envie de m'envoler. J'ai envie de rire comme je n'ai jamais ri. Mes pieds touchent à peine le sol. Je pense à Carl Lewis et je cours encore plus vite.


Alors que je suis déjà loin et que je ne pense plus qu'au moment où je vais remettre la clé à ma mère, je me souviens soudain que j'ai oublié de demander à Petit-Piment deux choses importantes. Je reviens donc sur mes pas et je le retrouve au même endroit, la tête toujours baissée. Il la relève et me sourit on dirait qu'il savait que j'allais revenir.

— Ah, te revoilà !

— J'ai oublié de te demander deux choses...

— Commençons par la première, mon petit.

— Tu as toujours la petite clé que tu avais ramassée quand on fouillait dans la poubelle tous les deux ?

— Quelle petite clé ?

— La toute petite, celle qui ouvre les boîtes de sardines sans têtes fabriquées au Maroc.

Il fouille dans la poche de son vieux manteau et me donne la petite clé.

— Qu'est-ce que tu vas faire avec ça puisque je t'ai donné une vraie ?

Sans réfléchir je lui réponds :

— Peut-être que c'est la petite qui est la bonne, je vais quand même garder les deux pour ne pas me tromper.

— Et c'est quoi la deuxième chose que tu voulais me demander ?

— Est-ce que tu as vu Ma Sœur-Étoile et Ma Sœur-Sans-Nom ?

Là il n'a plus ri.

— Tu ne m'as pas donné leur vrai nom ! Je rencontre beaucoup de personnes, et si je n'ai pas leur nom je ne peux pas savoir qui est qui, moi. Reviens me voir n'importe quand avec les noms de tes sœurs.

Je repars en courant sans lui dire au revoir. J'ai peur que la nuit m'attrape ici au moment où chaque fantôme va revenir dans sa tombe pour se reposer après une longue promenade dans les quartiers de la ville.

Quand je cours, j'entends les deux clés qui se cognent dans la poche de mon coupé. Leur bruit me fait du bien au cœur. Je me sens léger, j'ai encore envie de rire fort, très fort comme tout à l'heure. Mais si je ris les gens risquent de me prendre pour un petit fou. Sinon comment ils vont se rendre compte que si je suis content, si je me parle tout seul c'est parce que dans ma poche il y a le bonheur de ma mère, de mon père, et aussi mon bonheur?

J'aperçois une grosse femme qui discute avec notre voisin le menuisier Yeza. Je me penche bien et je constate qu'il y a aussi avec eux maman Pauline, papa Roger, monsieur et madame Mutombo. Quand les gens discutent avec Yeza, c'est le plus souvent pour une histoire de cercueil. C'est peut-être pour ça que la grosse femme est en train de pleurer et que ma mère et madame Mutombo la consolent.

Comme je suis devant la porte de notre maison, je ne peux pas bien voir ce qui se passe là-bas. D'ici les visages des gens me paraissent flous et quand ils parlent, on dirait que les mots ne sortent pas de leur bouche. C'est comme ces films en noir et blanc que parfois le prêtre nous montre dans la cour de l'église Saint-Jean-Bosco. Dans ces films on ne voit que des hommes, des femmes et des enfants qui sont à genoux en train de prier.

J'avance de quelques pas jusqu'au milieu et je constate que la grosse femme qui pleure c'est la mère de l'apprenti Longombé. Je la reconnais, c'est elle qui vient chaque fois demander de l'argent à son fils devant l'atelier de monsieur Mutombo. Je me dis alors : C'est fini, c'est l'apprenti Longombé qui est mort. Et je commence à penser à comment il aimait rire lorsque j'arrivais dans l'atelier. À comment il prenait le pantalon de mon père ou ma chemise déchirée pour les réparer. Je ne vais pas rester debout là au milieu de la parcelle. Je veux tout savoir.

Me voici donc devant la parcelle de Yeza. Ma mère vient de m'apercevoir et me crie :

— Michel, ne reste pas là, rentre à la maison !

La mère de Longombé n'est pas d'accord.

— Pauline, il peut rester, mon fils l'aimait beaucoup.

J'entre dans la parcelle, je m'approche un peu plus de tout ce petit monde triste. J'apprends que Longombé a été heurté par une voiture dans le quartier Bloc 55. La voiture en question n'avait plus de freins et est allée cogner un poteau électrique après avoir écrasé l'apprenti. Le chauffeur a fui, on ne le retrouvera pas s'il va vivre dans la brousse où se cachent la plupart de nos bandits et où la police ne va jamais.

La mère de Longombé hurle que c'est pas possible qu'un jeune comme son fils meure, c'est les vieux qui doivent mourir avant les jeunes.

— Pourquoi cette voiture ne m'a pas écrasée, moi, hein ? C'est de la sorcellerie !

Selon elle, Longombé a été envoûté par quelqu'un et ce n'est pas la faute au chauffeur qu'on doit laisser tranquille puisque l'accident s'est passé devant l'ancienne boutique du Sénégalais Ousmane.

Et elle ne fait plus que hurler :

— C'est Ousmane le coupable, pas le chauffeur ! Ousmane a utilisé son miroir magique pour sacrifier mon fils et faire beaucoup de bénéfices dans son magasin !

Or, si je me souviens bien, Ousmane n'est plus commerçant au quartier Bloc 55. Il a vendu son magasin et a ouvert un autre au Grand Marché. Comment il peut encore faire son miroir magique alors que c'est un Congolais qui a acheté son magasin ?

On dirait que la mère de Longombé a compris mes pensées. Je l'entends expliquer aux autres :

— Oui, on va me faire croire qu'Ousmane n'a plus sa boutique au Bloc 55 ! On va me dire qu'il l'a vendue ! Mon œil ! Vous pensez que moi je vais accepter ça ? Est-ce que je suis une idiote, moi ? La mort de mon enfant est une bonne affaire pour ce commerçant puisque je n'avais que ce fils. Et les fils uniques, c'est ça que les féticheurs demandent comme sacrifice dans ce pays. Vous pensez que c'est par hasard qu'il y a eu cet accident ? Non ! Non ! Non ! C'est le Sénégalais Ousmane qui est derrière tout ça ! En vendant sa boutique à un Congolais, il lui a aussi vendu un morceau de son miroir magique ! Ils sont tous les deux des associés ! Et chaque fois il faut nourrir ce miroir magique avec du sang humain pour avoir encore plus de clients. Le Congolais qui tient cette boutique est son complice direct, ils se partagent les bénéfices la nuit quand tout le monde dort, et c'est eux qui décident quel enfant sacrifier dans cette ville ! Pauline, fais attention, un jour ils risqueront de prendre aussi ton fils.

Elle raconte que lorsque Longombé traversait la rue devant le bar du Congolais il croyait que la voiture qui venait à sa droite était très loin alors qu'elle n'était qu'à un mètre de lui. Et paf! Pendant qu'elle parle je me souviens tout de suite de cette histoire de miroir magique quand on allait à l'école avec Caroline et que nos parents nous conseillaient de ne pas passer devant le magasin d'Ousmane. Nous aussi les voitures nous auraient écrasés à cause du miroir magique d'Ousmane.

Ils discutent maintenant le prix du cercueil.

Yeza veut beaucoup trop d'argent. On le supplie de baisser le prix. On lui dit que la mère de Longombé est très pauvre, qu'elle n'a pas de mari, que celui-ci a fui à la naissance de Longombé. Le menuisier écoute avec pitié. J'ai l'impression qu'il va pleurer. Il sort même un mouchoir et essuie une larme avant de dire :

— Non, je suis désolé, je ne peux pas baisser le tarif du cercueil. J'ai déjà fait un bon prix, les planches coûtent maintenant trop cher. Allez demander chez les autres menuisiers le prix d'un cercueil et vous verrez !

Comme monsieur Mutombo et mon père n'arrivent plus à le convaincre, ils sortent alors de l'argent et se mettent à compter. Le menuisier regarde tout ça avec des yeux de gourmand qui a le ténia. Sa tête bouge de haut en bas chaque fois qu'on sort un billet du portefeuille pour le déposer sur la table en bambou qui est au milieu de la parcelle. On lui a remis beaucoup d'argent, il l'a pris et a fourré le tout dans sa poche avec un petit sourire qui m'énerve. Mais le voilà qui ressort l'argent de sa poche, le redépose sur la table et le compte on dirait qu'il n'a pas confiance en monsieur Mutombo et mon père.

Tout le groupe quitte la parcelle. Le menuisier entre dans son atelier et on entend maintenant le bruit de la scie qui coupe les planches.

Maman Pauline vient vers moi et se penche un peu pour me parler sans que les autres nous écoutent :

— Michel, ce soir tu dormiras seul à la maison, ton père et moi on va à la veillée. N'oublie pas de mettre ta moustiquaire et d'éteindre la lampe quand tu t'endors.

Elle me serre fort dans ses bras, me donne un baiser. C'est la première fois qu'elle me serre comme ça et que je reçois un baiser d'elle. Elle a mouillé mes joues avec ses larmes. Si maman Pauline a des larmes qui coulent, c'est qu'elle est vraiment très malheureuse et qu'elle n'en peut plus. Or je ne veux pas qu'elle soit malheureuse. Je sais que ce n'est pas pour la mort de Longombé que ces larmes coulent des yeux de ma mère. Elle pleure pour autre chose. Elle m'a souvent dit que lorsque quelqu'un verse des larmes pour un mort qui n'est pas de sa famille c'est qu'il imagine ses propres malheurs. Mais moi je ne pense pas à mes malheurs, je repense plutôt à comment Longombé riait dans l'atelier, à comment il regardait les femmes qui se déshabillaient devant lui pour qu'il leur prenne les mesures. Et quand je revois tout ça dans ma tête je sens une fourmi qui entre dans mon œil.

J'ouvre mes bras pour que ma mère m'embrasse une fois de plus car je ne sais pas si elle m'embrassera encore un jour ou s'il faudra attendre la mort de quelqu'un dans cette ville. Elle se penche bien pour arriver à ma hauteur. Je n'ai plus de voix, je ne sais plus quoi dire pour la calmer, pour qu'elle ne pleure pas le corps de Longombé en pensant à ses propres malheurs.

Comme ma bouche est collée à son oreille je lui souffle :

— Maman, j'ai quelque chose pour toi...

Je sors la clé et la lui montre, elle la prend vite et se met à pleurer très fort. Les autres qui l'entendent pensent qu'elle pleure à cause de la mort de Longombé.

Je suis désormais soulagé, et j'espère qu'un enfant arrivera dans notre maison. De préférence une fille.

Je vois monsieur Mutombo, madame Mutombo, maman Pauline et papa Roger s'éloigner avec la mère de Longombé et plusieurs gens du quartier qui les ont rejoints. Ma mère se retourne de temps à autre pour me regarder. Papa Roger aussi. Les deux viennent de se parler et j'ai l'impression que mon père a mis dans sa poche la clé que j'ai remise à maman Pauline. Je peux le deviner d'ici puisqu'il touche sans cesse sa poche on dirait qu'il a peur que cette clé disparaisse. Moi aussi je fais comme lui, je touche la poche de mon coupé et je sens qu'il y a encore à l'intérieur une clé, la petite clé qui ouvre les boîtes de sardines sans têtes fabriquées au Maroc.

C'est la première fois que je me retrouve avec Caroline au bord de la rivière Tchinouka. C'est moi qui lui ai demandé de me suivre jusqu'ici. Je suis passé devant chez elle et j'ai sifflé trois fois. J'avais eu peur que ce soit Lounès qui sorte de la maison, mais je savais aussi qu'il ne serait pas là, qu'il était parti au centre-ville avec son père pour acheter des tissus. Donc la veille, quand il m'avait appris qu'il sortirait avec monsieur Mutombo, je m'étais dit : Il faut que je rencontre Caroline, c'est très important.

Au troisième sifflet Caroline est vite sortie de leur maison. Elle était pieds nus devant la porte. Elle m'a fait signe d'attendre et elle est repartie à l'intérieur de la maison. Qu'est-ce qu'elle allait encore chercher dedans ?

Elle est revenue quelques minutes plus tard bien habillée, avec une robe bleue, des chaussures blanches et un foulard rouge. Moi je me suis senti un peu sale avec mon pantalon bleu trop court et ma chemise marron cousue il y a deux ans par son père. Je n'avais pas peigné mes cheveux on dirait quelqu'un qui venait de quitter son lit.

Caroline a regardé mes pieds : mes sandales en plastique étaient un peu usées.

— On va où comme ça ?

— À la rivière.

Elle, elle voulait qu'on aille se promener au centre-ville. J'ai dit non parce que c'est trop loin et qu'il faut prendre un bus. En plus, au centre-ville, on risquait de croiser monsieur Mutombo et Lounès. Sans compter que j'ai aussi peur des accidents avec ces bus qui roulent trop vite et qui ne s'arrêtent pas quand les feux sont rouges.

On a marché en silence. Je trouvais que Caroline n'avançait pas vite. Alors je ralentissais mes pas, je l'attendais, elle me donnait sa main, je la prenais, et nous avons continué notre route, toujours sans parler, jusqu'à la rivière.

— Michel, qu'est-ce qu'on est venus chercher ici ? J'aime pas cette rivière, ça pue, en plus y a le bruit de crapauds ! Est-ce que tu sais que les crapauds c'est des diables ? Il paraît qu'ils sont des gens méchants qui sont morts et qui se sont transformés en crapauds.

J'entends le bruit d'un avion. Je n'aperçois que son aile, le reste est bien caché dans un gros nuage sombre. Je ne veux pas deviner dans quel pays il va et quel est le nom de la capitale du pays en question. Je pense plutôt à l'année prochaine. J'aurai peut-être mon certificat d'études dans la poche et j'irai au collège des Trois-Glorieuses. Je prendrai le Train ouvrier avec mes camarades. Je serai en sixième, mais Lounès sera dans la classe des grands, en quatrième. Je vais apprendre des choses compli-

quées sans craindre de devenir un fou comme
Petit-Piment, Athéna ou La Mangue. Je serai un
petit homme avec des poils qui poussent sous le
menton et là-dedans, dans mon coupé. Je marcherai plus vite que maintenant parce que j'aurai des
jambes bien musclées. Ma voix aussi va changer,
elle ne va plus être aiguë, et quand je rirai les gens
diront : Attention, c'est un homme qui est en train
de rire, pas un petit enfant de l'école primaire des
Trois-Martyrs où quand il pleut l'eau entre dans la
classe.

Caroline me secoue :

— Michel, tu rêves ou quoi ?

— Je pensais à l'année prochaine quand je vais
aller au collège.

— Est-ce que tu as trouvé la clé de ta mère ?

Je fais oui de la tête. Alors qu'on était assis
depuis un moment, elle se relève brusquement et
me sourit.

— Elle est où, cette clé ? Moi aussi je peux la
voir ?

— Je l'ai déjà donnée à ma mère.

Je sors de ma poche un petit papier que je lui
remets. Elle le déplie et découvre le poème que je
lui ai écrit depuis longtemps. Ses lèvres remuent,
ses yeux deviennent humides. Mais elle ne me dit
pas ce qu'il y a dans sa tête. Moi je sais qu'elle aime
ce poème même s'il n'est pas comme le poème de
Victor Hugo que son frère m'avait une fois récité.

Elle replie la feuille et la cache dans une poche
de sa robe. C'est à ce moment-là que moi je sors de
ma poche la petite clé qui ouvre les boîtes de sardines sans têtes fabriquées au Maroc :

— Tiens, ça aussi c'est pour toi. Garde-la bien.

Je sais que tu en auras besoin un jour pour ouvrir ton ventre.

Elle a une fourmi dans l'œil et moi je sens mon cœur qui tombe dans mon ventre. Je suis vraiment amoureux.

Elle me dit de me lever et me prend dans ses bras.

— Tu veux toujours avoir deux enfants avec moi ?

— Bien sûr.

— Je t'aime, Michel.

— Moi aussi je t'aime et je...

— Tu m'aimes comment ?

— Comme la voiture rouge à cinq places qu'on aura.

— Et aussi le petit chien blanc, ne l'oublie pas !

Le vent souffle et remue la rivière. Il va peut-être pleuvoir. Caroline me prend la main et on quitte la rivière. Je vais la raccompagner jusque chez elle, puis je reviendrai à la maison, maman Pauline prépare un plat de viande de bœuf aux haricots ce soir.

Je ne fais que penser au pauvre Longombé qu'on a enterré il y a quelques semaines. Je le revois au fond de l'atelier de monsieur Mutombo. Ses gestes sont maintenant flous car il n'est plus de ce monde. Alors j'imagine pour lui une longue route avec de l'herbe de part et d'autre. C'est la route qu'on prend pour venir au monde et c'est aussi celle qu'on reprend le jour de la mort. Quand on vient de naître et qu'on croise une personne qui la prend dans le sens contraire, ça veut dire qu'elle est déjà morte et que c'est son fantôme qui retourne dans le quartier pour d'abord assister à son enterrement, puis ramasser ses affaires avant de disparaître définitivement de cette Terre.

Moi je cherche une autre route, ma route du bonheur, celle que je prendrai pieds nus, en plein soleil, même si le goudron me brûle. J'arriverai loin, très loin, là où toutes les routes du monde se croisent, là où on retrouve les gens qui nous ont quittés et qui n'ont plus le même visage comme lorsqu'on les avait connus sur Terre. Cette route-là je dois bien la garder dans ma tête, je ne veux pas qu'elle n'existe plus quand je serai grand sinon je vais me perdre au milieu des gens méchants qui ne m'aiment pas et qui cherchent à me faire du mal.

Sur cette route je marcherai alors comme les crabes qui se baladent sur le sable de notre Côte sauvage : on croit qu'ils vont aller à gauche, ils font demi-tour, ils s'arrêtent sans savoir pourquoi, ils tournent en rond, et ils repartent en vitesse vers la droite avant de revenir à gauche. Mais ce que j'aime chez les crabes c'est qu'ils savent toujours où ils vont aller, et ils finissent par arriver tôt ou tard alors qu'ils ont plusieurs pattes qui ne sont jamais d'accord entre elles et qui n'arrêtent pas de se chamailler en cours de route. Quand je prendrai cette route du bonheur je saurai alors que j'ai enfin grandi, que j'ai maintenant vingt ans. Je serai peut-être entouré de sœurs et de frères. Je regarderai pendant un moment maman Pauline qui sourit alors que papa Roger écoute La Voix de l'Amérique ou le chanteur à moustache qui pleure son copain le chêne, son *alter ego* qu'il n'aurait jamais dû quitter des yeux.

# DU MÊME AUTEUR

*Romans*

BLEU BLANC ROUGE, Présence africaine, 1998
  Grand Prix littéraire de l'Afrique noire
ET DIEU SEUL SAIT COMMENT JE DORS, Présence africaine, 2001
LES PETITS-FILS NÈGRES DE VERCINGÉTORIX, Le Serpent à plumes, 2002 ; Points Seuil, 2006
AFRICAN PSYCHO, Le Serpent à plumes, 2003 ; Points Seuil, 2006
VERRE CASSÉ, Seuil, 2005
  Prix Ouest-France/Étonnants Voyageurs
  Prix des Cinq Continents de la Francophonie
  Prix RFO du livre
MÉMOIRES DE PORC-ÉPIC, Seuil, 2006
  Prix Renaudot 2006, prix de la Rentrée littéraire 2006, prix Aliénor d'Aquitaine, prix Artistes du monde du ministère français des Affaires étrangères
BLACK BAZAR, Seuil, 2009
DEMAIN J'AURAI VINGT ANS, Gallimard, Coll. Blanche, 2010 (Folio n° 5378)

*Récits*

L'ENTERREMENT DE MA MÈRE, Kaléidoscope, Danemark, 2000
L'EUROPE VUE D'AFRIQUE, Naïve, 2009
ÉCRIVAIN ET OISEAU MIGRATEUR, André Versailles éditeur, 2011

*Poésie*

TANT QUE LES ARBRES S'ENRACINERONT DANS LA TERRE, Œuvre poétique complète de 1995 à 2004 ; Points Seuil, 2007

*Essais*

LETTRE À JIMMY, Fayard, 2007 ; Points Seuil, 2009

LE SANGLOT DE L'HOMME NOIR, Fayard, 2011

*Traduction*

BEASTS OF NO NATION (Bêtes sans patrie) d'Uzodinma Iweala, L'Olivier, 2008

*Livre pour la jeunesse*

MA SŒUR-ÉTOILE, Seuil-Jeunesse, 2010

*Anthologie*

POÉSIE AFRICAINE, SIX POÈTES D'AFRIQUE FRANCO-PHONE, Points Seuil, 2010

# COLLECTION FOLIO

*Dernières parutions*